DIANE PEYLIN

Diane Peylin est née en Ardèche en 1978. Titulaire d'une maîtrise de français, elle a été institutrice puis gérante de gîtes et villas. Elle vit aujourd'hui sur le voilier qu'elle a construit avec son compagnon et son fils. Romancière voyageuse, elle a notamment publié une nouvelle, *Chambre 442*, sur la prostitution en Thaïlande (Éditions Jacques André, 2008) et un album, *Noa, de l'autre côté* (Balivernes, 2010). *À l'endroit où elles naissent* (Les Nouveaux Auteurs, 2011) est son premier roman.

Retrouvez l'auteur sur :
http://l.encre.de.l.amer.over-blog.com

À L'ENDROIT OÙ ELLES NAISSENT

DIANE PEYLIN

À L'ENDROIT OÙ ELLES NAISSENT

Préface de Maxime Le Forestier

LES NOUVEAUX AUTEURS

© 2011, Éditions Les Nouveaux Auteurs – Prisma Presse
Tous droits réservés
ISBN : 978-2-266-22605-9

À mes grands-parents, Maria et Raymond,
À mes parents, Babette et Christian,
À mes sœurs, Eva et Mathilde,
Parce que si j'avais eu à choisir une famille,
c'est elle que j'aurais choisie.

PRÉFACE pour *Nées quelque part*
(Titre initial de ce roman)

Quand une chanson s'envole, qui sait où elle se pose ? Depuis plus de vingt ans qu'elle migre, celle-ci est passée par bien des oreilles. De ce qu'elle a provoqué ou pas dans la grande majorité d'entre elles, je ne sais rien. On m'en parle quelquefois, mais vous savez ce que c'est, qui parle d'une chanson ne parle que de lui-même.

Aujourd'hui, elle me revient, prolongée, accompagnant ce beau récit binaire, cette histoire de naissances et de destins croisés.

Un savant linguiste soutient mordicus que la fréquence élevée de la lettre « p » dans le texte de *Né quelque part* amène l'auditeur à l'idée de patrie, donc de père.

Diane Peylin aura entendu des « m ». Sa version est féminine, maternelle, et le sens reste le même. Chacun interprète à sa manière les chansons qu'il aime, mais l'auteur n'a pas toujours, comme ici, le bonheur de l'entendre.

Maxime Le Forestier

NAISSANCE

Être né quelque part
Pour celui qui est né
C'est toujours un hasard.

Maxime Le Forestier – *Né quelque part*

1

Un cri déchira la nuit. Puis il y eut le silence.

2

Il y eut des gémissements, des pleurs, des hurlements. Il y eut du bruit. Encore du bruit...

3

Tsiky était partie sans bruit, avec son gros ventre, rejoindre les baobabs de la forêt. C'est au pied d'un manguier qu'elle s'était échouée.

Au-dessus d'elle, la lune.
Auprès d'elle, quelques lémuriens noctambules.

Tsiky avait senti son bébé l'appeler alors qu'elle pilait les épices pour les ajouter dans sa marmite. Elle avait demandé à sa petite nièce de la remplacer en lui expliquant qu'elle devait s'absenter un moment. Elle lui avait précisé de ne pas l'attendre pour le repas car elle allait chercher son bébé et qu'elle ne rentrerait que lorsqu'il serait arrivé.

— Il est loin ton bébé ? s'inquiéta la fillette.
— Il est tout près. Tout près, répondit Tsiky tout en s'éloignant.

Au-dessus d'elle, les étoiles.
Auprès d'elle, une mygale insomniaque qui tissait sa toile.

Tsiky venait de fêter son seizième printemps. Son mari lui avait offert une belle robe qu'il avait ramenée de Toamasina. Toamasina… À chaque fois qu'elle entendait le nom de cette ville, ses yeux se mettaient à briller. Pétiller. La grande ville, avec ses restaurants et ses échoppes. Ses maisons aux fenêtres vitrées et aux murs indestructibles. Ses routes asphaltées. Le canal des Pangalanes. Toamasina.

Au-dessus d'elle, la nuit.
Auprès d'elle, un gecko[1] se déplaçant sans bruit.

Tsiky enleva sa tunique trempée de sueur. Puis elle ôta son slip. Et son vieux tee-shirt qui l'oppressait. Nue et haletante, elle ne sentait plus l'écorce de l'arbre majestueux qui lui griffait le dos. Ni les minuscules épines de l'herbe qui supportait ses fessiers crispés. Ni les picotements dus aux piqûres des moustiques sanguinaires. Nue et haletante, elle se contentait de fixer la boule dorée qui illuminait le ciel somnolent. De temps en temps, elle balançait sa tête en avant en expirant de toutes ses forces l'air qu'elle avait méthodiquement inspiré. C'était son premier accouchement, et pourtant elle savait. Elle savait ce qu'il lui fallait, ce qu'elle avait à faire. Les nombreuses mises bas des chiens errants, les accouchements répétés auxquels elle avait assisté faisaient qu'elle savait ce qu'elle voulait et surtout ce qu'elle ne voulait pas. Ne pas accoucher au village. Surtout ne pas accoucher entourée de multiples paires d'yeux curieux. Ne pas accoucher au centre d'un cercle bruyant et envahissant. Accoucher

---

1. Petit lézard.

seule de son bébé. Elle et lui au cœur de la forêt. La forêt de ses ancêtres.

Au-dessus d'elle, un ibis mélomane.
Auprès d'elle, une tortue à la robe diaphane.

Après quelques heures de silence, Tsiky laissa le chant la guider. Ses cordes vocales se mirent à vibrer imperceptiblement et ses lèvres se fermèrent doucement laissant à sa bouche le soin de faire caisse de résonance. De tempo en écho, la mélodie s'empara du corps de la parturiente. Son ventre tendu frémissait. Ses jambes se balançaient de droite à gauche. De gauche à droite. Ses pieds marquaient discrètement la mesure.

La voix de Tsiky, grave et suave, diffusait ses notes venues d'un autre monde au creux de la jungle languissante.

Au-dessus d'elle, la Voie lactée.
Auprès d'elle, une grenouille fluorescente et tachetée.

Puis ce fut le moment. Agrippée à l'une des branches du manguier, Tsiky s'accroupit puis, douloureusement, se mit à quatre pattes. C'était dans cette position qu'elle pourrait expulser son bébé. Les contractions n'en finissaient pas de s'accentuer, de se rapprocher, ne laissant bientôt plus aucun répit à la jeune fille. Tsiky tentait de donner de la voix à ses expirations. À la place des cris, un chant. Un chant pour la vie. Les graves s'étaient déclinés en aigus. Les longues mélodies en râles courts et précis. Tsiky appelait son enfant. Elle l'invitait à la rejoindre en lui chantant des mots rassurants. En lui racontant que dehors il faisait chaud et que la lune était belle. En lui décrivant la beauté de la mangue qu'elle fixait. En lui expliquant qu'elle serait toujours à ses côtés. Tsiky se cambrait, puis se contractait. Puis se cambrait à nouveau. Ses mains serraient intensément les racines du manguier. Des perles de sueur roulaient le long de ses joues rebondies. Son bébé arrivait. Elle le sentait. Lorsqu'elle passa son bras entre ses jambes, elle put toucher sa petite tête toute mouillée. Elle se remit accroupie et plaça ses deux mains entre ses cuisses pour l'amener jusqu'à elle.

Au-dessus d'elle, un ange éblouissant.
Bientôt près d'elle, son enfant.

Un cri déchira la nuit. Puis il y eut le silence.

4

À la première contraction, elle goba un calmant, attrapa son mari par le bras et le tira jusqu'à la voiture.

— Le médecin t'a dit qu'il ne fallait pas se presser. On peut commencer le travail à la maison, rappela-t-il.

— Ça y est, il a commencé, le travail. J'en suis à ma deuxième contraction. Allez, vite, à l'hôpital !

Le bonhomme ne répondit pas. Le bonhomme se tut et obéit à son épouse. Il se contenta de souffler bêtement, cramponné à son volant. Docile et inquiet. Sa femme râlait. Sa femme pestait. Sa femme n'en finissait pas de brailler. Elle tentait désespérément de supporter cet accouchement qui lui broyait les entrailles. Elle était paniquée. Elle transpirait. Il savait cette peur viscérale. Animale. Il savait qu'aujourd'hui la vie revenait les chercher. Mais étaient-ils prêts ?

À l'hôpital, tout était calme. Des murs pistache, un linoléum rose, des vases en verre avec des fleurs en plastique, des posters pastel, des vitres mobiles et immobiles, une odeur de médicament et un distribu-teur de caféine. La ventrue eut un haut-le-cœur. Le visage livide et les yeux tirés, elle s'agrippa au comptoir de l'accueil. Ses contractions s'intensifiaient et son malaise grandissait. Il lui fallait de l'aide. De l'air ! Le mari se tenait derrière elle, sage comme une image. L'énorme valise de sa femme dans une main.

La réceptionniste les invita à monter à la maternité, au deuxième étage. À bout de nerfs, la future maman exigea un fauteuil roulant et un ascenseur. Mais au rez-de-chaussée, il n'y avait rien d'autre qu'une machine à café et des biscuits périmés. Cramponnée à la rambarde, les dents serrées et le regard hystérique, elle se mit à grimper les marches. Une par une. Pas à pas. Elle était lourde. Lourde de fatigue et de haine. Le travail venait à peine de commencer et elle était déjà épuisée. Un poids alourdissait son cœur et court-circuitait son bonheur. La jeune femme, submergée par la souffrance, se comportait avec rage et insolence. Il n'y avait aucune place pour le reste. L'espoir, la joie, la tendresse, elle n'y avait pas accès.

Une fois au service spécialisé, elle chercha des yeux un médecin. Ne voyant personne, elle pesta contre son mari, lui reprochant de ne pas avoir choisi une clinique. Désemparé, ce dernier la regarda réclamer un gynécologue comme une gamine commandant sa friandise. Il ne la reconnaissait pas. Il s'était pourtant préparé à quelque chose de peu ordinaire, à une crise passagère, à sa femme en colère. Mais là, il ne pouvait pas faire face. Ne pouvait plus. Les bras ballants, les yeux vides, il se désintégra doucement afin que tout cela lui passe au travers.

Une infirmière prit finalement son épouse en charge, lui expliquant que si tout se passait bien il n'y aurait pas besoin de médecin. Mais en salle de travail, le cirque continua.

Contre les murs, de la tapisserie lavande et des photos de montagne pour que les mamans se détendent. Ainsi qu'un grand lit, un fauteuil rebondi, des coussins et une baignoire. Tout cela, la génitrice enflammée ne le vit pas. Elle continuait de demander tout et n'importe quoi pour se préparer à la grande boucherie qui l'attendait. Rien ne pouvait la calmer. Ni la musique douce des baffles grésillantes, ni les calmants qu'elle avait arrachés des mains de son mari. Lui, l'homme invisible, qui était toujours là à ses côtés. Muet.

Les pieds dans les étriers, la jeune femme ne savait plus où elle en était. Perdue et désespérée, elle n'arrêtait pas de pousser alors que ce n'était pas le moment de pousser. Elle soufflait. Râlait. Criait. L'enfant qui s'agitait en elle lui faisait mal. La sage-femme posa ses mains chaudes et réconfortantes sur son ventre tendu. Elle essaya de l'apaiser en lui décrivant le regard des nouveau-nés, la chaleur de leur peau, la magie de l'allaitement. Mais la colère de la future mère redoubla. Il était hors de question que son enfant triture ses tétons. Le biberon. C'était très bien comme ça. Un peu de poudre, un peu d'eau. Parfait. Comme ça, le père pourrait aussi s'en occuper. Le mari hocha la tête. Une tête de chien automate acquiesçant sur la tablette arrière d'une voiture. Prisonnière de sa misère et de sa colère, otage de ses angoisses lancinantes, la maman antitétée éclata alors brutalement en sanglots, laissant la sage-femme dépitée sortir de la salle de travail.

Les heures passaient. Toutes possédées par la même douleur. La rage avant le carnage. Les gros mots gonflaient en insultes. L'accouchée se transformait petit à petit en Regan version *L'Exorciste*, inconsciente que son bébé tentait désespérément de faire demi-tour tant le vacarme extérieur lui faisait peur. Il y avait une faille immense chez cette maman. Une détresse abyssale. Et l'enfant le sentait. Le flairait. Il était oppressé par un tissu d'angoisse qui commençait à l'étouffer. Depuis des mois, ce malaise s'immisçait dans les plis et replis de son cordon. Ce dernier, censé le nourrir, commençait à le flétrir. Le fœtus ne pouvait plus grossir, trop préoccupé par les crampes incontrôlables qui dévoraient le ventre maternel.

Les heures passaient. Mais le col ne s'ouvrait toujours pas. Le bébé ne voulait pas sortir. Le bébé se fatiguait. Le bébé était en danger. Le médecin arriva, constata des signes de souffrance fœtale et programma une césarienne. La femme au ventre tendu et au visage dégoulinant n'entendait plus rien, assourdie par ses propres cris, son calvaire dominant sa vie.

Mais d'un coup, tout s'emballa. Le bébé sursauta. Les contractions s'intensifièrent. Et le col se dilata. Plus le temps de préparer la patiente. La sage-femme prit place entre les deux jambes de la névrosée. La tête du nouveau-né montrait déjà le bout de son crâne.

Il y eut des gémissements, des pleurs, des hurlements. Il y eut du bruit. Encore du bruit…

5

L'enfant ébène bouscula le silence. Son premier souffle se transforma en plainte. En cri. Tremblotant, il tentait désespérément de regagner le ventre qui l'avait porté. En vain. Il resta donc là, quelques minutes, sur le sol broussailleux, entre les jambes de sa mère inconsciente. Des épines microscopiques griffaient sa fine peau de nouveau-né. Quelques gouttes de sang perlaient le long de ses petites jambes retroussées. Le bébé pleurait. Encore. Et encore. Mais sa mère dormait encore. Et encore. Puis la lune se décrocha de son fil invisible et laissa sa place au soleil magnifique. L'enfant se mit à froncer les sourcils. Ses gémissements devinrent sanglots et se tarirent au fur et à mesure que les rayons réchauffaient son duvet humide. Et puis il y eut un cui-cui.

Le petit être ne voyait pas encore mais il entendait. Le foudi[1] rouge qui chantait sa mélodie féerique, L'indri[2] et sa voix pithiatique.

_____

1. Oiseau endémique de Madagascar.
2. Le plus grand des lémuriens de Madagascar.

Le petit être ne voyait pas mais il flairait.
L'odeur de la mousse toujours humide,
Le parfum subtil de l'orchidée candide.

Le petit être ne voyait pas mais il sentait.
Les piques et chatouilles des feuillages verdoyants,
Le froid du boa le caressant.

Il entendit le souffle de sa mère.
Il flaira l'arôme de son lait.
Il sentit sa main l'agripper. Enfin. Enfin, elle se réveillait.

L'enfant ne bougeait plus. Attendant patiemment que sa douce maman l'amène à elle. Il perçut d'abord le bout de ses doigts le cherchant difficilement. Puis plus rien. Le corps lourd de sa génitrice retourna s'appuyer contre l'arbre qui la soutenait. Le bébé affamé ne disait toujours rien. Il sentait sa maman tout près, seule cette présence l'importait. Puis il y eut un grand tremblement de terre ou de mère, il ne savait pas. Et tout se transforma. Le contact avec le sol épineux en corps à corps charnel et voluptueux. Les frôlements glacés du serpent en caresses de maman. La bouche sèche et pâteuse en tétée généreuse. Il y avait maintenant une poitrine étourdissante qui lui cachait le visage, la voix d'une femme qui le berçait doucement et un doux tissu qui le frictionnait tendrement.

Lovés au creux de la jungle, les deux êtres amoureux faisaient connaissance.
L'un découvrant la vie en savourant la magie lactée de cet instant.
L'autre la quittant doucement dans une mare de sang.

6

L'enfant blanc resta bouche bée. Ces longues heures sous tension l'avaient rendu muet. Abasourdi et légèrement sonné, le bébé, rosé et chiffonné, se laissa malmener sans mot dire. Il sentait des mains froides agripper son corps maculé et de gros doigts boudinés farfouiller chacune de ses extrémités. Tel un pantin désarticulé victime de la folie du marionnettiste. Effrayé et livide, le nouveau-né n'osait plus bouger. Un homme en blouse verte l'attrapa par les pieds pour le secouer. Puis une grosse dame badgée le récupéra pour l'amener vers sa mère écarlate qui le repoussa. C'était trop tôt pour elle. Trop tôt pour eux. Il lui fallait plus de temps. Pas maintenant. Elle se recroquevilla, attrapa l'oreiller fleuri, y enfouit sa tête et se mit à gémir. Son corps et son cœur avaient déjà trop souffert. Ils n'étaient pas prêts. Ils ne pouvaient pas accueillir cet enfant. Se réjouir était trop dur. Impossible. La jeune maman avait passé toute sa grossesse à lutter contre le venin qui la rongeait. Elle avait essayé d'oublier le monstre qui hantait ses nuits et obscurcissait ses jours. En vain. Elle pensait que ce bébé serait l'antidote. Qu'il allait tout arranger. Elle s'était trompée. Le mal était plus grand encore. Terrifiée, elle mordit le coussin et pleura de douleur.

L'enfant devina ses pleurs.

L'infirmière voulut ensuite le confier à son père mais celui-ci se déroba. Il n'avait plus de bras, plus de jambes, plus de regard. Un courant d'air. Le teint blême, les mains moites, la mâchoire tremblante, l'homme observait le petit être inquiet sans réagir. Ce bébé était le sien. Neuf mois qu'il s'y préparait. L'homme voulut se rapprocher pour le caresser mais il resta sur place, paralysé. Il craignait de lui faire du mal. Il ne voulait pas le casser, ce poupon. Ce bébé. Ce bébé était le sien. Et il était terrorisé.

L'enfant devina ses peurs.

La femme en blanc, coiffée de son filet ridicule, l'amena finalement dans une salle fluorescente qui puait l'alcool et les désinfectants. Des néons immenses barraient les plafonds. Des chariots inox se succédaient le long des murs carrelés de cette pièce glaciale. À leur bord, des pinces par dizaines. Et des seringues, des ciseaux, des fioles, des pipettes, des pansements, des aiguilles, des gants en latex. Le grand nettoyage du bébé commença. Un tuyau dans le nez pour aspirer ce qu'il y avait à aspirer. Un thermomètre entre les fesses pour vérifier sa température. Un bracelet en plastique menotté à son petit poignet. Une balance grinçante pour peser les grammes de son corps tétanisé. Le nouveau-né ne voyait pas encore et pourtant ses yeux s'agitaient. Le malaise était si grand. Tellement violent. Ses paupières clignaient. Clignotaient. Il sentait les ongles pointus, le coton rugueux et le linge squalide maltraiter sa peau fine, mais il ne disait rien. Muet. Trop occupé à combattre la folie du dehors. Le bébé ne disait toujours rien, si bien que l'infirmière inquiète le pinça pour qu'il réagisse. L'enfant se mit finalement à sangloter. Était-ce la douleur ? L'abîme qui s'offrait à lui ? La vie qui le griffait et l'asphyxiait ?

Autour de lui, cette pièce froide et éblouissante. Ces regards médicalement assistés. Cette mère triste et en colère. Qui était-elle ? Son ventre était pourtant tiède.

Elle aurait pu le prévenir. Elle aurait dû. Les battements de son cœur l'avaient bercé durant toutes ces semaines. Et maintenant, elle l'abandonnait. Réveil. Terrible. L'enfant se tourna vers son père et, même s'il le savait tout près, ne parvint plus à le sentir. La peur l'avait lavé de son odeur. Le bébé renifla. Seuls les relents de javel parvinrent à s'immiscer dans ses narines minuscules.

Alors, doucement, l'enfant se mit à pleurer. Pleurer. Sans plus pouvoir s'arrêter. Le lait artificiel du téton en caoutchouc de sa maman n'y changeait rien. Les berceuses déraillées de son paternel non plus.

Le bébé pleura 12 heures 43 minutes 12 secondes puis s'endormit.

Sa mère dormit 12 heures 43 minutes 12 secondes puis se réveilla.

Carnet rose…

MADAGASCAR – 5 novembre 1978 – Forêt près d'Anandrivola – Au pied d'un manguier – Naissance d'un bébé ébène de sexe féminin – Fille de Tsiky, *« Le sourire »*, morte en couches et de Joro, *« Celui qui est debout »*, cueilleur de vanille.

FRANCE – 5 novembre 1978 – Clinique des amandiers de Pierrelatte – Chambre 235 – Naissance d'Eva Mireille Paulette HUBERT – Fille de Sylvie Françoise HUBERT née MARCON, sans emploi, et Jacques HUBERT, commercial.

Carnet morose[1]...

	MADAGASCAR	**FRANCE**
Capitale :	Antananarivo	Paris
Superficie :	587 041 km^2	551 500 km^2
Population (2009) :	19 625 000 hab.	65 000 000 hab.
Espérance de vie homme (2007) :	55 ans	77 ans
Espérance de vie femme (2007) :	59 ans	84 ans
Taux de natalité (2007) :	40 ‰	13 ‰
Taux de mortalité infantile (2007) :	79 ‰	3,7 ‰
PNB/hab. (2007) :	320 $	38 500 $
Accès à l'eau potable (2006) :	46 %	100 %
Taux d'alphabétisation :	70,7 %	99 %
Nombre d'hab. pour un médecin (2004) :	3 448	293
Routes (en km) :	65 663	951 500
Automobiles (1996) :	4 ‰	494 ‰
Téléviseurs (2008) :	18 %	97 %
Internet (2009) :	1,5 %	69.3 %
Téléphone portable (2006) :	5,5 %	85,1 %

---

1. Sources : Atlas des pays du monde 2010 (Larousse) <www.atlas-francophone.refer.org>.

ENFANCE

On choisit pas ses parents,
On choisit pas sa famille
On choisit pas non plus
Les trottoirs de Manille
De Paris ou d'Alger
Pour apprendre à marcher.

Maxime Le Forestier – *Né quelque part*

1

Tout commença par des questions.
— Où est ta tante ?
— Où est Tsiky ?
— Elle t'a dit quelque chose ?

À répétition.
— Chercher son bébé ? Mais où ?
— Tout près ? Mais c'est où, tout près ?
— Parle, elle est où ?

Puis sur un autre ton.
— T'as intérêt de nous répondre, sinon…
— Si on ne la retrouve pas, tu seras punie.
— C'est bien compris ?!

Pour finir, avec abnégation.
— Elle est bornée cette gamine !
— Faut y aller, elle n'en dira pas plus.
— Elle n'en sait pas plus.

Njaka, le chef du village, fit appeler Joro qui était parti toute la nuit aider le vieux Tahiry à pêcher sa

pitance. Joro ne semblait pas inquiet, habitué des esca-
pades de sa fiancée.

— Elle a dû rendre visite à sa sœur.

— Non, Bako y est allé. Pas de nouvelles de Tsiky.
Elle a dit qu'elle était partie chercher son bébé.

Joro sursauta.

— Quoi ? Son bébé ! Mais. Toute seule. Elle me
l'avait dit, mais elle n'était pas… sérieuse. La forêt.
La forêt. Vite ! Elle voulait accoucher dans la forêt !
Il faut la retrouver.

C'est Joro qui trouva Tsiky au pied du manguier.
C'est lui qui approcha son visage de sa bouche pour
voir si l'air était chaud. C'est lui qui enleva sa chemise
pour couvrir son corps ensanglanté. C'est lui qui hurla
à s'en décoller les entrailles le nom de « Tsiky », qui
se pencha pour défaire le bébé somnolent du sein
de sa mère morte, qui coupa le cordon d'un coup de
machette, qui donna son premier baiser au nouveau-
né. C'est lui qui l'entendit murmurer. Le bébé contre
le torse de son père ronronnait une douce mélodie.
Une mélodie pour lui chanter la vie.

Quelques minutes plus tard, les autres rappliquèrent.
Joro leur confia l'enfant et s'accroupit près de sa
femme endormie. Il lui prit la main, la serra de toutes
ses forces, puis, dans un mouvement sec, l'arracha à
l'arbre qui la soutenait pour l'approcher de son corps
tremblant. Pour qu'elle soit près de lui. Plus près.
Encore plus près. Les bras puissants de Joro entouraient le corps sans vie de la belle Tsiky. L'homme
perdu se mit à pleurer, à suffoquer, à crier. Puis à
chanter. Dans un mouvement doux et imperceptible,
il berçait sa belle et l'accompagnait tendrement

rejoindre le monde des morts. Leurs paupières étaient fermées. Leurs corps enlacés. Leurs mains liées.

Balanola... Balanola...
Izy hono, izy ravorona ô
Ento manaraka anao ô
Rahefa mangina avereno ô[1]

— *Tiako ianao*, finit-il par murmurer.
Un dernier « Je t'aime » pour la mère de son enfant vivant.

Au village, les hommes confièrent le nouveau-né à Soa, la sœur de Tsiky. Elle le mouilla d'abord de ses larmes, puis elle lui offrit son sein. Celui qui servait à nourrir ses propres enfants et ceux de sa cousine qui n'avait pas de lait. Une fois l'enfant rassasié, elle le massa à l'huile de tamanu[2]. Frictionné, caressé, luisant et glissant, le bébé s'endormit paisiblement dans les bras de sa tante. Soa profita ensuite de ce moment pour nettoyer le cordon. Pour le nouer, elle voulut appeler sa grand-mère experte à la rescousse. Celle qui les avait élevées, Tsiky et elle, celle qu'elles appelaient maman. Mais Hanitra s'était enfermée dans sa cabane pour pleurer sa belle Tsiky. Elle ne voulait pas voir le bébé de son enfant morte. Elle ne voulait pas l'aider. Ravaka, la femme du chef, prit donc le relais pour donner un joli nombril à ce nouveau-né.

---

1. Berceuse malgache. Traduction : « Tiens te voilà, ô toi l'oiseau ! ô emporte-le avec toi ! Ramène-le quand les pleurs s'arrêteront. »
2. Grand arbre majestueux des forêts humides. On en extrait une huile d'une grande richesse.

À la fin du jour, Joro finit par rapporter la dépouille de Tsiky au village. Au milieu des lamentations, Soa s'avança vers lui pour lui présenter son enfant emmailloté.

— C'est une fille, annonça-t-elle.

— C'est une fille, répéta-t-il. C'est une fille ! C'est une fille, recommença-t-il, des perles de bonheur glissant le long de ses joues brûlées.

Joro serra sa princesse de longues heures. Il lui raconta sa maman, leur enfance, leur amour depuis toujours. Il lui promit que Tsiky serait toujours avec eux et qu'elle les protégerait de là-haut. Il lui dit mille fois : « *Tiako ianao.* » Puis, au milieu de la nuit, il la confia à Soa qui allait s'occuper d'elle pour le mois à venir. Tout n'était maintenant qu'une question de survie. C'est Soa qui allait la nourrir et la garder comme une louve au fond de sa grotte. On ne verrait plus l'enfant. On ne l'entendrait plus. Elle avait trente jours pour subsister, accompagnée de sa nourrice. Trente jours pour combattre la mort qui raffolait des nouveau-nés chétifs et délicats. Trente jours au bout desquels le bébé serait considéré comme un être humain à part entière. Il pourrait alors être présenté à l'ensemble de sa famille, du village et être baptisé. L'enfant sans nom deviendrait alors la fille de Tsiky et de Joro. Une fille du village. Une fille de Madagascar.

2

À peine garés, ils leur tombèrent tous dessus. Micheline et Jean-Jacques, les parents de Jacques, d'un côté. Martine et Vincent, la mère et le beau-père de Sylvie de l'autre côté.

Jacques se faufila sans se faire remarquer. Les bras surchargés de paquets, il titubait dans l'allée, affaibli par le poids des bagages et par toute la détresse que supportait son cœur. Il avait du mal à reprendre son souffle. À retrouver un second souffle. Il avait beau gonfler le torse, serrer les dents et mettre un pied devant l'autre, les valises dégringolaient et lui s'enfonçait. Un peu plus. Sylvie, le visage boursouflé et les paupières gonflées, tentait de sortir le couffin de la Renault 12. Mais au bout de quelques secondes, sa main lâcha et sa tête contre la portière se cogna. Sylvie ne sentit rien. Anesthésiée par les pilules qu'elle avait mendiées au médecin. La prescription était de deux par jour, elle en avait déjà gobé trois.

Les quatre gâteux ignorèrent les parents accablés et se jetèrent sur la portière en babillant en chœur. Sylvie fut éjectée sur le côté et se retrouva face à l'oie en terre cuite qui picorait dans le gazon. Autour, les voix devinrent plus graves et commencèrent à se battre pour savoir qui allait porter la petite-fille chérie. Martine remporta finalement le premier round. Eva était dans ses bras.

Dans la maison, on ne savait plus où s'asseoir. Les grands-parents avaient mis tout en œuvre pour célébrer cette naissance. Peu importaient les états d'âme de leur progéniture. Trop d'années à les aider, les supporter, les écouter, les rassurer. Il était temps de ranger les mouchoirs et de sortir les cotillons. Un peu de vie dans cette maison. Un peu de changement. Le vieux canapé avait été poussé près du buffet et avait été recouvert d'une tenture violette. Les rideaux avaient été tirés et les meubles cirés. Plus de place pour la poussière. Vive le Kriter. Les fauteuils en skaï débordaient d'énormes paquets cadeaux, la tapisserie saumonée était piquée de banderoles, les guirlandes lumineuses de mamie Micheline clignotaient près de la vitrine à bibelots, les valises encombraient le hall parfumé de naphtaline et les plateaux de friandises patientaient sur les napperons de la table en formica entre les bouteilles de crémant et les biberons sous vide. Un vrai capharnaüm. Vivant et encombrant. Sylvie sortit des toilettes, barbouillée et la chemise de travers. Elle observa quelques minutes la pièce en silence. Un vertige. Tous ces sourires émerveillés, ces mots gentils, ce trop-plein de tendresse, et puis ce bébé. Ce bébé. Pourquoi avait-elle fait ce bébé ? Pour croire au miracle ? Tout cela n'avait aucun sens. Sylvie suffoquait, il lui fallait remettre de l'ordre. Remettre tout comme avant. Toutes ces couleurs l'oppressaient. Elle passa ses mains dans ses cheveux et ferma les yeux. Elle passa ses mains sur sa nuque et rouvrit les yeux. Puis elle s'avança à petits pas vers le salon déguisé. Le regard dans le vague. Somnambule. Elle s'approcha de la ribambelle de ballons et les décrocha un par un. Puis ce fut au tour des banderoles d'être congédiées. Elle les tira sans ménagement avant de les fourrer dans la poubelle en plastique. Elle tenta enfin de s'en prendre aux guirlandes mais Micheline se leva et fit barrage. Sylvie, complètement déboussolée, finit par tout lâcher pour se réfugier dans les bras de Martine. Sur les seins de sa mère, la jeune maman épuisée se vida une nouvelle fois de ses larmes. Inondant cette belle journée du mal qui rongeait son âme.

Micheline, qui avait toujours eu du mal avec sa belle-fille, dut sortir de la pièce. Dans la cuisine, elle s'agita démesurément et pila passionnément les gousses d'ail déjà réduites en bouillie.

Dans le salon clignotant, Sylvie continuait ses jérémiades, agrippée au gilet de sa mère. Eva, préférant les risettes aux pleurs, offrait aux deux papis une série de grimaces édentées qui les faisaient fondre. Jacques, recroquevillé dans son costume du dimanche, continuait discrètement de ranger valises et cadeaux dans les chambres. Il s'occupait les mains, la tête et tentait de faire le vide. Fermer les yeux. Avancer aveuglément. Boucher ses oreilles. Avancer calmement. Faire abstraction des ondes négatives, effacer les images terribles, se nourrir de tous ces sourires, embrasser son bébé rose, attraper ses petits pieds pour les mordiller. Jacques, imperceptiblement, s'allégeait. Et, miraculeusement, commençait à se remplir. Les boyaux dans son ventre dénouaient doucement leurs nœuds et se déchargeaient de leur fardeau. Mais Sylvie le repéra.

Sylvie l'électrocuta. Elle lui demanda de laisser ces paquets là où ils étaient, que c'était pour la petite et elle se remit à sangloter. Son mari, dépossédé de sa foi naissante, lâcha donc les boîtes colorées et partit rejoindre sa mère dans la cuisine. Celle-ci embraya immédiatement :

— Je comprends pas ! Elle devrait être heureuse maintenant. Il faut tourner la page, Jacques. Vous ne pouvez pas continuer comme ça. Eva, c'est un cadeau. La dépression, il faut que ça s'arrête. Sylvie doit passer à autre chose. Serrer les dents. Elle était si gentille avant. Y a longtemps. Je sais vraiment pas comment tu fais pour la supporter encore !

— Comme papa avec toi, se contenta-t-il de répondre en gardant son ton monocorde.

Micheline, estomaquée, recracha alors la bouchée qu'elle venait de s'enfourner sur le plateau de fruits de mer. Puis, plus confuse par les crustacés maculés que par la mère accablée, elle s'empressa de trouver un torchon pour nettoyer ses saletés. Une fois le plateau sauvé, elle s'assit et se mit finalement à pleurer. Une de plus. Jacques sortit de la cuisine à bout de nerfs. Il était bien décidé à montrer à toutes ses femmes qui était l'homme de la maison. Il desserra sa cravate, ôta sa veste de velours, remonta les manches de sa chemise auréolée et entra dans le salon le torse bombé. Il alla chercher au fond de ses entrailles ce qui lui restait de courage et essaya de prononcer une phrase décisive. Une phrase à l'impératif avec un verbe qui donne des ordres et un ton qui remet tout en ordre. Mais sa langue s'emmêla et sa mâchoire bégaya. Il se contenta de murmurer :

— S'il vous plaît. À table.

Aucune réaction. Heureusement, Vincent, affamé, poussa le cri libérateur :

— À table !

La pièce autour de Jacques se mit immédiatement en action. En dix minutes, la table était mise et le repas servi. Jacques, toujours à la même place, observait le spectacle bouche bée. Il n'avait plus faim. Trop écœuré par toute cette bouffe qui les bâillonnait. Autour du festin, toute la petite famille dévorait bruyamment les victuailles sans un regard pour l'homme invisible.

Une fois la pitance exterminée et le café sucré, Sylvie reprit ses lamentations. À l'écoute de ces plaintes insupportables, Jacques, transparent mais également maladroit, renversa habilement le pichet de vin sur la nappe préférée de son épouse. Sylvie succomba à la diversion et s'empressa de sauver son bout de textile adoré. Le reste de la troupe, également soulagé de mettre fin à la complainte de la mère, se leva d'un bond et chercha aussitôt à se distraire. Sylvie, l'étoffe maculée serrée sur sa poitrine, erra quelques minutes dans la cuisine avant de réaliser que ce qu'elle cherchait était dans la salle de bains. Elle s'arrêta un instant devant le frigidaire et fixa le faire-part décoré de nounours lilas aimanté sur la porte. Elle serra le tissu un peu plus, baissa le regard pour ne plus faire face à cette carte qu'elle voyait pour la première fois et courut jusqu'aux toilettes pour laver son visage de tout ce noir qui envahissait son être. Elle laissa la nappe rejoindre le carrelage, humidifia ses joues et se redressa. Elle coiffa ses cheveux en arrière, releva le menton, souffla son trop-plein de colère et essaya de se ressaisir. Le pire était derrière. Il fallait qu'elle avance. Elle avança. Lorsque Sylvie revint dans la pièce, Vincent ronflait sur le canapé, Micheline et Martine faisaient des scrabbles « mot compte triple », Jean-Jacques regardait « L'école des fans » et Eva souriait dans les bras de son père. Sylvie, désorientée, s'échoua sur le fauteuil à bascule et s'endormit. Eva, ayant senti sa mère près d'elle, cessa ses risettes et, instinctivement, se mit à hoqueter.

Trente crépuscules,
Lovée dans une bulle.

Trente lunes,
Pour éloigner l'infortune.

Le trentième jour, Joro, dans son habit du dimanche
et coiffé de son plus beau chapeau, s'approcha de la
hutte assoupie. À pas de velours, il entra. Les yeux
plein d'amour, il la contempla. Sa fille dormait paisiblement sur la natte couvrant le sol. Sur sa peau, la
robe de Tsiky en guise de draps. Près d'elle, Soa et
ses seins débordants. Joro finit par s'accroupir et par
sourire. Soa se pencha et l'aida à emmailloter le bébé.
Avec son enfant tout contre lui, Joro se redressa.
— Maintenant va… murmura Soa. Va présenter ta
fille aux tiens. Va présenter la fille de Tsiky au reste
du village. Elle est belle, ta fille. Elle est si belle.

Des larmes plein les yeux, Joro se pencha pour
passer la petite porte, puis se releva comme on se
relève d'un combat. Fier et puissant. Devant lui, une

trentaine de visages émerveillés. Contre lui, son enfant vivant. Il s'avança et, à bout de bras, la porta. Haut. Très haut au-dessus de sa tête. Au-dessus de la foule. Puis il cria :

— Je vous présente Miangaly ! *Celle qui chante*. Fille de Tsiky et de Joro !

Puis il se mit à chanter. Puis elle se mit à chanter. Puis ils se mirent à chanter.

Au pied du grand baobab, les anciens s'étaient réunis pour conter l'arrivée de Miangaly. Cette petite fille sans mère qui avait fredonné pour réconforter son père. Cette petite fille sans nom qui avait choisi les notes plutôt que les pleurs pour combattre la faucheuse. Cette petite fille sans lait qui avait tété au sein de sa tante bien-aimée.

Un zébu fut tué, les belles toilettes sorties, un orchestre convié et un ombiasy[1] invité. Ce dernier avait été appelé pour permettre à Tsiky de souhaiter la bienvenue à sa fille. L'ombiasy, isolé dans une case, reçut Miangaly et son père. Là, il ôta son collier de coquillages et le déposa sur la terre rouge. Après quelques paroles mystérieuses, le vieillard demanda à Joro d'approcher sa fille et lui prit la main. Ses yeux se fermèrent et Tsiky se mit à parler :

— Miangaly, fille de Tsiky et de Joro, je te souhaite la bienvenue et te remercie. Ton chant a répondu au mien. Je fais maintenant partie du monde des razanas[2] et je serai près de toi pour l'éternité. Sache que je n'oublierai jamais les mois durant lesquels je t'ai por-

---

1. Sorcier guérisseur.
2. Ancêtres.

tée. Maintenant, va ma fille. Va découvrir la vie et ses mystères, apprendre à sourire dans la misère, donner du bonheur à tes frères. Où que tu sois, je serai toujours près de toi.

La fête dura deux jours. Des festivités pour célébrer la mort qui n'était qu'un passage vers l'autre monde. La douleur était là, l'être aimé ne respirait plus, ne souriait plus, ses membres s'étaient figés pour l'éternité mais son âme demeurait toujours et, bientôt, ils se retrouveraient tous de l'autre côté.

La fête dura deux nuits. Les danses succédèrent aux transes. Les robes se mirent à tourner, les chapeaux s'envolèrent, les enfants firent des rondes interminables et les hommes trinquèrent à la santé du nouveau-né. Seule Hanitra ne participait pas à la fête. Recluse dans sa hutte, elle refusait toujours de rencontrer sa petite-fille. Soa appela Joro :

— Ma mère est restée chez elle. Il faut la raisonner. Plus on attendra, plus il lui sera difficile d'accepter Miangaly.

Accroupie au milieu de sa case, la femme éplorée tressait une corbeille avec quelques feuilles séchées. Trente jours maintenant qu'elle faisait et défaisait son panier. Un vieux tissu en guise de robe, les pieds déformés par trop de journées aux champs, les cheveux crépus et emmêlés, les yeux gonflés par trop de larmes, Hanitra était dans un piteux état.

— Ma... hésita Soa la voix tremblotante. Maman, tu ne peux pas rester comme ça. Viens avec moi. Viens dans ma case, je te ferai de belles nattes.

— J'peux pas. J'peux pas.

— Un petit effort, maman. Un tout petit.

— J'peux pas. J'peux pas. J'peux pas, pleura-t-elle.

Hanitra lâcha son ouvrage. Soa la prit dans ses bras pour la bercer. Joro, coincé dans l'embrasure de la porte, les regardait. Il laissa un ange passer puis commença à parler :

— Hanitra, tu m'as confié ta fille, et je ne l'ai pas protégée. C'est à moi que tu dois en vouloir, c'est moi que tu dois ignorer, pas ta petite-fille. Elle s'appelle Miangaly. Elle est magnifique.

— Miangaly, murmura la grand-mère.

— Tsiky est venue nous voir ce matin. Elle a dit qu'elle était partie sans souffrance, endormie par la berceuse que lui fredonnait Miangaly. Hanitra. Hanitra, il est temps pour toi d'aller te présenter à ta petite-fille.

Sans répondre, Hanitra relâcha son étreinte puis se releva douloureusement, aidée de Soa. Elle fit signe à Joro de sortir puis se retourna et défit son pagne. Nue et fripée, elle ouvrit une valise grignotée et la déposséda de l'unique robe qui s'y trouvait. Une très belle robe teintée de bleu et de vert. Elle demanda à Soa de la peigner un peu pendant qu'elle boutonnait son corsage et qu'elle nouait son lamba maitso[1] autour de ses épaules. Elle se pinça les joues pour se donner un peu de couleur, frotta quelques fleurs de vanille contre son cou pour parfumer sa peau tannée et habilla son poignet du seul bracelet qu'elle possédait.

La tête haute, elle passa la porte puis s'avança vers les danseurs et percussionnistes. Quelle allégresse ! La

---

1. Foulard avec un coin du tissu tombant du côté droit pour signifier le deuil.

naissance avait dominé la mort et la puissance de son souffle avait su apaiser les braises de la souffrance. Que c'était beau, tous ces corps décorés, toutes ces peaux brillantes de sueur, toute cette joie éparpillée, toutes ces miettes de bonheur qui s'unissaient ! De grands plateaux spécialement sculptés pour l'occasion présentaient de merveilleuses denrées si rares au village d'Anandrivola. Il y avait du zébu rouge et fumant, du manioc en purée, des montagnes de riz, du poisson grillé, des sambos[1], des cacahuètes caramélisées, des brèdes[2] bouillies, des cuisses de nymphes[3], du poulet à la coriandre, des beignets de banane, des mangues, des litchis. Dans les bols, il y avait même du betsa-betsa[4] préparé par le vieux Tahiry pour égayer encore plus les esprits. Tahiry, qui rougit au passage de la belle Hanitra.

Ils se connaissaient depuis l'enfance et elle lui avait toujours fait de l'effet. Ils s'étaient pris la main des centaines de fois, avaient partagé de nombreuses nattes, s'étaient caressés les joues, le cou, les épaules mais ne s'étaient jamais embrassés. Chacun restant fidèle à celui qui leur avait été demandé d'épouser. Les mariages arrangés avaient eu raison de leurs cœurs et chacun avait renoncé à l'être cher, espérant secrètement s'unir à lui de l'autre côté de la vie. Tahiry avait perdu sa femme rapidement et ne s'était jamais remarié. Seul dans son échoppe, il se contentait des

---

1. Samoussas.
2. Différentes variétés de feuilles utilisées en cuisine.
3. Grenouilles géantes.
4. Jus de canne à sucre fermenté.

visites de courtoisie de sa bien-aimée. Mais depuis la mort du mari d'Hanitra, quelques mois plus tôt, Tahiry la contemplait avec plus de liberté. À force de l'admirer, le vieillard avait à nouveau libéré son cœur et, depuis, se contentait de changer de couleur à chacune de leurs entrevues.

Mais cette fois-ci Hanitra ne le vit pas, trop occupée à chercher le berceau de sa petite-fille. Soa finit par la guider vers le ravinala[1] sous lequel Miangaly se reposait. La grand-mère s'agenouilla, prit l'enfant dans ses bras et la serra contre elle un moment. Joro se rapprocha pour savourer cet instant d'éternité. La petite réclama le sein de sa tante et Hanitra se releva. Cette dernière se rapprocha de son gendre et lui murmura :

— Je ne t'en veux pas.

---

1. Arbre du voyageur.

4

Il était exactement 6 h 28 sur le réveil de Sylvie Hubert. Les chiffres digitaux teintaient de leur rouge la pénombre matinale. À 6 h 29, Eva, à l'étroit dans son pyjama Goldorak, tourna délicatement la poignée de la porte de la chambre de ses parents. Elle passa la tête précautionneusement, observa un instant la couverture jacquard qui respirait puis s'avança à pas de velours sur la moquette rose bonbon. Hissée sur la pointe de ses petits pieds, elle entama ensuite la vertigineuse ascension du lit parental. Ou plutôt du lit monoparental, car depuis la naissance de Sue Ellen, quelques mois plus tôt, Jacques campait sur le canapé du salon. Encore une fois, il compensait. S'effaçait. Supportait en silence. Sylvie étant encore plus abattue et baignée d'encore plus de larmes. Se complaisant dans son drame, rigide et livide. Elle était épuisée. Les blessures ouvertes de sa vie passée ne cessaient de suinter. Les va-et-vient nocturnes de son mari pour donner le biberon au nouveau-né l'oppressaient. Il y avait aussi ses ronflements, ses mouvements, les habillements du bébé, les relents de ses couches, son hoquet. Trop de rumeurs. Trop d'odeurs. Trop de rancœur. Tout était prétexte à une crise de nerfs qui, au fil des mois, la figeait davantage. Le sang dans ses veines avait cessé de bouillonner. Il circulait lentement et la frigorifiait. Elle avait toujours froid. Ses dents claquaient et ses cheveux cassaient. Sous l'effet du givre, son visage avait blanchi et ses sourires étaient devenus de glace. Jacques, ne voulant pas qu'elle se pétrifie davantage, la réchauffait comme il pouvait. Il l'épaulait, l'écoutait, la préservait. Sans se rendre compte qu'il n'avait pas les épaules pour supporter un iceberg.

Eva atteignit le sommet de la couverture et tenta une avancée jusqu'à la tête du lit. Mais à 6 h 30, une forte secousse l'éjecta par-dessus bord. Sylvie poussa un gémissement puis se rendormit. Eva, à terre, se releva sans pleurnicher. Elle s'était préparée à cet accueil. Elle commençait à avoir l'habitude maintenant même si, chaque fois, c'était un petit bout d'espoir qui s'en allait. Eva se rendit dans la cuisine en passant par la case canapé. Sur le sofa, Jacques, plombé par une nuit sans sommeil, était entortillé dans un vieux duvet camouflage. Momifié, saucissonné, à l'abri de son cocon mité, il dormait inanimé. Pas un soupir. Pas un sursaut. Eva l'observa quelques minutes, inquiète. Son père avait beau être invisible, il n'était pas invincible. Elle était bien consciente qu'à ce rythme-là il allait finir par disparaître et ne voulait surtout pas en être responsable. Eva laissa donc la maison dormir et prépara son petit déjeuner. Un verre de lait, un Petit Prince, « Bouba » à la télévision. Elle n'avait pas très faim, trop excitée par la journée qui l'attendait. Aujourd'hui, c'était le jour de la fête de l'école.

Sur la petite scène éphémère, les queues de lapins succédaient aux trompes d'éléphants. Le papier crépon habillait le carton et les boules de polystyrène flottaient dans l'air suspendues au fil des lampions. Les institutrices accroupies mouchaient les nez encombrés et recousaient les costumes déjà rapiécés. Autour, des planches et des tréteaux, pour supporter les stands de la kermesse. Les conserves dessinaient des pyramides, les mamans disposaient leurs gâteaux moelleux, les paquets surprise attendaient l'heure de la pêche. Dans une brouette, au coin de l'estrade, un tas de peluches de tout poil. Thème de la fête : « Les animaux, c'est rigolo. » Eva faisait partie des grands cette année et elle avait droit à deux passages. Une danse et une chanson. Plus exactement, la danse des macaques et le chant du coq.

Quand Sylvie Hubert avait appris que sa fille allait devoir incarner un singe ridicule et une volaille débile, elle était sortie de son coma. Les yeux enfin secs, elle revêtit son manteau de colère. Aucune modération possible pour cette mère meurtrie. Les larmes ou la rage. Eva aurait préféré une maman avec plus d'options.

Sylvie avait commencé par renverser la panière à linge inondant le sol des vêtements qu'elle venait méticuleusement de plier. Perdue au milieu de ce désordre inhabituel, elle se dépêcha de tout ramasser et mit quelques minutes avant de poursuivre ses revendications. L'horloge marqua la demie. Sylvie retrouva ses esprits. Elle se rendit à la cuisine, s'avança vers le four à chaleur tournante, attrapa le plat en céramique et jeta le poulet qui grillait depuis une heure dans la poubelle. Jacques voulut objecter mais Sylvie le coupa :

— Il est hors de question que notre fille de cinq ans fasse cocorico !

Jacques objecta quand même :

— Sylvie, tu exagères. C'est de son âge, elle est en maternelle.

La mère, imperméable aux paroles du père, continua ses critiques :

— De toute façon, cette institutrice, elle a toujours eu des idées grotesques. Pour Noël, c'étaient les grandes chaussettes qu'il fallait peindre en rouge et pour Pâques, la dizaine d'œufs qu'il fallait vider. On en a cassé une trentaine. Je sais vraiment pas où elle va les pêcher, ses idées !

Jacques continua de temporiser son épouse. Il savait cette crise passagère. Il savait que les gallinacés n'étaient pas à l'origine de ses mots agacés. Les maux étaient bien plus profonds. Le mois de juin bien plus responsable. C'était chaque année les mêmes sautes d'humeur à la même date. Un rendez-vous indélébile. Vicieux et douloureux. Au bout de quelques heures, Sylvie s'était calmée et une cuisse de dinde avait pris la place du poulet.

Sur les chaises pliantes, les parents étaient assis fièrement, attendant bruyamment que leurs progénitures fassent leurs numéros. Il y avait des rires, des gloussements, des éternuements. Au dernier rang, derrière la régie, M. et Mme Hubert ne bougeaient pas. Sylvie, tout de noir vêtue, masquée de lunettes XXL et d'un chapeau à larges bords, ne lâchait pas son mouchoir et tentait de contenir ses sanglots. Jacques, immobile à ses côtés, essayait de ne pas subir, de ne pas se laisser contaminer, de sourire, d'être un père comblé. Il aurait voulu poser sa main sur le bras de son épouse, l'inviter à savourer cette belle journée, la réconforter, mais il ne le fit pas. Car il savait le mal trop grand et sa main trop tremblante.

Dans les coulisses, les petits bouts trépignaient d'impatience. Un joyeux chaos régnait derrière les rideaux et chacun, à tour de rôle, tentait d'apercevoir ses tendres parents. Charlotte, la copine boulotte d'Eva, venait de passer sa tête entre les tissus épais. Elle scruta l'assemblée transpirante, énuméra les membres de sa famille, repéra la dame en noir et posa la question qui fâche :

— Il a pas pu venir, ton papa ? J'l'ai pas vu.

— C'est normal. Il est invisible.

Eva essayait de se concentrer sur ce père absent. Elle s'accrochait à lui comme l'oiseau à son nid. Il était, malgré sa transparence, la boussole qui la guidait depuis sa naissance.

Eva essayait de se concentrer sur ce père aimant. Elle s'accrochait à lui comme les grains de sable sur une peau humide. En espérant qu'il y en ait assez pour que ça ne soit jamais le dernier.

Eva essayait de se concentrer sur ce père souriant. Elle s'accrochait à lui comme la neige sur les sommets. Son sourire était toujours là, doux et amer, peu importe la chaleur de l'enfer.

Eva ne pouvait ignorer la dame en noir qui l'accompagnait. Petit à petit, elle la grignotait et ça lui faisait mal. Eva souffrait, se rognait les ongles jusqu'au sang, se tirait les cheveux par poignées et se recroquevillait des heures sans bouger. Mais personne ne la voyait. Chacun cloîtré dans sa misère à ne rien faire et à se taire.

Une poule sur un mur qui picore du pain dur.
La volaille débile était sur scène cherchant vainement le regard de sa génitrice. Ses « cot cot » se perdirent dans l'infini et son père esquissa un sourire.

5

Miangaly se balançait paisiblement sur le hamac de grand-mère Hanitra. Il y avait du soleil, un beau ciel bleu, des makis amoureux. Il y avait du rouge sur les fleurs, du vert dans les arbres et un petit air chaud remontant de la côte. « *Il y avait* », c'était ce que Miangaly chantait :

— Il y avait du sable sur tes paupières. Il y avait de la nacre sur ta peau. Il y avait l'écho du gecko. Balanola. Balanola.

Lovée dans son tissu suspendu, la jeune Miangaly fredonnait les paroles d'une merveilleuse chanson. Celle que Joro lui avait apprise. Celle que Joro aubadait à Tsiky pour la séduire. Des mots choisis par lui pour elle. Des mots qu'il avait voulu transmettre à sa fillette. Balanola. Balanola. Ça ne voulait rien dire, c'étaient juste quelques notes. Quatre notes inventées pour une mélodie féerique. *Ba*, pour mon cœur. *La*, qui bat pour elle. *No*, elle. *La*, qui bat encore et toujours pour elle. Balanola, juste quelques notes imaginaires pour fixer l'éternité, un secret entre Tsiky, Joro et Miangaly.

Le petit sac agrippé aux arbres suivait doucement le tempo lancinant du chant. Autour, tout était calme, pas un bruit. Pas un animal ne bougeait, pas un homme ne racontait, pas un bébé ne pleurait, comme si Miangaly les avait tous endormis, sa voix hypnotique caressant les âmes de la forêt. La petite se contentait de chanter, indifférente à l'étrange atmosphère qu'elle créait. Elle réinventait les partitions et laissait ses cordes vocales vibrer au rythme de ses battements cardiaques. Son pied droit marquait imperceptiblement la mesure et ses doigts tapotaient discrètement l'étoffe funambule.

— Il y avait une lune posée sur ton épaule. Il y avait des étoiles dans tes yeux.

— Miangaly !

La douce mélodie se figea. À l'appel de son grand ami Bako, la demoiselle sauta de son nid. Elle l'appelait son grand ami parce qu'il était presque aussi grand que le zébu de Njaka, le père de Bako, le chef du village. Il avait quelques années de plus qu'elle et s'en occupait comme si elle était sa petite sœur.

— Miangaly, viens, j'ai une surprise pour toi ! Une surprise pour ton anniversaire.

Sans un mot de plus, Miangaly suivit celui qu'elle considérait comme le plus fort de la terre. Après son père bien sûr… Derrière eux, la rumeur du village reprenait sa place.

Quelques manguiers plus loin, Bako s'arrêta. À ses côtés, Miangaly regardait l'épicerie de Tahiry, sa main droite harponnée à la chemise délavée de son grand ami. La cabane en vieilles planches rafistolées se trouvait à l'entrée du village au bord de la nationale 5. Vêtue d'asphalte noir et puant, cette route permettait à Tahiry de se ravitailler facilement. Une fourgonnette venait une fois par mois de Toamasina pour approvisionner les petites échoppes de la côte et n'obligeait plus Tahiry à faire des dizaines de kilomètres à pied et à pousser sa lourde carriole désarticulée.

— C'est fermé, constata tristement Miangaly.

— T'inquiète pas, petite crevette !

— Arrête de m'appeler petite crevette, j'suis pas une petite crevette. Les crevettes, c'est rose et ça pue.

— D'accord, petite crevette noire qui pue pas.

Miangaly se contenta de tirer la langue. Bako prit la main de sa protégée et l'amena avec lui près de la porte close.

— Tu crois à la magie ?

— Bien sûr, répondit-elle en haussant les épaules.

— Alors vas-y. C'est à toi. À toi de prononcer la formule magique !

— La for… la formule, bégaya la petite tout de même impressionnée par ces grandes paroles.

— Abra… tenta de lui souffler Bako.

— Non ! coupa Miangaly. La formule magique c'est : *Balanola. Balanola.*

La porte s'ouvrit. Ni l'un ni l'autre n'osait plus bouger. Miangaly, parce que la magie opérait et Bako, parce que la porte s'était ouverte toute seule.

— Mais où est… ? Tahiry ! appela-t-il. Tahiry !

Une voix les invita :

— Entrez, mes enfants. Entrez.

Soulagé par cet appel familier, Bako entraîna sa cadette dans l'épicerie aux mille senteurs. Sur sa chaise, le vieillard trônait au milieu de ses étals et de ses parfums. Submergeant les conserves inodores, des pots de terre séchée renfermaient d'innombrables trésors aromatisés. Café, thé, coriandre, curry, piments, sucre, poivre, clous de girofle, savon noir, charbon, cacahuètes, bananes, vanille, girolles séchées, alcool à 90°, sel... Les nectars se mélangeaient aux graines de moutarde dans une harmonie olfactive surprenante. Bako appelait cette fragrance : Parfum Tahiry. En effet, l'épicier transportait sur sa peau, sur ses cheveux grisonnants, sur ses vêtements trop portés, cet étrange arôme.

Ce jour-là, une nouvelle odeur vint titiller les narines des deux gamins. Elle provenait du paquet posé sur les genoux du vieux.

— Asseyez-vous, je vous prie, dit-il en leur désignant le sol couvert de terre rouge.

Les enfants s'exécutèrent, curieux de révéler ce mystère odorant. Car même si Bako participait à la surprise, il ne la connaissait pas.

— Aujourd'hui, Miangaly, c'est un grand jour. Tu fêtes tes six ans. Ton père, qui est parti cueillir la vanille dans le nord, m'a demandé de te préparer une surprise. Alors la voilà, dit-il en désignant le drap recouvrant ses jambes.

Les enfants n'avaient pas quitté le tapon des yeux.

— Fermez les yeux et sentez. Approchez-vous. Approchez vos nez plus près.

Les narines collées au bout de tissu, Miangaly et Bako se mirent à renifler.

— Alors ? Qu'est-ce que vous sentez ?

— C'est dur à dire. C'est très parfumé.

— Sucré ! C'est sucré.

— Mais encore ? renchérit Tahiry.

— Y a un truc. Un truc qui…

— Oui, poursuivit le vieillard.

— C'est pas un… Y a un truc fort. C'est sucré mais c'est pas doux. C'est un peu comme quand je bois le café de mon père, essaya Bako. Y a un truc qui reste dans la bouche. Eh ben là, c'est pareil, y a un truc qui reste mais c'est dans le nez.

— Tu parles de l'amertume ?

— J'sais pas. Peut-être. Qu'est-ce que c'est l'amertume ?

— C'est le truc qui reste dans la bouche, bêta ! s'amusa Miangaly. Bon, voilà, on a trouvé ! s'excita la demoiselle. Maintenant, on peut voir !

Tahiry éclata de rire, il avait oublié l'impatience de la jeunesse.

— Vous allez même pouvoir goûter, annonça-t-il fièrement en soulevant le voile magique.

Les yeux écarquillés, les gamins admiraient le trésor. Bako finit par murmurer :

— Du chocolat, comme sur l'affiche de l'entrée.

La plaquette était d'un noir brillant. Les petits carrés serrés les uns contre les autres dessinaient un sombre damier. Le drap levé, l'arôme puissant du cacao vint investir les moindres recoins de la bicoque. Aucune senteur ne lui résista. L'échoppe n'avait plus qu'un parfum, celui du chocolat.

Délicatement, Tahiry prit la tablette dans ses mains tremblantes. Méthodiquement, il détacha une à une les barres, puis un à un les carrés. Lui aussi salivait. Ça devait faire dix ans qu'il n'avait pas goûté à ce délice gastronomique. Il distribua les petits morceaux et invita les enfants à la dégustation. Les bouches s'ouvrirent en grand. Les yeux se fermèrent rêveusement. Béats, les trois compères souriaient. Pendant ce temps, les papilles savouraient le fondant tout en poussant habilement le chocolat contre le palais afin de diffuser le nectar. Les lèvres encore pleines de cacao, Miangaly s'empressa de remercier Tahiry en l'embrassant sur la joue. Les pommettes tartinées, l'épicier referma le paquet minutieusement et l'offrit à Miangaly en lui faisant promettre de garder un carré pour Hanitra. Les enfants rassasiés se levèrent d'un bond.

— Attendez, pas si vite ! L'anniversaire n'est pas terminé. Il y a d'autres surprises. Deux autres.

— Deux autres ! s'extasia Miangaly.

Coincé sous son minuscule bureau, Tahiry tentait de dénicher le deuxième cadeau tandis que Miangaly ne décollait plus son nez du premier. Bako observait immobile, encore bercé par les effets du chocolat. Puis l'enchanteur se releva. Il posa le paquet sur le seul petit bout de table qui n'était pas encore occupé par les boîtes de conserve puis le déballa tout en le présentant.

— Deux livres d'images qui viennent de France.

Les deux gamins en restèrent bouche bée. De toute façon, leur langue était bien trop occupée à pourlécher leurs babines cacaotées.

— C'est un vazaha[1] qui me les a donnés, ils sont presque neufs. Ils ont même pas deux ans.

---

1. Étranger à la peau claire.

Sous le papier froissé, les deux livres colorés firent leur apparition. Un gros et un petit. Un catalogue *La Redoute* et un magazine *Rock and Folk* de 1982. La couverture de la revue rock fit sensation. Une blonde à la coiffure de lionne et aux yeux noircis par les fards posait vêtue d'une légère peau de bête.

— Qu'elle est belle ! s'extasia la fillette. C'est une princesse ?

Tahiry lui expliqua qu'il s'agissait d'une grande chanteuse qui s'appelait Blondie. Puis il rectifia en expliquant qu'elle était en fait la chanteuse d'une troupe de musiciens qui s'appelait Blondie. Elle, c'était Déborah quelque chose, mais comme il ne se rappelait plus comment, il l'appelait Blondie. Il trouvait que ça lui allait bien.

— Si tu veux voir des princesses, il faut regarder dans le gros livre.

Les enfants s'empressèrent d'ouvrir le catalogue. Il y avait à l'intérieur des centaines de photos en couleur avec de superbes dames bien habillées et bien coiffées. Il y avait aussi des hommes blancs et des enfants de porcelaine. Très chic et très photogéniques. Miangaly s'enflamma. Elle admira leurs habits si propres, la magnificence de leurs couleurs, la clarté de la peau des enfants, très claire, comme le sable de la mer.

— Bako arrête ! Laisse-moi tourner les pages !

Bako venait d'entrevoir des pages très intéressantes. Celles où les femmes portaient de tous petits vêtements. Si on pouvait encore parler de vêtements…

— Ah ! Coquin ! s'amusa le vieil homme. Tu les as vite repérées, les pages sacrées !

— Les pages sacrées ? interrogea naïvement Miangaly.

C'est lorsqu'elle aperçut les dames à peine vêtues qu'elle commença à comprendre l'empressement de Bako. Tahiry estima qu'il était temps de leur dire de quoi il s'agissait. Il expliqua que ce gros livre était appelé catalogue et qu'il montrait des habits aux Français pour qu'ils choisissent ceux qu'ils voulaient acheter.

— Mais ils ont pas d'épicerie en France ?

Tahiry répondit si. Puis non. Puis s'embrouilla. Le vazaha avait essayé de lui expliquer mais le boutiquier n'avait pas tout compris. Il y avait une histoire de messager qui amenait les vêtements à la maison des Français mais tout cela était assez flou. Tahiry, incapable d'apporter plus d'explications, finit par conclure que le plus important, c'étaient les belles images. Le plaisir des yeux. Miangaly remercia une nouvelle fois Tahiry, ouvrit le catalogue au rayon sous-vêtements et déchira les pages dénudées pour les offrir à son grand ami.

— Passons maintenant au troisième cadeau, interrompit Tahiry. C'est un cadeau qui restera dans ma cabane mais que j'aimerais partager avec vous. Je vais vous demander de fermer les yeux. Cette merveille n'a pas besoin d'être vue, ouvrez juste grand vos oreilles.

Les enfants s'exécutèrent. Tahiry attrapa sa boîte magique en haut de l'étagère bancale et, après deux essais infructueux, parvint à la mettre en marche. Le bouton enclenché, la féerie pouvait commencer. Les premières notes grésillantes firent leur entrée. Les gamins sursautèrent et ne purent retenir leurs curieuses paupières. Les yeux écarquillés, Bako et Miangaly observaient, hallucinés, cette boîte à musique. Puis leurs mâchoires grandes ouvertes se débloquèrent et en canon, ils interrogèrent :

— Mais ?

— Les ?

— Où sont ?

— Les ?

— Les musiciens ?

— Mes enfants, ceci est une radio ! Ni musiciens, ni instruments. Enfin si… Mais pas dedans. Ils sont loin. Vous avez compris ?

Réponse négative et pupilles pétillantes. Tahiry baissa le son et prit le temps de leur expliquer l'enregistrement, les ondes, la musique venant de Paris et les fréquences. Puis, il remonta le son. Après deux longues heures d'écoute, les enfants repartirent légèrement ivres. Ce concentré de gourmandise avait eu raison de leur équilibre. Tahiry les salua et ne put s'empêcher de murmurer :

— Miangaly, amène ta grand-mère la prochaine fois.

Légèrement bancals, les deux gamins quittèrent la cabane en chantant des mots qu'ils ne comprenaient pas. Leurs pieds nus et cornés sautillaient sur la latérite brûlée. Leurs tee-shirts troués laissaient à l'air marin le soin de les caresser. Bako et Miangaly n'avaient pas de col à leur chemise, ni de lacets à leurs chaussures. Sur leur île, les peaux et les tissus ne connaissaient pas la couleur blanche qui, au fil des siècles, avait été tannée par le soleil, jaunie par la poussière ou rougie par la terre. Pourtant Miangaly valsait, emportée par cette ronde laiteuse et rêvant à ce que serait sa vie avec de la dentelle ivoire pour habiller son cuir noir.

6

Jacques et Jean-Jacques étaient accrochés au poste de télévision. Sur l'écran, le duo Noah-Leconte gagnait à grands coups de revers le tournoi de tennis Roland-Garros.

Les deux hommes se renvoyaient la balle. Et leurs commentaires assourdissants commençaient sérieusement à agacer la maîtresse de maison.

— Je pars faire les courses. Jacques, passe-moi ton chéquier.

Sans décoller le nez du poste, le mari docile tira l'objet de sa sacoche en cuir sans un regard pour sa femme. Le sport à la télévision. Sa seule distraction. Jacques ne releva pas le ton autoritaire de son épouse. Il passa au travers comme il faisait avec tout le reste. C'était plus simple et moins douloureux. Et puis, deux caractériels dans la balance, ça pesait trop lourd. Surtout pour les filles. Jacques avait donc opté pour la formule poids plume. C'était mieux comme ça. Ou peut-être pas.

Sans un mot de plus, Sylvie embarqua à bord de la Renault familiale accompagnée d'Eva et Sue Ellen.

Sur le siège passager, la grande portait la petite en lui chantant des comptines. Sylvie lui demanda de se taire car elle avait mal à la tête. Eva se tut et pinça sa petite sœur pour qu'elle pleure. Pour qu'elle crie. Pour qu'elle fasse encore plus de bruit. Mais Sue Ellen se tut elle aussi. Pas envie.

Le supermarché était bondé. Les caddies manquaient et les caissières transpiraient. Sue Ellen, seize mois, trônait fièrement sur le fauteuil d'acier du char brillant. Eva, six ans, avait pris place à l'avant tandis que Sylvie imposait violemment son équipage à la foule afin de se frayer un chemin dans cette masse bruyante et puante. Sous tension, la mère de famille dépressive et maniaque poussait son blindé avec un torchon sur la barre de direction en guise de bouclier antimicrobes. Une obsession de plus, un peu de bonheur en moins. Elle n'était plus à ça près. Sylvie, oppressée par tous ces gens qui l'agressaient, finit par se garer au rayon cosmétique et choisit de s'y ressourcer. La pause dura quinze minutes durant lesquelles les filles observèrent leur maman écarlate sniffer les bouteilles de shampoing. Elles avaient l'habitude. Leur maman était fragile et tout ce monde, ce bruit, ces lumières, tout cela réuni dans ce lieu réduit altérait leur mère et l'abîmait un peu plus. Sylvie avait toujours besoin de réconfort mais était incapable de rendre la pareille. Elle prenait tout et ne donnait rien. Elle n'avait en elle aucune douceur. Juste de l'angoisse, de la tristesse et de la souffrance. À son contact, ça faisait mal. Ses filles étaient déjà tout écorchées. En surface, aucune cicatrice, mais dans leur cœur et dans leur corps, l'empreinte de ces étreintes brisées était déjà indélébile.

Une fois le shoot terminé, Sylvie Hubert reprit ses emplettes, le nez plongé dans sa liste minutieusement rédigée et continua à arpenter les rayons à la recherche des produits convoités. La petite Sue Ellen admirait avec ravissement les étalages multicolores. Le long de ces interminables corridors alimentaires, la fillette découvrait la magie de la grande consommation. Jolis sachets magnifiquement exposés, pancartes clignotantes, promotions périlleusement empilées, montagnes de peluches, jolie voix de magasin douce et sympathique, musique de grande surface bon marché. Sue Ellen contemplait cet extraordinaire palais et oubliait pour quelques instants les murs de sa maison grise. Eva, à l'avant du caddie, avait choisi la formule action pour se distraire des tourments de sa mère. À l'affût, la demoiselle harponnait discrètement ses produits préférés et le maximum de paquets sucrés. Rayon chocolat. La course marqua un léger ralentissement. Sylvie Hubert prenait toujours son temps dans ce couloir gourmand. Instinctivement, elle se laissait faire. Quelques minutes hors du temps, loin de la névrose et de ses cris déments. Lâcher prise. L'appel direct du chocolat noir 85 %, les caresses olfactives du tendre praliné, la fraîcheur de celui aux écorces d'orange, les tendres promesses du Galak, le croustillant du Crunch, le chocolat aux amandes, celui aux noisettes, le truffé, le fourré, celui aux noix de pécan, celui au caramel, le dégustation, le noir prestige. La maman salivait et les gamines réclamaient. À la dixième tablette, Sylvie refoula ses pulsions et se dirigea vers les caisses.

Sur le tapis roulant, le papier toilette triple épaisseur parfumé à la vanille de Madagascar bloqua le nouveau système infrarouge. Les bips ne bipèrent plus et la caissière dut saisir tous les articles manuellement. Dernier article.

— Voilà. 553 francs et 38 centimes. Vous avez la carte du magasin ?

— Non.

Dans la maison, la télévision continuait son déballage publicitaire quotidien. Les deux hommes incrustés dans les fauteuils ronflaient de concert. Sylvie Hubert claqua la porte et appela ses filles à tue-tête histoire de réveiller les deux comateux. Ils sursautèrent puis se rendormirent. La bière, un excellent somnifère. Ce fut Sue Ellen qui les dégrisa. Elle entra dans le salon une tablette de chocolat à la main, ou plutôt une miette de tablette, le reste était déjà dans son estomac et sur sa figure souriante.

— Colat, répétait-elle la bouche pleine. Colat, colat.

— Hein ? bafouilla le grand-père.

— Hum… répondit le père.

— Colat. Co…

Et c'est là qu'elle les réveilla. Le « co » perdit son « lat » et le bébé gourmand termina sa phrase dans un gros vomi odorant. Un joli dégueulis marron sur les genoux de papi et sur les cuisses de papa. Jacques appela son aînée et lui réclama une serpillière. La fillette s'exécuta et partit fouiller le placard à torchons.

— Eva, aide-moi à déballer les sacs.

— Attends maman, y a papi et papa qui ont vomi. Faut que j'les nettoie !

— C'est pas vrai ! Dites-moi que je rêve ! Ils boivent comme des trous ! Quand on sait pas boire, on boit pas ! Bande de dégénérés ! C'est fini ! Finis, les matchs à la maison ! Ras le bol !

Eva s'éclipsa rapidement de la cuisine. Les cris stridents de sa mère l'oppressaient. Dans le salon, elle tendit les torchons à son père.

— Eh ben, y a maman qui dit que vous êtes des trous et qu'elle veut plus que vous soyez une bande de bergers ! Faut pas boire quand on est des bergers. Finis, les matchs !

Les deux hommes ne prêtèrent aucune attention aux délires littéraires de la demoiselle mais insistèrent lourdement sur la dernière phrase.

— Finis ? Finis, les matchs ?

— Mais qu'est-ce que tu lui as dit ?

— Eh ben, que vous avez vomi.

Une fois les produits parfaitement rangés, Eva demanda à sa mère si elle pouvait aller jouer dehors.

— Il pleut. Tu restes dedans. Depuis quand on sort quand il pleut ? Tu vas toute te salir. Et qui c'est qui lave après ? Occupe-toi de ta sœur !

Eva traîna des pieds jusqu'au bureau de son père.

— Papa, maman, elle veut pas que j'aille jouer dehors.

— Ah. Elle t'a dit non.

— Elle me dit toujours non. Faut pas que je me salisse qu'elle dit.

— Si elle le dit. Tu sais avant…

— Tu me dis toujours la même chose. Avant ! Avant !

— Avant, elle n'était pas comme ça.
— Elle a toujours été comme ça. Toujours !

En larmes, Eva partit se réfugier dans la chambre de sa sœur. Elle préférait cette chambre rose à sa chambre bleue. Au milieu des Barbie brillantes et des Bisounours multicolores, elle pleura, recroquevillée sur le beau tapis en forme de cœur. Lorsque les sanglots s'espacèrent, Eva se releva et colla son front contre la fenêtre. Immobile, elle contempla les enfants des voisins sauter de flaque en flaque sans bottes et sans imperméable. Elle les observait s'éclabousser et se bousculer. La boue aspergeait leur jogging et leurs cheveux trempés dégoulinaient sur leurs visages réjouis. Ils ramassaient les feuilles à terre et les éparpillaient dans l'air. La petite fille au sweat rouge tirait sur le pull de sa copine pour la taquiner. Ensemble, elles riaient. Libres et barbouillées. Eva se mit à rêver.

Se baigner dans une mare de boue. Caresser un chat tout poilu. Manger des frites à pleines mains. Se tartiner de glace à la pistache. Dormir la peau encore couverte de sable. Manger un fruit sans se laver les mains. Laisser le jus de la pêche dégouliner sur un tee-shirt tout propre. Se frotter contre le chien poisseux de Mme Faure. Grignoter des cacahuètes sur le canapé de cuir sans plastique en guise de plaid. Garder son maillot de bain tout mouillé et le laisser glisser sur le skaï des sièges de la Renault 11. Finir la bouteille de jus de fruit au goulot. Manger le Nutella à la petite cuillère.

— Elle n'était pas comme ça avant… se répéta Eva. Avant. Mais avant quoi ?

7

Miangaly ne lâchait plus ses deux livres. Dans la hutte familiale, elle avait voulu leur trouver un petit coin mais les sept mètres carrés dont elle disposait ne lui permettaient pas de les ranger. Elle avait essayé sous sa paillasse, sous la natte de son père, derrière le gros carton qui servait d'étagère et enfin sous la cagette transformée en table, mais aucun endroit ne convenait. Trop petit, trop sale, trop encombré. Elle aurait bien demandé à Soa mais il y avait maintenant tellement d'enfants dans sa hutte qu'il aurait été bien difficile de les caser. Elle décida finalement de demander à sa grand-mère de les mettre dans sa belle valise. Celle-ci accepta et se montra curieuse.

— Ainsi Tahiry t'a fait un cadeau ?

Miangaly, encore tout excitée, énuméra les précieux présents, les décrivant dans le détail et se répétant pour être sûre de ne rien oublier. Elle raconta le foulard, les odeurs, le chocolat dans son emballage, la perfection des carrés, les caresses sur les gencives, les centaines de pages illustrées d'images, la boîte à musique, les sons de l'autre terre et leurs paroles éphémères.

Hanitra fut prise d'un vertige. Les mots de sa petite-fille résonnaient mais ne trouvaient aucun sens. La grand-mère affamée ne percevait que l'écho du chocolat qui lui murmurait ses promesses délicieuses et l'hypnotisait. Elle salivait et sa langue cherchait au-delà des lèvres un peu de ce nectar noir et précieux. Elle commençait à y croire et ses papilles étaient sur le point de retrouver leur jeunesse quand Miangaly brisa l'enchantement.

— Je l'ai mangé d'un coup, il commençait à dégouliner.

Hanitra baissa la tête, le regard plein de déception. Miangaly se reprit aussitôt et tendit à sa grand-mère les carrés qu'elle avait gardés pour elle. Elle lui expliqua que c'était une attention de Tahiry et reprit sa narration lancinante. Cette fois, Hanitra ne l'écoutait plus, trop occupée à laisser fondre le cacao et à savourer les flash-backs qui submergeaient son cerveau. Des instants d'amour volés à l'abri d'un manguier pour se cacher des autres et ne faire que parler. Juste converser respectueusement en bâillonnant ses envies pour ne pas faire de vagues, seulement quelques effleurements s'échouant sur les plages de leurs corps brûlants. Des années durant. Elle et Tahiry. Tahiry qui avait toujours les poches remplies de trésors. À chaque fois, c'était un tour de passe-passe, d'une main à l'autre, un petit caillou devenait bijou, écharpe, fleur ou chocolat. Fondu parfois. Peu importait, le papier collait mais la bouche pleine d'appétit le libérait fougueusement faute de ne pouvoir goûter à celle d'à côté. Tout près mais scellée.

— C'est un vazaha qui a donné le chocolat à Tahiry. Dis, grand-mère, t'en as déjà vu un, de vazaha ? Un en vrai, j'veux dire ?

Hanitra acquiesça, la tête ailleurs.

— Ils ont vraiment la peau blanche ?

— Toute blanche, même qu'elle devient rouge au soleil.

— Rouge ! s'affola la fillette. Mais c'est terrible.

— Non, c'est plutôt drôle.

Miangaly lui parla des Blancs du catalogue. Elle loua leur beauté épurée, la finesse de leur peau rosée, la clarté de leur regard, la palette de teintes peignant leurs épis raides et lisses. Des cheveux de la couleur du soleil. Hanitra quitta enfin son cocon pour remettre sa petite-fille dans le droit chemin.

— Tu sais, ils ne sont pas plus beaux que toi ou Bako. Ils sont juste différents. Et c'est cette différence qui t'attire. En plus, dans tes livres, ils ont vraiment choisi les mieux. Car je peux te dire que des vazahas, j'en ai vu qui étaient aussi larges que hauts avec un ventre énorme comme t'as jamais vu. Si ! Comme Soa quand elle attend un bébé. Avec des poils en plus.

Miangaly visualisa l'homme blanc avec le ventre de sa tante enceinte, couvert de fourrure sombre et drue.

— Beurk !

Tout en préparant le repas, Miangaly et sa grand-mère évoquèrent la tigresse Blondie et le rock qu'Hanitra dansait avec grand-père. À l'ombre de la hutte, la jeune fille pilait le manioc. Le gros bâton serré entre ses deux mains, Miangaly écrasait férocement les tubercules. Des perles de sueur apparaissaient déjà au coin de ses tempes mais la demoiselle continuait à taper de toutes ses forces. Hanitra dut intervenir. Elle attrapa le bras de la fillette et le secoua énergiquement.

— Mais qu'est-ce qui t'arrive ? Miangaly ! Tu m'entends ?

— Rien, répondit-elle distraitement.

— Rien ? Tu te moques de moi. Tu t'es regardée ? Tu dégoulines de transpiration ! Dis-moi ce qui ne va pas.

— Rien. J'étais juste en train de rêver. Je rêvais que je portais une de ces belles robes. Une robe du catalogue.

— Eh bien, c'est plutôt un joli rêve. Pas besoin de s'énerver comme ça.

— Oui, mais ce n'est qu'un rêve.

Miangaly ouvrit son cœur et le déchargea de sa tristesse. Miangaly ne porterait jamais ces beaux vêtements et devrait supporter encore des années sa vieille chemise délavée dépossédée de la moitié de ses boutons. Et ce vieux short trop grand qu'elle attachait avec un bout de liane. En plus, ses habits étaient tout durs alors que les leurs avaient l'air tellement doux. Miangaly s'était mise à pleurer, prisonnière de son costume rigidifié par la crasse.

— C'est donc ça. Tu es jalouse.

— Non ! s'énerva Miangaly. Je ne suis pas jalouse ! C'est que. C'est pas…

— Ce n'est pas juste, compléta la grand-mère.

Hanitra se tut quelques instants afin de trouver le moyen d'apaiser sa petite-fille. Puis, lorsqu'elle estima avoir récolté assez d'arguments, elle se lança. Elle commença par reconnaître qu'il y avait de belles choses dans le monde des vazahas, que tout était clinquant, propre et bien repassé et qu'ils avaient effectivement de quoi faire envie. Mais elle lui expliqua que le bonheur, ce n'était pas ça et elle n'hésita pas à grossir le trait pour que la persuasion fonctionne. Elle lui raconta que, là-bas, les enfants restaient enfermés à l'école des jours entiers assis dans des pièces gelées, qu'ils devaient marcher avec des chaussures qui leur lacéraient les pieds, que les bébés ne tétaient pas le sein de leur mère mais des bouts de plastique, qu'ils n'avaient pas de manguiers, n'avaient jamais bu l'eau d'une noix de coco et que, pour dormir, on les enfermait dans des chambres tout seuls.

Miangaly la crut et ne parla plus. Elle reprit son pilon et continua de réduire le manioc en poudre. Hanitra allait lui rajouter un peu plus de racines lorsque des cris se firent entendre. Des cris de femmes. Des cris horribles.

8

— Je serai de retour vers dix-sept heures. Tu écoutes bien mamie. Pas de bonbons, pas de télévision. Tu te laves bien les mains avant de goûter et...

— ... tu n'oublies pas de te les laver après, marmonna Eva.

Micheline regardait la scène sans rien dire avec Sue Ellen dans les bras. Le même scénario chaque vendredi après-midi. Les mêmes recommandations, les gestes semblables, les horaires identiques. Sa belle-fille ne tournait décidément plus rond. Chez elle, tout était angoisse. Manie. Tyrannie. Rien de simple, tout allait en sens inverse. Il fallait que ça s'emmêle, que ça se torture, faire que tout soit dur. La gorge devait racler la colère accumulée, les mains devaient broyer toute la douleur supportée, le regard devait exterminer tout ce qui autour faisait comme si de rien n'était. Sylvie n'était plus qu'un bloc imprévisible, tantôt indestructible et agressif, tantôt déchiré et vidé. Sa peau asphyxiée avait fait d'elle une visage pâle. Son cœur brûlé était devenu muet. Incapable de la moindre bonté. Les mots automates lui permettaient de faire semblant d'exister mais toutes ses phrases mises bout à bout n'avaient aucun sens. Elles permettaient juste à chacun de ne pas sombrer dans la démence. Alors, ses ordres à répétition, ses rituels maniaques et ses crises de détresse, toute la petite famille faisait avec. Essayait en tout cas. Pas le choix. La vie c'était ça depuis…

— Micheline, vous n'oubliez pas les gouttes pour Sue Ellen !

La porte se referma enfin.

Micheline attrapa délicatement Eva par le cou et approcha ses lèvres de son oreille.

— Ça va comment aujourd'hui ? Bien. Pas très bien. Ou pas du tout.

— Pas très bien.

— Et je peux savoir ce qui ne va pas très bien ?

— Ben, c'est maman. Elle est de plus en plus… Et papa. Il est de moins en moins…

— Plus ou moins quoi ?

— Maman, elle me laisse plus rien faire. Elle est toujours derrière moi. Elle me laisse pas me salir. Et papa. Y dit rien. Il la laisse faire. Il dit qu'elle était pas comme ça avant.

— C'est vrai. Elle n'était pas comme ça avant, se rappela Micheline.

Eva courut jusqu'aux toilettes et claqua la porte. Assise sur la cuvette lavande, le front posé contre la tapisserie provençale, la fillette comptait les tournesols alignés. Il fallait qu'elle se vide la tête. Qu'elle parvienne à effacer ce mot qui revenait tout le temps et qui faisait de sa vie un enfer : avant. Avant. Avant. Il fallait que ça cesse. Il fallait qu'ils se taisent. Tous.

Avant, ça ne voulait rien dire. Pour Eva, avant n'existait pas. Ce qui importait, c'était maintenant. Et son maintenant à elle avait toujours été pollué, sclérosé, contaminé par cet avant. Alors non, elle ne voulait plus l'entendre, ce mot. Elle voulait qu'il disparaisse et qu'il retourne d'où il venait emportant avec lui tout le mal qu'il avait semé. Eva n'en pouvait plus de récolter la tempête.

La grand-mère posa Sue Ellen dans le parc, s'approcha de la porte verrouillée et, consciente du trouble de sa petite-fille, prit le temps de la rassurer. Connaissant les habitudes de sa protégée, elle lui demanda combien de fleurs elle avait déjà récolté et de quelle couleur elles étaient. Elle savait que la seule façon de l'aider était de la distraire. De changer de sujet sans tout vouloir décortiquer. De l'accompagner dans cette nouvelle journée. Elle lui proposa une balade au jardin avec son amie Charlotte.

Un damier coloré au milieu des usines et des lignes haute tension. Des fruits et des légumes s'épanouissant au cœur des fumées chimiques et du bitume. Quatre murets en pierres sèches tentant désespérément de préserver un petit coin de nature. Les jardins du Tricastin. Un carré de verdure au pied des centrales nucléaires.

Assise entre deux rangées de fraisiers, Sue Ellen écrabouillait les fruits rouges entre ses doigts boudinés. Tout près, Micheline essayait d'en sauver quelques-uns et les récoltait dans son panier tressé.

— Fraich ! Fraich ! cria la gamine tartinée de jus de fraise.

— Frai-se, articula exagérément la grand-mère.

Au fond du potager, près des grilles marquant la frontière entre le botanique et le toxique, Eva et Charlotte préparaient leur soupe de mauvaises herbes. Au menu, ingrédients colorés et parfumés : pissenlits, pétales de coquelicot, pincées de terre, graines de courgettes, peaux de tomates séchées, cailloux multicolores, eau vaseuse et brindilles émiettées. Les deux gamines n'en finissaient pas d'assaisonner leur tambouille. Sans oublier le principal : éclabousser de bouillon jaunâtre leurs jolis vêtements immaculés. Une fois le seau bien rempli, les fillettes mirent la table. Quelques feuilles de courges en guise d'assiettes, des bouts de bois comme couverts et des coquilles de noix pour boire le café qui se préparait dans la petite bouteille en plastique. Tandis que Charlotte s'appliquait à agrémenter leur table d'un joli bouquet de roquette, Eva s'arrêta. Droite comme un I, face au mur et à ce qu'il tentait de délimiter, la fillette ne bougeait plus. Elle contemplait les deux énormes cheminées et leurs fumées.

— Regarde, murmura Eva complètement subjuguée par ce qu'elle voyait. La deuxième fabrique vient de se mettre en route.

— Ouais, répondit Charlotte, indifférente.

— La deuxième, c'est celle que je préfère. C'est elle qui fait les plus beaux nuages.

— Pfff ! N'importe quoi, souffla la cuisinière.

— T'as vù celui-là ! On dirait un ours, continua Eva. Moi, quand je serai grande, je travaillerai à la fabrique de nuages. Je ferai des châteaux, des Barbie, des vélos. Et puis, je leur mettrai un peu de couleur. J'en ferai des roses et des verts.

— C'est pas des nuages ! marmonna la petite Charlotte.

— Quoi ? Mais si, c'est des nuages.

— Ce SONT des nuages, reprit Micheline qui n'avait pas suivi la conversation.

Eva leva les yeux au ciel et contempla ses dessins. Sur le grand écran bleu, des rêves par dizaines. Des bouts de coton vaporeux suspendus dans l'infini et insensibles aux tourments de la vie. Des nuages en forme de cœur. Rouges comme des pommes d'amour. Avec de grands bras dans lesquels se blottir les jours de tempête en *mère*.

9

Les cris venaient de la dernière case du village. Sans se parler, Miangaly et sa grand-mère laissèrent leur repas en plan et se dirigèrent vers les hurlements. Il y avait déjà quelques femmes attroupées devant la hutte ébranlée. Seulement des femmes, tous les hommes étaient partis pour une grande journée de pêche sous le commandement du vieux Tahiry. Hanitra consulta l'effroyable regard de son amie Ravaka et comprit que le destin venait encore de frapper à la porte d'une des filles du village. À l'intérieur de son terrier, Lalao, nièce de Njaka et Ravaka, venait de donner naissance à un enfant sans vie.

— C'est encore un bébé mort ? demanda doucement Miangaly.

— Oui, un bébé mort, répéta Hanitra. Va, ma fille, il t'attend.

C'était le cinquième en six mois. Un mal inconnu frappait les fœtus dans le ventre de leur mère et l'ombiasy ne pouvait rien y faire. Il avait essayé toutes sortes de remèdes sur les jeunes femmes, il avait consulté de nombreux confrères, sacrifié quelques bêtes, appelé les ancêtres, mais rien ne changeait. Depuis quelques mois, un nouveau-né sur deux mourait. Miangaly, comme les autres, avait assisté impuissante à ce terrible spectacle. Mais un jour, l'âme de sa mère était venue près d'elle et l'avait poussée à avancer. À avancer vers l'enfant au cœur arrêté. Elle lui avait demandé de le bercer pour l'accompagner dans l'autre monde. Et c'est ce que Miangaly avait fait. Ce jour-là, elle s'était approchée du nourrisson endormi et s'était assise près de lui. Hanitra, abasourdie, l'avait observée sans mot dire. Miangaly avait alors posé sa main sur le front du bébé mort et avait commencé à le masser doucement tout en murmurant quelques mots incohérents. Puis la mélodie avait pris place et sa voix extraordinaire avait envahi l'espace. Les larmes avaient cessé de rouler, les cris s'étaient arrêtés et l'enfant s'en était allé en paix. À l'aide d'un foulard mité, elle avait frictionné le nouveau-né de longues minutes afin de le laver du sang de sa maman. Une fois le bébé redevenu ébène, elle avait fini par le prendre dans ses bras pour le bercer une dernière fois de sa douce voix. Apaisée par cette étrange complainte, la mère avait presque souri lorsqu'elle avait repris son poupon mort. Depuis, la jeune fille avait une grande responsabilité dans le village. Laver les bébés morts et les bercer pour les accompagner dans l'autre monde.

— Va, ma fille, il t'attend, répéta Hanitra.

Miangaly se leva et les femmes du village l'escortèrent jusqu'à la case maudite. À l'intérieur, tout était très sombre et une forte odeur de sueur et d'urine mêlées empestait. Miangaly passa discrètement sa main sur ses narines pour les talquer de poudre de manioc afin de filtrer un peu cette puanteur. Immobile sur sa natte, un tissu maculé de taches écarlates pour cacher son cœur meurtri, son enfant contre son sein lacté, Lalao ne pleurait plus. Le regard dans le vague, elle contemplait le néant. Absente. Absente de ce jour funeste. Sans angoisse ni dégoût, Miangaly s'avança vers cette mère sans lumière et cet enfant bientôt poussière. Elle prit place près d'eux et commença sa danse macabre. Le bébé sur ses genoux, elle commença par caresser le haut de son crâne puis descendit doucement le long de ses joues rebondies puis de ses épaules minuscules. Elle se laissa aller et commença sa merveilleuse transe. Quelques notes timides pour un voyage morbide. Ses mains d'enfant continuèrent leur massage le long du torse du nourrisson et s'y arrêtèrent quelques instants. De légers va-et-vient au contact de sa peau encore tiède.

— Balanola, murmura Miangaly. Balanola.

Lalao fixait toujours le mur et ses toiles d'araignées sans les voir. Mais elle n'était plus immobile et se balançait imperceptiblement d'avant en arrière. *Balanola*. Lalao ferma enfin ses yeux gonflés et blessés. Elle laissa le chant de Miangaly prendre possession de sa douleur. Un peu de douceur pour celle à qui on arrache le cœur. *Balanola*. Autour, le monde s'était arrêté. Plus un bruit. Plus un murmure. Pour que la mort soit douce. Sans amertume. Sans rancune.

Miangaly avait clos ses paupières pour partir à la rencontre des razanas. Elle allait leur présenter le bébé qu'elle frictionnait lorsque...

— Mais ! Il bat ! Son cœur bat !

D'un coup, sans prévenir, l'enfant qui devait crier se mit à hurler, le bébé qui devait respirer se mit à tousser, le nourrisson qui devait téter le sein tendu de sa mère se mit à le réclamer. Le bébé mort était vivant ! Son rythme cardiaque semblait nul mais il battait toujours, quelque part, et les mains actives de Miangaly lui avaient permis de rattraper la vie. Lalao oublia le néant, agrippa son enfant et colla sa frimousse fripée contre son sein gonflé. Miangaly se leva, salua le nouveau-né et sortit en pleurant.

— Il est vivant, grand-mère ! Il est vivant !

10

Sylvie Hubert n'en finissait pas de tirer sur la longue chevelure d'Eva. La queue-de-cheval, éternelle histoire de torture entre mère et fille. Eva ne disait rien. Eva ne disait jamais rien. Elle se laissait labourer le crâne par sa coiffeuse tortionnaire. Sue Ellen s'était assise sur le bidet et mimait la scène. Sa poupée préférée sur les genoux, elle lui écartelait les cheveux tentant désespérément de les attacher avec un élastique. Une seule différence entre la minuscule et la majuscule : la fillette en plastique ne pleurait pas tandis qu'une larme perlait sur la joue d'Eva.

— Parfait. On va boutonner ta jolie robe et c'est bon. Tu es parfaite !

Parfaite. C'était le mot préféré de Sylvie Hubert. Tout devait toujours être parfait, nickel, impeccable, excellent, irréprochable. Tous les moyens étaient bons pour éviter l'explosion. Mme Hubert avait choisi la perfection.

« Je suis parfaite », répéta Eva dans sa petite tête tirée à quatre épingles.

Elle aurait préféré des mots comme jolie ou mignonne. Parfaite, pour une fille de huit ans, ça ne voulait rien dire, surtout de la part d'une maman. Elle aurait aussi aimé un petit bisou pour la consoler des sévices infligés plutôt qu'une tape dans le dos. Mais Eva s'était résignée. Sa maman était différente. Sa maman n'aimait pas faire des gâteaux à la fleur d'oranger, lui raconter des histoires avant de la coucher, lui faire des câlins dans le canapé, jouer avec elle dans sa chambre de garçon manqué. Sa mère était un glaçon qui faisait tout pour ne pas fondre. Équipée de son cœur de glace, elle tentait de résister et de survivre au passé.

Eva sortit donc de la salle de bains avec une coiffure parfaite. Parfaite pour un soir parfait : la veillée de Noël. Sur la table, une belle nappe rouge et or reposait. Les verres de cristal accompagnaient les couverts en argent. Près de la télévision allumée, un petit arbre décoré. Le ficus de Sylvie. Elle était contre les sapins de Noël. Contre, deuxième mot préféré de Mme Hubert. Elle expliquait que ces petits épineux étaient mieux dans une forêt que dans une maison surchauffée. Mais la véritable raison, la seule et l'unique, était que ces jolis conifères perdaient leurs épines et salissaient son bel intérieur bien astiqué. Elle était contre pour que tout soit parfait.

Sous le ficus illuminé, de jolis paquets enrubannés attendaient patiemment l'heure du pillage. Dans les assiettes, la valse aux mets raffinés avait commencé. Délice de foie gras, chiffonnade de saumon fumé, dinde aux marrons, gratin de cardons, plateau de fromages, bûche glacée, café, mandarine, chocolats, bugnes. La table ne désemplissait pas et les pantalons se déboutonnaient discrètement. Vincent ronflait déjà dans le canapé au moment du dessert. Il était vingt-trois heures et la longue journée de préparation avait eu raison du septuagénaire. Mais, le soir de Noël, il fallait être patient et endurant. Pas de cadeaux avant minuit, ça portait malheur assurait Sylvie. Car en plus du reste, de tout le reste, la mère d'Eva était aussi une superstitieuse pessimiste. La superstition porte-bonheur – le chiffre sept, le trèfle à quatre feuilles, croiser les doigts – elle n'y croyait pas. Par contre, elle raffolait du chiffre treize, de la baguette de pain à l'envers, du miroir brisé. Tous ces signes inquiétants la confortaient dans sa douleur et entretenaient son mal à l'âme. Sylvie vivait dans l'extrême et n'y pouvait rien. La dépression l'habitait et de toute joie la privait.

— Dodo.

Sue Ellen réclama son lit et sa mère lui demanda de patienter encore quarante-cinq minutes. Pour Jacques, ce fut la goutte d'eau. La plupart du temps, il supportait cette femme qu'il avait aimée. Il la comprenait, l'excusait, la réconfortait, entretenant secrètement l'espoir d'une résurrection, espérant qu'un jour il la reconnaîtrait. Qu'un jour, elle vivrait à nouveau. À chaque dérapage, il s'accrochait à cette croyance et avançait en serrant les dents, quel que soit le mal occasionné. Qu'elle pique comme une aiguille, qu'elle transperce comme une lame ou qu'elle déchiquette comme une mitraillette, la douleur était la même. Le mal s'infiltrait directement dans la plaie ouverte et continuait à la grignoter. Jacques avait décidé de souffrir en silence. De ne pas se répandre. Plus assez de place de toute façon, Sylvie prenait tout l'espace. Mais parfois, il faisait une entorse à la règle ou, du moins, il essayait. Pour lui, mais surtout pour ses filles qui n'étaient pas bien nées.

Ce fut donc la remarque de trop. Sans faire de zèle, mais d'un air décidé, Jacques se leva et prit sa fille dans ses bras.

— Elle est crevée. Je vais la coucher.

Sylvie, qui s'effondrait dès qu'un obstacle se mettait en travers de son chemin, en perdit son assiette qui explosa sur le sol lustré. Les grands-parents cessèrent leurs bavardages. La boule dans la gorge, le ventre broyé, les lèvres tremblantes, l'époux insipide continua sa manœuvre tout en attendant la sentence. Une fois le canapé passé, rien. Dans le couloir, toujours rien. Dans la chambre de Sue Ellen, le silence. Ses mains se décrispèrent. Son pouls commença à ralentir. Ses paupières se décontractèrent. Soulagé, Jacques remonta la couette sur le corps de sa fille endormie et esquissa un sourire. Il avait enfin réussi à parler, à la contrer, à dire ce qu'il pensait, à s'imposer et elle n'avait pas répondu. Pas de riposte.

— Bonne nuit ma…

Un bruit assourdissant le coupa. Des cris, du verre fracassé, des couverts frappant le parquet. Il se dépêcha de sortir et de fermer la porte pour isoler Sue Ellen de ce vacarme insoutenable. Puis il resta là, dans le couloir, droit et figé. Paralysé. Trempé de sueur. Les yeux pleins de larmes. Les poings serrés. La rage dans les tempes. Et la tête bombardée d'images nostalgiques. De souvenirs poussiéreux qui hantaient leur présent. Tout petit, perdu dans ce corridor sombre et froid, il ne vit pas sa grande fille qui l'observait. Eva, qui assistait impuissante à la disparition de son père.

La soirée de Noël se termina par un déballage de sacs et de larmes. Exit les cadeaux multicolores. Eva fut invitée à rejoindre sa chambre et les adultes continuèrent leur mascarade hystérique. Eva n'arrivait toujours pas à comprendre ce qui n'allait pas dans la tête de ses parents. Il y avait un truc de cassé mais quoi ? Peut-être qu'avec beaucoup de travail et de bonne volonté elle pourrait les réparer. Trouver le mauvais boulon, le rafistoler ou le remplacer. Il fallait déjà qu'elle trouve le vice de forme. Était-ce le même pour son père et pour sa mère ? Les symptômes étaient différents mais peut-être que la source du mal était identique ? Le visage enfoui dans son oreiller, la gamine échafaudait des plans. Les hypothèses apparaissaient et s'évaporaient aussitôt. Tout était encore très flou. Une seule chose était sûre : il y avait urgence. Si elle n'agissait pas rapidement, ses parents s'autodétruiraient. Sa mère deviendrait un iceberg géant et son père disparaîtrait à jamais.

Le jour se levait à peine lorsque Eva sortit de sa chambre. Dehors, tout était calme. Plus de crise. Un répit. Pieds nus, ignorant le sol glacé, la fillette se dirigea d'un pas décidé vers le ficus de Noël. Il était temps pour elle de sourire. De sentir le papier kraft caresser ses doigts encore endormis, de dénouer les gros nœuds si beaux et si précieux, de secouer les boîtes pour deviner les trésors qu'elles renfermaient. Il était temps pour elle de croire encore au Père Noël.

Un grincement de porte la fit sursauter. C'était Sue Ellen qui venait la rejoindre.

— Chut ! s'inquiéta Eva.

Mais Eva n'avait rien à craindre. Sa mère, bourrée de somnifères, avait encore une dizaine d'heures de sommeil devant elle. Quant à son père, il cuvait les litres de champagne qui lui avaient tenu compagnie toute la nuit.

Le déballage commença enfin. À chacune ses cadeaux. Calée contre le canapé, Sue Ellen, les yeux pleins de sommeil, câlinait son nouveau kiki tout en suçant son pouce. Accroupie devant la table basse, Eva commençait à feuilleter son dictionnaire illustré. Comme à chaque fois qu'elle découvrait un nouveau livre, elle commença par la fin. Peut-être était-ce la peur de ne pas arriver au bout. Ou le besoin d'être rassurée avant de commencer. Ou bien tout simplement l'impatience de l'enfance.

T comme Train. S comme Serpent. P comme Politique. C comme Centrale nucléaire.

— Les fabriques de nuages, chanta la fillette.

Émerveillée, Eva s'empressa de découvrir les secrets de fabrication de la ouate céleste et la formule magique qui permettait de tels miracles mais rien de tout cela n'était noté. Pire, la page qui leur était réservée parlait d'un tout autre sujet. Désorientée, Eva continua sa lecture. Électricité. Énergie. Fission. Radioactivité. Radiation. Elle répéta ce mot plusieurs fois. Et plus elle l'articulait, plus elle sentait qu'il ne présageait rien de bon. Les fabriques de cumulus et de cumulonimbus, une supercherie ? Réacteurs. Nucléaire. Tous ces mots lui faisaient peur.

— Il faut que j'appelle Charlotte !

Charlotte qui disait : « C'est pas des nuages ! » Charlotte qui se lavait les dents avec du Monsieur Propre. Charlotte qui avait toujours les meilleures notes. Charlotte la rigolote qui était loin d'être une idiote.

11

Le village bouillonnait de toute part. Des villageois se préparaient à partir, d'autres à recevoir. C'était la période des famoranas[1]. Il y avait ceux qui rejoignaient les familles éloignées et ceux qui accueillaient les cousins du sud. Pour Joro et Miangaly, c'était l'heure du départ. Ils allaient chez la mère de Joro qui habitait à cent cinquante kilomètres plus au nord, près d'Antalaha. Ils prévoyaient un jour de taxi-brousse jusqu'à Maroantsetra où la route s'arrêtait puis trois jours de marche pour traverser le parc de Masoala pour enfin arriver de l'autre côté de la montagne. Hanitra leur prêta sa valise en carton pour qu'ils la remplissent des sambos qu'elle avait préparés et du betsa-betsa de Tahiry. Ils y trouvèrent également une petite place pour caser leur tenue du dimanche. Celle qui n'avait pratiquement aucune tache, qui portait tous ses boutons et qu'on sortait pour les grandes occasions. Cette année, la robe de Miangaly avait eu droit à quelques changements. La fillette avait tellement grandi qu'il

---

1. Cérémonies de circoncision collectives qui ont lieu durant l'hiver austral dans tout le pays.

fallut rallonger sa toilette de plusieurs centimètres. Sa grand-mère s'était donc rendue à l'échoppe afin de dénicher un bout de tissu pour ce raccommodage. Mais une fois dans la cabane, la sexagénaire avait oublié la raison de sa venue.

— Bonjour, Tahiry, murmura-t-elle les yeux baissés.

Puis plus rien. Elle avait perdu tous ses moyens. Lorsqu'elle avait aperçu Tahiry derrière son comptoir, un flash éblouissant l'avait saisie sans prévenir. Muette et paralysée, la belle dame était restée plantée là à fixer le sol poussiéreux.

— Hanitra. Je peux. Je peux faire quelque chose pour vous ? bafouilla-t-il lui aussi soudainement déstabilisé.

L'un comme l'autre réalisaient que, pour la première fois de leur vie, tout était possible. Il n'y avait plus de barrières, plus d'époux, plus de règles, plus de devoirs. Il ne restait plus que leurs cheveux blancs et crépus, leurs bouches édentées et leurs peaux creusées qui vibraient enfin libérées de leurs chaînes. Mais sauraient-ils unir leurs lèvres après tant d'années passées à les retenir ?

— Votre… Vous avez… Besoin d'un peu de sel ? De la coriandre peut-être ? Du riz ! Vous voulez du riz !

Pour Hanitra, c'était le black-out. Les paroles de Tahiry caressaient ses tympans mais ne produisaient aucun sens. Seulement une douce berceuse qui la confortait dans son délicieux coma. Le vieil homme aperçut le vêtement entre ses mains usées.

— Ah ! Vous voulez du fil ! Une aiguille ? Une… Un… Un bouton ! Du tissu ?

Tissu. Ce simple mot la réveilla.

— Bonjour, Tahiry, comment allez-vous ? Quelle belle journée aujourd'hui, n'est-ce pas ? Dites-moi, auriez-vous un petit morceau d'étoffe comme celui-ci ?

Cette fois, ce fut Tahiry qui en resta bouche bée. Le pas bancal et les mains tremblotantes, le vieillard au regard brillant partit se perdre dans les cartons de la réserve. Après quelques minutes de recherche éprouvante, l'épicier finit par ramener une caisse de foulards. Ils échangèrent quelques regards, laissèrent leurs mains s'emmêler et leurs odeurs se mêler puis Hanitra quitta la boutique avec un tissu rouge vif. Un carré de coton des mains de l'homme qui venait de lui offrir un sursaut de passion pour ses soixante ans.

Ce jour-là, la robe de Miangaly avait été transformée en véritable robe de princesse avec des frous-frous rubiconds et des cœurs partout. Coup de foudre oblige. Ce fut donc avec beaucoup de précautions que Miangaly rangea sa nouvelle tenue de soirée dans la valise familiale.

Le taxi-brousse attendait de se remplir devant la réserve d'eau du village. La Peugeot 504 avait pour l'instant sept passagers assis qui semblaient déjà prendre toute la place. Mais le chauffeur comptait bien en caser encore deux ou trois. Joro pressait sa fille qui n'en finissait pas de plier et déplier sa robe. La gamine la rangea soigneusement, agrippa le bras de Bako et grimpa sur ses larges épaules afin qu'il la conduise au pas de course jusqu'à son carrosse. Ils furent les derniers à être fourrés dans le break rafistolé. Leur unique bagage fut ligoté sur le toit au sommet d'une pyramide de valises acrobates. Sur le coffre, un filet avait été tendu pour accueillir la volaille bruyante. Un coq et deux poules aux pattes menottées.

Ça faisait trois ans qu'ils n'étaient pas sortis du village. La vanille n'avait pas rapporté assez de francs malgaches pour permettre un voyage dans le nord. Ce fut donc animée d'une folle énergie que la fillette prit la route.

— Calme-toi, Miangaly. Nous partons pour plusieurs journées difficiles. Profite de la voiture pour te reposer, parce que, après, il te faudra marcher.

Le taxi-brousse mit huit heures pour effectuer les soixante kilomètres jusqu'à Maroantsetra. Au programme de ce premier jour : crevaisons, surchauffes, nids-de-poule géants, contournements de ponts délabrés, enlisements, chargements, déchargements, pour enfin arriver à destination. La petite ville de bord de mer grouillait de monde. En tout cas aux yeux de Miangaly. Il y avait des étals à perte de vue, une multitude de baraques quadrillant l'espace, des femmes avec de beaux chapeaux de paille, des hotelys[1] un peu partout, des chiens décharnés reniflant les ordures. Les yeux de la fillette suivaient ce ballet urbain avec fascination. Elle semblait découvrir New York et ses gratte-ciel, Paris et sa tour Eiffel, Londres et son Big Ben. Maroantsetra ne comptait pourtant que cinq cents âmes. Une ville bien minuscule, qui avait pourtant offert à la demoiselle un show grandiose jusqu'au crépuscule. Joro remplit leur sac en toile de petits pains blancs et de poisson fumé. Ils trouveraient les fruits sur le chemin. Ils se rendirent ensuite chez un ami de

_____

1. Petits restaurants servant des plats très simples.

Joro qui leur offrit une assiette de riz, leur prêta un bout de natte et une couverture pour la nuit. Miangaly, fatiguée par cette première journée, s'endormit sans réclamer sa berceuse préférée.

Le lendemain, pour gagner du temps et surtout éviter les vingt premiers kilomètres de marche, leur hôte les dirigea vers Bary. Ce dernier leur permettrait de contourner le chemin par les canaux qui l'encerclaient.

À bord de la pirogue naviguant le long des étroits corridors marécageux, la gamine n'en finissait pas de s'extasier. Il y avait la mangrove, les grenouilles multicolores, les lézards aquatiques, le scarabée girafe, le...

— Crocodile ! hurla la fillette.

— Mais non, s'amusa Bary, c'est un bout de bois qui flotte. Si tu veux voir des crocodiles, il faut te rendre au lac Antanavo dans le nord.

— Dans le nord ! On y va, on pourrait...

— Le lac est bien plus au nord Miangaly, tempéra Joro. On ne pourra pas s'y rendre. Mais...

— Mais si tu veux, je peux te parler de ses crocodiles, enchaîna le marin.

Miangaly acquiesça et Bary raconta la légende du lac Antanavo, aussi appelé lac sacré. Il occupait le site d'un village qui fut inondé à la suite du refus de ses habitants d'offrir de l'eau et l'hospitalité à un voyageur. On prétendait que les villageois maudits se seraient réincarnés en crocodiles. Depuis, les habitants venaient régulièrement faire des offrandes aux crocodiles du lac et prononçaient des vœux sur ses plages. Si l'un d'eux se réalisait, ils sacrifiaient un zébu.

— Eh ben. Ils auraient mieux fait de lui donner à boire à ce voyageur.

— Je vois que tu as tout compris, s'amusa le conteur.

Une fois les pieds sur terre, Miangaly perdit peu à peu sa langue pipelette. La chaleur de l'après-midi et les cailloux ponctuant les kilomètres eurent raison de son enthousiasme débordant. Miangaly marchait en silence, tentant d'oublier ses pieds nus et endoloris. Et sa tête fatiguée qui supportait le poids des réserves du sac en toile. Les pas dans les pas de son père, elle avançait sans se plaindre et, lorsque la douleur ou la fatigue devenait plus forte, elle tentait de se distraire en se concentrant sur les tapis de graines séchant au soleil, les grands chapeaux des villageoises, les oiseaux siffleurs, les bébés sur le dos de leurs mères, les montagnes majestueuses, ou encore sur la valise qui flottait au-dessus du crâne de Joro et qui contenait son trésor et bien plus encore.

Leur périple dura trois jours. Soixante-douze heures au cœur de la forêt tropicale, escortés par les lémuriens curieux et les sangsues voraces. Miangaly traversa des rivières, croqua de l'ananas parfumé, croisa des dizaines de Malgaches sans leurs chaussures et avec leur bagage sur la tête, goba des tas de litchis, marcha dans la boue, dormit sous la pluie, chanta sa berceuse à la lune.

Le dernier kilomètre arriva. Miangaly appela Fitia.

Son appel fit rapidement le tour du village. Et la cousine tant réclamée fit enfin son apparition.

— Miangaly ! Tu es là ! Grand-mère m'avait dit que tu viendrais cette année mais je n'arrivais pas à y croire.

Le soir même, les retrouvailles furent l'occasion de festoyer. On fit un grand feu, on sortit les bouteilles de betsa-betsa et chacun s'enivra d'alcool et de souvenirs. Les vivants parlèrent de leurs morts. Mamy, la mère de Joro, raconta les chasses rocambolesques de son époux décédé ; Tiana, sa belle-sœur, pleura Masy, son mari disparu en mer un an plus tôt et Joro se rappela son frère, pourtant pêcheur émérite, et sa belle Tsiky. Puis les rires chassèrent les larmes.

Le matin suivant, lorsque Joro voulut déballer les sambos d'Hanitra, il eut droit à la première surprise du jour. Cachés dans un vieux sac plastique sous le tas de gourmandises, un catalogue *La Redoute* et un magazine *Rock and Folk* attendaient bien sagement qu'on vienne les déloger. Miangaly avait prévu de le faire discrètement, ce fut Joro qui le fit bruyamment.
— Miangaly ! cria-t-il alors que le jour se levait à peine. Miangaly !
La fillette se leva d'un bond, inquiétée par le ton enragé de son père. Il l'attendait près de la valise ouverte et dépouillée. Elle comprit.
— Miangaly ! Ce matin, j'ai très mal à la tête. Et il y a deux raisons à cela. La première, c'est que j'ai bu un peu trop de betsa-betsa. La deuxième, c'est que mon crâne a dû supporter durant trois jours une valise déjà lourde qui a été remplie inutilement de gros livres d'images.
— Mais je voulais…

— Trimballer ces vieilles revues ! Mais quelle idée !

— Pour…

— Tu les as déjà lues mille fois.

— Pour Fitia, je…

— Bon ! Ta punition : les porter au retour !

— Je voulais lui montrer les…

— Je vais me recoucher !

Seule avec ses magazines, Miangaly se pencha, les attrapa, les soupesa et sourit. Ce n'était pas une trop lourde pénitence.

Le soir venu, tout le monde prit place autour du repas. Au menu : poulet à la coriandre, riz, cacahuètes caramélisées et betsa-betsa dans de jolies noix de coco sculptées.

Miangaly montra ses livrets illustrés à Fitia qui s'extasiait à chaque page.

Mamy dévora la moitié des sambos.

Joro massa les pieds de Tiana qui souffrait d'arthrose précoce.

Et Tiana annonça la deuxième surprise de la journée :

— Nous partons avec vous dans le sud.

Joro goba tout rond le litchi qu'il avait dans la bouche. Mamy cracha les trois samoussas qu'elle s'était enfournés. Les gamines abandonnèrent leurs revues dans la poussière.

— Maman ! Maman ! C'est vrai ? On va habiter chez Miangaly ?

— Oui. On part chez Miangaly.

Joro :
— Mais…
Mamy :
— Vous…
Joro :
— Tu es…
Mamy :
— Et moi, je…

Tiana coupa court à tous ces bafouillages incompréhensibles.

— Fitia, Mamy et moi partons vivre avec vous à Anandrivola. Masy est mort. Masy a toujours voulu rester ici alors nous avons obéi, mais maintenant qu'il n'est plus là, il est temps pour nous de rejoindre de plus beaux rivages. Ici, il n'y a que mangroves, moustiques et pluie. Je veux votre soleil, vos plages de sable, vos belles rizières, votre pêche miraculeuse. Je veux que ma fille joue avec sa cousine. Je veux que Mamy retrouve Hanitra. Je veux connaître le frère de mon époux. Nous partons avec vous.

12

Dans la salle à manger endimanchée, la page contaminée entre ses mains, les papiers cadeau chiffonnés à ses pieds, son pyjama trop grand dégringolant sur ses chevilles minuscules, Eva resta immobile quelques minutes. Sonnée, elle s'avança finalement vers le téléphone et composa machinalement le numéro de son amie Charlotte. Autour, tout était inerte, à l'image de la tapisserie campagnarde du salon qu'Eva abhorrait. Des oies et des poulets picorant les champs de blé du papier peint suranné. Eva en eut la nausée. Elle détourna le regard, se concentra sur le murmure régulier bipé par le combiné et, dès que l'écouteur lui offrit une voix, demanda à parler à Charlotte.

— La fabrique de nuages, tu m'as dit que c'était pas ça, alors qu'est-ce que c'est ?

Charlotte lui expliqua qu'il s'agissait d'usines d'éclairs où son père allait faire des tests pour vérifier les fuites avec un déguisement jaune et un masque.

— Les fuites ? répéta Eva.

La fillette n'écouta pas le mot d'après, ni les suivants. Elle raccrocha au nez de son amie sans la remercier, griffa la volaille qui piétinait les murs et s'écroula dans le fauteuil en espérant qu'il l'engloutisse. La fabrique de nuages devenait mirage. Implacablement. Eva sentit son corps entier se crisper. Il fallait qu'elle intervienne. Vite. Mais la tâche était trop grande. Ses épaules trop petites. L'ennemi puissant. Perfide, il cachait derrière ses nuées cotonneuses des éclairs meurtriers et grignotait ses parents insidieusement. Comme la rouille ronge le fer, il ne laisserait d'eux qu'une carcasse vide et érodée. Poreuse, incapable de se remplir à nouveau.

Eva passa les jours suivants à expliquer à ses parents que vivre à côté de ces monstrueuses usines dégoulinantes était dangereux, qu'il y avait des fuites et elle les supplia de quitter cet endroit malsain. Sa mère, toujours aussi froide, incapable de comprendre sa fille, d'apaiser ses inquiétudes, de briser l'iceberg, répondit qu'on en reparlerait à la fin de l'hiver. Elle remonta ensuite le col de son pull, enroula son écharpe jusqu'à la frontière de sa bouche et sortit dans le brouillard pour pleurer.

Son père, qui voulait faire de son mieux, prit une grande inspiration et tenta de rassurer sa fille. Il utilisa succinctement l'abécédaire du nucléaire, passa sa main dans les cheveux de son aînée et conclut en moins de cinq minutes qu'il n'y avait aucune trace visible de ces fissures sur les usines voisines et qu'il n'y avait donc aucun souci à se faire.

— Mais toi papa, tu es invisible et pourtant tu existes ! Eh ben, c'est pareil pour les fuites.

Impuissante devant ses deux parents qui déraillaient de plus en plus, Eva essaya d'oublier pour quelque temps ces cheminées infernales en se promettant de reprendre son combat un peu plus tard. De toute façon, en ce mardi du mois de janvier, quelque chose de bien plus inquiétant venait de faire surface. À vingt heures, sur le petit écran, un journaliste cravaté annonçait la mort du jeune chanteur Daniel Balavoine.

— Mon dieu ! s'exclama Sylvie, c'est terrible !

— Qu'est-ce qui t'arrive ? interrogea Jacques. Tu l'aimes pas et t'aimes pas ses chansons.

— Oui mais bon. Le pauvre. Mort brûlé. Là-bas, dans ce pays.

Eva, assise sur son pouf en fourrure, regardait le reportage sans comprendre de qui on parlait. Un hélicoptère en feu, des voitures de rallye, des dunes de sable, de la poussière, des pleurs, des huttes en terre, des enfants noirs aux visages sales, aux vêtements déchirés, aux ventres gonflés par la famine, aux pieds ravagés par la corne, aux grands yeux brillants, à la peau couverte de mouches et aux cuisses rachitiques. Puis une larme. Une larme sur la joue d'Eva.

— Ben, toi aussi, tu pleures ? Mais tu le connaissais même pas, ce chanteur, souffla Jacques.

— C'est où ? murmura la fillette.

— En Afrique. C'est la grande course qui relie…

— Pourquoi ?

— Eh bien, c'est une course sportive. Le Paris…

— Pourquoi les enfants ont un gros ventre ? Et leurs habits ?

— C'est parce qu'ils sont sales, répondit Sylvie, qui avait tendance à toujours tout saupoudrer d'horreur.

Jacques, exaspéré, suggéra à Sylvie de coucher Sue Ellen et tenta, une nouvelle fois, de minimiser l'affaire. Échec. Eva, qui ne comprenait pas pourquoi ses parents n'envoyaient pas aux Africains toute la nourriture qu'ils jetaient tous les jours, se mit encore plus en colère et leur demanda de vider les placards pour faire des colis. Son père répondit que ce n'était pas si simple et Eva s'emballa.

— Mais pourquoi tout est toujours si compliqué avec vous ? Avant, c'était mieux que maintenant, ici c'est mieux que là-bas !

Jacques, embarrassé, baissa la tête. Il n'avait rien à répondre. Il ne savait pas.

Le présentateur endimanché continua son discours informatif :

— Mikhaïl Gorbatchev propose un plan de liquidation totale des armes nucléaires d'ici l'an 2000.

Eva ne releva même pas le mot nucléaire. Muette et pensive, elle quitta le salon pour rejoindre son lit. Il lui fallait maintenant dormir. Il lui fallait fermer ses yeux, recroqueviller ses jambes et frotter ses paupières en espérant que demain soit un jour plus clair.

13

Trois semaines après les fêtes, toute la famille avait migré vers le sud. Pour accueillir sa mère, sa belle-sœur et sa nièce, Joro devait bâtir une nouvelle hutte mais le temps lui manquait. La cueillette de la vanille reprenait bientôt et le famadihana[1] avait été fixé par le mpanandro[2] pour le week-end suivant. Cette année, c'était au tour de Tsiky d'être exhumée. Joro avait économisé pendant des années afin d'offrir cette cérémonie à son épouse disparue. Pressé et anxieux, il avait embauché Bako pour lui donner un coup de main à monter les planches de lalona[3] et terminer ainsi la cabane avant la grande journée. Les femmes s'étaient occupées de la couture de quelques tissus pour les rideaux de la masure et avaient tressé les nattes.

— C'est aujourd'hui qu'on va voir maman ? interrogea Miangaly.

— Oui, c'est aujourd'hui.

— Je lui ai préparé une petite chanson.

---

1. Retournement des morts ou « deuxième enterrement ».
2. Astrologue, il détermine les dates des cérémonies importantes.
3. Arbre utilisé comme combustible et comme matériau de construction.

C'était le grand jour. Le jour où Tsiky allait avoir un nouveau linceul pour se réchauffer. Le jour où son mari et sa fille pourraient lui rappeler combien ils l'aimaient et combien elle leur manquait. Le jour de lui montrer qu'ils ne l'avaient pas oubliée. Tout le village était là, vêtu de ses plus beaux atours. La procession se rendit en chantant jusqu'à la tombe de Tsiky. Là, les hommes s'occupèrent d'ôter la terre qui recouvrait son cercueil. Une fois la boîte découverte, ils la délogèrent de son trou d'origine. Joro pleurait et riait. Sa belle Tsiky revenait vers lui pour quelques heures. Il ouvrit le cercueil. À l'intérieur, son épouse les attendait, enveloppée dans sa vieille étoffe. L'ombiasy, appelé pour l'occasion, prononça un long discours à la mémoire de la défunte. On sortit ensuite Tsiky de la caisse et quelques hommes la portèrent au-dessus de la foule. Le cortège commença sa marche vers le village où une grande fête avait été préparée en l'honneur de Tsiky. Autour du corps sans vie flottant à travers la forêt de raphia, les villageois étaient en liesse. Des chants, des danses, des cris, des applaudissements accompagnaient ce merveilleux mouvement. Une fois sur la petite place, les porteurs déposèrent la morte au pied du baobab. L'ombiasy appela les anciennes du village pour qu'elles saluent Tsiky et qu'elles l'enveloppent dans un nouveau lambamena[1]. Une jolie toilette pour une belle femme. Le sorcier demanda le silence et invita ses proches à venir l'embrasser. Hanitra, soutenue par Tahiry, s'avança la première. Elle entoura sa fille momifiée de ses bras tremblants et l'embrassa une dernière fois. Au creux

---

1. Linceul.

de son oreille, elle lui murmura des mots d'amour, des mots qui durent toujours puis, dans un élan puissant, elle tira Tahiry près d'elle et présenta à Tsiky l'homme de sa vie. Tsiky le salua sans bruit et Tahiry serra un peu plus la main de sa princesse ridée. Joro s'approcha ensuite, épaulé par Tiana. L'homme à la carapace musclée n'était plus qu'un être vide et recroquevillé. À genoux, il se prosternait devant sa belle devenue squelette et il la remerciait d'avoir été à ses côtés, d'avoir donné la vie à leur bébé. Il baisa son front et lui offrit un ultime au revoir. Vêtue de sa robe rouge, Miangaly, statufiée, attendait son tour. Elle avait les membres tout engourdis et sentait sa tête qui commençait à tourner. Elle s'avança enfin. Des petits cœurs brodés sur sa poitrine, des nœuds multicolores agrippés à ses cheveux emmêlés, la gamine ne savait pas si elle devait rire ou pleurer. Sa maman. Elle était là devant elle pour la première fois. Elle voulut chercher son regard, reconnaître son sourire, mais cette silhouette inerte couverte de tous ses tissus ne lui permettait pas une telle rencontre. Droite comme un i, les mains derrière le dos, la gamine observait en silence celle qui l'avait désirée. Le regard plein de larmes, elle tentait de sentir l'odeur de sa chair, le lait de sa terre, le parfum de sa mère, mais aucune de ces merveilles ne vint titiller son petit nez. Une seule chose parvenait à transpercer les tissus imbibés des litres de bouillon de cannelle utilisé pour parfumer le corps décomposé. Une seule chose. La pourriture. Miangaly eut un haut-le-cœur. Elle ne s'était pas préparée à cela. Les morts, elle les connaissait. Les cadavres, elle les avait déjà vus danser. Mais leur odeur. Leur puanteur. Elle ne l'avait pas soupçonnée.

Sa mère empestait. Et le liquide parfumé ne parvenait pas à emprisonner ces particules nauséabondes. Tsiky était pourtant sèche et squelettique. La chair n'était plus là et les vers avaient depuis longtemps quitté son cadavre. Peut-être que les tissus utilisés n'étaient pas appropriés, que le trou était trop humide, que le corps n'avait…

— N'aie pas peur, murmura Hanitra. C'est ta maman.

Maman. Un mot, un seul et plus de nausées.

— Maman, répéta Miangaly.

Elle s'approcha un peu plus, bredouilla quelques mots incompréhensibles puis s'éloigna. Tandis que son père et sa grand-mère retrouvaient leur Tsiky, la fillette ne pouvait quitter le corps des yeux. C'était donc elle que Miangaly sentait près d'elle les jours de brume et les nuits sans lune. La jeune fille scrutait la dépouille tant aimée et tentait de lui restituer ses yeux brillants, ses mains fines et douces, ses cheveux ébène et son cœur de mère. Elle essayait de répéter les mots qu'elle venait de bafouiller. Mais rien ne sortait. Juste un bégaiement. Mais Miangaly voulait plus qu'un bégaiement pour sa maman. Elle voulait lui parler de ses émotions et de ses cris, du tempo de sa vie, de sa voix et de ses mélodies, de la radio, de *La Redoute*, de Blondie, des rêves qu'elle…

— C'est à toi, Miangaly, l'invita son père.

— Eh bien, je pensais que tu avais préparé une petite chanson pour ta maman.

Une chanson ! Miangaly se mit à sourire. Elle allait enfin pouvoir parler à sa mère. C'était… Mais… Mais non… La comptine qu'elle avait répétée avec Hanitra ne convenait pas du tout. C'était trop…

— *Raha miombona ny olon-droa*[1], souffla la grand-mère.

Enfin, pas assez…

— *Raha miom…* continua la souffleuse.

Miangaly n'écoutait pas Hanitra. Cette berceuse ne résonnait pas en elle. Aucun écho. Il lui fallait autre chose pour célébrer Tsiky. La fillette ferma les yeux. À son oreille, la radio de Tahiry se mit à crépiter. Une chanson s'invita à cette rencontre. Une de celles qui tournaient en boucle sur les ondes sans frontières. Une au hasard. Miangaly se redressa, s'avança vers sa mère et posa ses mains sur son ventre. Le ventre qui l'avait portée. Puis, elle prit une grande inspiration. La chanson commença. Des paroles venues d'ailleurs se mirent à vibrer.

On a tous quelque chose en nous de Tennessee
Cette volonté de prolonger la nuit
Ce désir fou de vivre une autre vie[2]…

La foule s'immobilisa, ahurie. La grand-mère resta figée. La chanson se termina et Miangaly se courba afin de saluer sa mère. Un grand silence s'empara des spectateurs hallucinés. Complètement hypnotisés par cette étrange mélodie, les auditeurs ne parvenaient pas

---

1. Chanson malgache. Traduction : « Quand deux personnes s'unissent, s'entendent… »

2. *Quelque chose de Tennessee*. Paroles et musique : Michel Berger ; interprète : Johnny Hallyday.

à joindre leurs mains pour applaudir. Les bras ballants, ils tentaient en vain de comprendre ce qui venait de leur arriver. Hanitra, envoûtée mais légèrement agacée par ce changement de programme, finit par rompre l'enchantement.

— Mais… Mais, c'est qui ce Ténessi ?

Bako, qui avait lui aussi écouté cette chanson des dizaines de fois à la radio, s'empressa de lui expliquer :

— C'est Joni.

— Joni ? Mais je te parle de Ténessi.

— Joni, c'est le chanteur. Un chanteur de France.

— Mais Ténessi, c'est qui ?

14

Centrale nucléaire Lénine – UKRAINE – Tchernobyl[1]

25 avril 1986
13 h 05 : Dans le cadre de l'expérience prévue, la puissance du réacteur est stabilisée autour de 1 600 MW
23 h 10 : La puissance est abaissée à 500 MW. Cependant, elle chute brutalement à 30 MW, ce qui provoque un empoisonnement du réacteur au xénon. Pour débloquer la situation, les opérateurs retirent les barres de carbure de bore[2] qui servent à contrôler la température du réacteur, au-delà des limites de sécurité autorisées.

26 avril 1986
Entre 1 h 03 et 1 h 07 : Deux pompes supplémentaires du circuit de refroidissement sont enclenchées pour essayer de faire augmenter la puissance du réac-

---

1. Source : <http://fr.wikipedia.org/>.
2. (B_4C) : céramique très dure utilisée dans de nombreuses applications industrielles ou militaires dont des blindages.

teur. C'est le dernier moment pour arrêter le réacteur et le sauver.

1 h 19 : Pour stabiliser le débit d'eau arrivant dans les séparateurs de vapeur, la puissance des pompes est encore augmentée. Le système demande l'arrêt d'urgence. Les signaux sont bloqués et les opérateurs décident de continuer.

1 h 23 : L'essai réel commence. Les vannes d'alimentation en vapeur de la turbine sont fermées, ce qui fait augmenter la pression dans le circuit primaire.

1 h 23 et 40 s : L'opérateur en chef ordonne l'arrêt d'urgence. Les barres de contrôle sont descendues, sans grand effet. Le réacteur est déjà bien trop chaud, ce qui a déformé les canaux destinés aux barres de graphite. Les barres de contrôle ne sont descendues qu'à 1,50 m au lieu des 7 m normaux.

1 h 23 et 44 s : La radiolyse de l'eau conduit à la formation d'un mélange détonnant d'hydrogène et d'oxygène. De petites explosions se produisent, éjectant les barres permettant le contrôle du réacteur. En 3 à 5 secondes, la puissance du réacteur centuple. Les 2 000 tonnes de la dalle de béton recouvrant le réacteur sont projetées en l'air et retombent de biais sur le cœur du réacteur qui est fracturé par le choc.

Un incendie très important se déclare tandis qu'une lumière aux reflets bleus se dégage du trou formé. Le graphite toujours en combustion, mélangé au magma de combustible qui continue de réagir, dégage un nuage de fumée saturé de particules radioactives.

Autour, des centaines de milliers d'hommes, les liquidateurs, tentent de minimiser la catastrophe avec des combinaisons de fortune. Ils se sont fabriqué des armures avec des plaques de plomb, ont enfilé gants et masques de protection et ramassent à la pelle les premiers déchets radioactifs. À l'abri de leur carapace rafistolée, ils sentent bien que leur tête a mal. Mais ils continuent de pelleter, c'est ce qu'on leur a demandé. Au bout de quelques heures, ils enlèvent enfin leur équipement, avec, le long du nez, un filet de sang.

Pripyat – UKRAINE
2 km de la centrale nucléaire Lénine

26 avril 1986
Neuf cents élèves âgés de dix à dix-sept ans participent à un marathon de la paix qui fait le tour de la centrale. Ils portent des joggings verts, jaunes et bleus. Les filles enlèvent leurs vestes et les nouent autour de leur taille. Il y a de beaux garçons, il faut être celle qu'ils préfèrent. Le tee-shirt est moulant. Assez pour deviner les formes et taquiner les hormones. Les adolescents chantent, rient, courent. Ils vivent. Aujourd'hui, Anikeï a embrassé Oksana.

Pripyat est déjà contaminée gravement : la radioactivité y a formé de nombreux flashs blancs au rythme de plusieurs par seconde.

Pierrelatte – FRANCE
2 046 km de la centrale nucléaire Lénine

26 avril 1986
Une gamine nommée Eva profite de l'absence de sa mère bancale pour faire des plongeons dans les flaques d'eau. Il y a de la boue sur son menton. Il y

a des paillettes dans ses yeux. Elle porte un chemisier qui était tout blanc et qui ne l'est plus maintenant. Elle fredonne une comptine qui parle de vache et de grenadine. Insouciante, elle observe son amie Charlotte qui fait face au soleil avec une passoire sur le visage. Pour les taches de rousseur.

28 avril 1986

Sur le siège arrière de la Renault 11, Eva grignote son biscuit fourré pendant que son père décrasse le pare-brise. Elle croque le tour du gâteau, l'ouvre en deux, lèche les pastilles de chocolat et finit par engloutir la galette. Eva prend un deuxième Petit Prince, croque la dentelle autour et puis s'arrête. Le calme avant la tempête. La radio la stoppe. Net. Et lui crache ses informations.

Tchernobyl. Centrale nucléaire.

Les mots piquent.

Explosion. Radiations.

Le cœur panique.

Eva laisse tomber son gâteau. Les miettes s'éparpillent. Le chocolat fait face à la moquette moutonneuse. Eva répète dans sa tête les mots qu'elle vient d'entendre. Ils tournent en rond et lui martèlent le crâne. Elle essaie de les faire taire mais ils s'entêtent. Oppressée, elle sent ses côtes serrer ses poumons. Elle suffoque, l'air lui manque. Elle piétine le biscuit qui subit sans bruit. Sur la vitre avant, l'eau mousse et dégouline. Derrière le rideau blanc, Eva observe les fabriques empoisonnées. Les horreurs contées par le journaliste sortent du poste et viennent envahir l'habitacle de leurs images funestes. Les centrales éventrées. Les corps calcinés. Les nuages contaminés.

118

Le pare-brise est enfin propre, Jacques Hubert reprend sa place au volant. Derrière, sa fille vomit tout son quatre-heures sur le skaï blanc.

29 avril 1986

Chez les Hubert, le repas s'assaisonne de télévision. Surtout quand il y a des catastrophes. Sylvie Hubert demande le silence. L'heure est grave. Elle a besoin d'entendre pour la dixième fois le récit dramatique de l'accident de la centrale de Tchernobyl. Elle veut voir et revoir ses images, être bercée par ses horreurs, partager avec les autres son malheur. Son malheur à elle. Elle n'est plus la seule à souffrir. Ce n'est pas mieux mais c'est moins pire. Sue Ellen joue avec ses boulettes de viande. Jacques coupe le pain. Eva n'avale rien. Dans la boîte à images, Claude Serillon donne la parole à Brigitte Simonetta. La voix de la sympathique présentatrice météo commente une carte en expliquant qu'un anticyclone se trouvant sur l'Union soviétique au moment du drame protège la France du nuage radioactif en le renvoyant vers les pays scandinaves. Un « Stop » sur la carte de France finit de rassurer les téléspectateurs. Sylvie, satisfaite de voir le poison envahir la Suède, baisse le son avec la télécommande.

— Eh bien, ils nous ont foutu une de ces trouilles. Me voilà rassurée.

Puis, comme si de rien n'était :

— Eva, tu me donnes une tranche ?

Eva ne répond pas. Eva se lève, fracasse son assiette sur le sol carrelé et quitte la table.

15

— Miangaly ! Miangaly !

Fitia, une cruche d'eau sur la tête, appelait sa cousine en hurlant. Handicapée par le pot de terre qui trônait sur son crâne, la jeune fille courait difficilement. Dangereusement. Au sprint final, ses pieds nus rencontrèrent une racine et entraînèrent la chute. Étalée par terre, la jarre en mille morceaux et l'eau répandue sur le sol d'argile, la gamine continuait sa clameur lancinante.

— Miangaly !

La cousine en question dormait profondément, étendue sur sa natte, le nez enfoncé dans une boule de tissu parfumée à la vanille. Un bout de sa mère avec un petit bout de son père. Les hurlements de Fitia finirent par la réveiller. Elle tenta de s'isoler du bruit avec l'étoffe colorée mais les cris continuèrent leur persécution sonore. La belle endormie dut se rendre à l'évidence. D'un geste brusque, elle balança ses draps, marmonna quelques jurons puis se redressa. Le corps engourdi, les yeux plein de sommeil, le bâillement redondant, elle passa la porte. À ses pieds, Fitia, le visage dans la poussière, continuait de l'appeler.

— Je suis là ! hurla-t-elle à son tour.

Fitia, l'air de rien, se releva et reprit la parole :

— Miangaly, il…

— Fitia ! rugit la cousine en colère. Le coq ronfle à cette heure-ci ! Il fait encore nuit ! Je dor…

— L'école ! On peut retourner à l'école. Un maître est arrivé. Hier soir.

Après des mois sans classe, faute d'argent pour payer le professeur, Miangaly avait du mal à réaliser ce que sa cousine lui annonçait.

— L'école, se contenta-t-elle de répondre.

— Bon, c'est un peu loin. Il faudra marcher jusqu'à Manompana. Ils disent qu'ils peuvent pas faire mieux. Faut regrouper.

— Des chaussures.

— C'est pas grave, on s'en moque de marcher.

— Les miennes ne me vont plus, impossible de les enfiler.

— Je pense qu'en deux heures, si on marche bien et qu'on fait pas de pause, ça ira.

— Des chaussures. Il me faut des chaussures, s'inquiéta Miangaly.

— Allez, mets une blouse, poursuivit la cousine indifférente aux inquiétudes de Miangaly. Mamy nous a préparé quelques sambos, on peut y aller.

— Des chaussures, Fitia ! Je n'ai pas de chaussures !

C'est Bako qui prêta finalement ses souliers à l'écolière. Ceux que lui avait donnés le fils de Soa. C'étaient des chaussures de garçon. Aux semelles immenses.

— T'inquiète pas. On va les bourrer de coton.

Aux lacets rafistolés.

— On va demander à Tahiry un peu de corde pour les remplacer.

Aux bouts usés.

— Je vais les brosser avec de la chair de coco. Elles vont tellement briller que ça va te piquer les yeux.

Bras dessus, bras dessous, les godillots noués sur leurs épaules, les gamines prirent la route en chanson. Miangaly en profita pour apprendre la fin de sa dernière trouvaille à Fitia.

Oui je rêvais de notre monde
Et la terre est bien ronde
Et la lune est si blonde
Ce soir dansent les ombres du monde[1]...

Les pieds nus sur le sol grignoté. Les gambettes dévêtues à travers les herbes coupantes. Les corps tout menus sous la chaleur brûlante. Les deux fillettes sans cartable chantaient un air venu d'un autre monde. D'une terre où l'on communiquait par *Téléphone*.

Sous le pont, à l'entrée de Manompana, les cousines firent une halte. L'eau y était fraîche et claire. Elles en profitèrent pour se désaltérer et se préparer. Elles se frottèrent le visage pour se débarbouiller. Mouillèrent leurs cheveux pour les coiffer un peu mieux. Astiquèrent leurs pieds sablonneux pour enfiler leurs précieuses chaussures.

— Elles me sont vraiment trop grandes, les sandales de Bako. Même avec le coton, je les perds.

— Tiens. Prends les miennes. J'ai des plus grands pieds que toi. Ça devrait aller.

Fitia qui chaussait une pointure de moins que Miangaly enfila la paire rafistolée. Crispant ses doigts de

---

1. *Un autre monde*. Paroles, musique et interprète : Téléphone.

pied pour s'agripper à la semelle et ne pas perdre sa godasse, elle entraîna sa cousine vers la salle de classe.

Une baraque de voliges patinées et ajourées. Des morceaux d'étoffe dépareillés pour la porte et les volets. Un grand rectangle de bois peint en noir comme tableau. Quelques pierres blanches pour écrire à la craie. Une planche en équilibre sur quelques caisses pour servir de bureau au maître. Des paillasses sur la latérite pour les pupitres. Ni cahiers ni stylos. Quelques livres cornés et fragiles au coin du secrétaire. Un professeur avec une baguette dans la main. Cinquante-sept enfants de tous âges, assis sur les nattes de palmier. Plus deux à la porte d'entrée.

— Ah ! Encore des élèves. Bonjour mesdemoiselles, comment vous prénommez-vous ?

— … répondirent les fillettes qui n'avaient rien compris à ce que leur demandait le maître.

— Vous êtes timides… Vous ne voulez pas dire vos prénoms ?

— Si ! Si ! s'empressa Fitia. Moi, c'est Fitia et ça, c'est Miangaly !

— Eh bien ! s'exclama le professeur. Ce ne sont pas de belles manières. Pour les présentations, il y a quelques règles, mademoiselle. Entrez. Entrez donc. Je pense que ceci fera un parfait sujet de rentrée.

Le cours commença. Sur le sol rougi, des dizaines de têtes brunes et silencieuses attendaient la parole du maître. Sur le panneau noirci, la main de l'enseignant dessinait de merveilleuses lettres que les gamins ne comprenaient pas. Pas encore.

16

Eva était entrée en guerre. En guerre contre le nucléaire. Ses nuits ne lui laissaient aucun répit et la chargeaient de songes radioactifs. Épuisée par ses cauchemars, elle finissait par se lever tard et devenait de plus en plus excessive. Elle refusait de manger les légumes du Tricastin, dessinait des affiches avec des centrales barrées de têtes de mort qu'elle placardait sur les murs de son école primaire et harcelait ses parents à longueur de journée en les suppliant de déménager.

Sylvie Hubert supporta le délire de sa fille quarante-huit heures. À la quarante-neuvième heure, le glaçon explosa en glace pilée et mitrailla tout sur son passage.

— Jacques, tu prends ta fille et tu dégages !

Jacques, abasourdi, ne répondit pas immédiatement.

— Tu dégages ! répéta Sylvie, hystérique.

— Eva, file dans ta chambre avec ta sœur. Il faut que je parle à maman.

Les gamines quittèrent la pièce. Jacques, les yeux baissés, leur emboîta le pas, ferma toutes les portes, se retourna et se mit face à sa femme. Hors de lui, il leva enfin les paupières, grimaça quelques secondes puis, de toute sa voix, du fin fond de ses entrailles, pour que le monde entier l'entende, pour se libérer de toutes ces années sacrifiées, il hurla :

— Qu'est-ce qu'il te prend ?

— Ce qu'il me prend ? Tu me le demandes ? Tu es aveugle ou quoi ? Tu as vu notre fille ! Notre gamine qui nous soûle avec ses histoires de centrales, qui fait ses caprices, qui nous fait la leçon ! Je ne la supporte plus ! Je veux qu'elle se taise !

— Non mais, tu te rends compte de ce que tu dis ! Eva est angoissée. Elle s'inquiète facilement.

— Le nucléaire ! Elle n'a que huit ans ! Qu'est-ce qu'on en a à foutre du nucléaire à huit ans ! Et pourquoi pas la faim dans le monde tant qu'on y est ! Putain !

— Sylvie, arrête ! Arrête tout de suite ! Ce n'est pas…

— Pas quoi ? Ce n'est pas moi, c'est ça ? Eh bien si ! J'suis comme ça. À l'intérieur, je ne fais que ça, jurer, injurier ! À l'intérieur ! À l'intérieur, Jacques. Je bous ! J'insulte tout et tout le monde ! J'ai chaud, je transpire et pourtant, je claque des dents et je superpose les pulls ! J'en peux plus Jacques ! J'peux plus vivre comme ça !

Jacques, étourdi et engourdi, tenta de lui répondre :

— Il faut que… Eva, il faut que tu…

— Eva, elle est bizarre. J'y comprends rien à cette môme, continua Sylvie qui n'avait jamais autant parlé. On se comprend pas, toutes les deux. Déjà, quand elle était dans mon ventre, ça collait pas. Je crois que je suis à bout. À bout avec elle. Avec toi. Avec tout le monde. Mon costume de fer vient de sauter ! Ras le bol. C'est fini. Je… Je…

Jacques se sentit partir. Il empoigna la chaise près du canapé et s'y agrippa. Au même moment, Eva poussa discrètement la porte du couloir. Jacques la repéra.

— Sylvie, on va s'arrêter, il y a Eva qui…

— Eva ! Eva ! Eva et Sue Ellen, il n'y en a que pour elles ! Elles ! Elles ! Et lui ? Tu penses à lui parfois ?

Sylvie s'effondra sur le fauteuil, Jacques oublia le minois d'Eva qui pointait vers eux et murmura :

— Je pense à lui tous les jours.

Dans le sofa, l'iceberg se mit à fondre. Ses larmes inondèrent le cuir usé et se répandirent sur le sol lustré. Le glacier indestructible, brûlé par ces souvenirs bouillants, disparut sans bruit. Sans cri. Plus de banquise. Une plage. Déserte. Où tout était à reconstruire.

— Tous les jours, continua Jacques. C'était mon fils. Notre fils. Il s'appelait Léo. Il dévorait ton sein à longueur de journée, écrasait sans pitié tous les escargots du quartier, avait un doudou qui s'appelait Pou, adorait jouer à cache-cache. Il était blond comme toi. Avec de grands yeux noirs comme moi. Il… Il est mort le jour de ses trois ans. Il est mort comme ça. Sans accident. Dans son lit en rêvant.

Eva se laissa glisser le long du mur et posa ses fesses sur le carrelage froid. Les jambes recroquevillées, son front reposant sur ses genoux, elle essayait de comprendre. Elle mit tous ces mots bout à bout, les illustra de quelques images abstraites, les mélangea dans sa petite tête bien faite et, pour la première fois, comprit ce que voulait dire avant. Avant, c'était avant la mort de Léo. Avant ce frère qui s'était endormi pour toujours. Avant ce départ pour l'infini, sa maman avait été différente. Elle avait été une autre maman. Une mère qui donnait le sein et qui jouait. Peut-être même qu'elle souriait.

— Viens. Viens près de moi.

Eva sursauta. C'était Sylvie qui venait de prononcer cette douce phrase. Sylvie Hubert ne prononçait jamais de douce phrase. Jacques eut un frisson puis se ratatina. Cette délicieuse mélodie, il avait dû la rêver.

— Viens. Viens près de moi.

Cette fois, il vit ses lèvres bouger. Il put savourer chacune des syllabes, admirer sa bouche devenue sucrée, contempler ce murmure. Elle l'appelait encore. Il lâcha le dossier qu'il agrippait puis s'avança vers son épouse décongelée. Sous la glace, il redécouvrit son cœur. Des battements chauds et intenses. La mélodie après le silence. Un silence qui les avait handicapés. Amputés. Durant toutes ces années, ils avaient été incapables de parler, de sourire, de jouir, de donner, de respirer. Asphyxiés par ce deuil insensé, ils n'avaient même pas vu qu'ils avaient deux filles à aimer. Jacques s'accroupit, posa sa tête sur les genoux tremblants de Sylvie et balbutia :

— On… On s'en va. On quitte cette maison… Cette ville… On…

— On recommence, poursuivit Sylvie. On reprend de zéro. Avec Eva, Sue Ellen et Léo. On déménage avec nos trois enfants.

Eva oublia Léo, l'iceberg, le dodo qui tue, les larmes de sa mère, Pou le doudou. Une phrase venait d'effacer toutes les autres : « On déménage. »

La fillette se releva, retourna vers sa chambre sur la pointe des pieds et, avec l'aide de Sue Ellen, commença à faire les valises de ses jouets.

— Eva, pourquoi tu rigoles ?

— Parce que maman, elle a toute fondu.

17

IZAY MIHOMEHIMEHY DIA BOKA Ô[1]

Izay miteniteny dia adala ô !
Celui qui parlera... fera le fou !

Miangaly grandissait. Jour. Nuit. Jour. Nuit. La ronde du temps s'emballait. Sur sa grande île, dans son minuscule village, Miangaly contemplait.

Dans la jungle, il y avait les chants.
Dans les champs, des tapis de feuilles.
Sur les feuilles, des ratures et des mots.
Pour les maux, des râles et des halètements.
Pour l'allaitement, de délicieuses mamans.

Mandra-mpihodin'ity tany ity
Pendant que cette terre tourne

---

1. *Celui qui rira sera pris*, comptine malgache.

La radio fredonnait toujours ses tubes interplanétaires dans la cabane de Tahiry. Miangaly les écoutait, les aimait et, lorsque l'étincelle magique apparaissait, finissait par les chanter. L'épicier gâtait toujours autant sa protégée et lui dénichait de temps en temps de nouveaux *Rock and Folk* à feuilleter. Bako n'était jamais loin, admirant sa petite crevette qui délicatement l'envoûtait.

Tahiry s'absentait souvent. Discrètement. Il quittait sa masure pour rejoindre le château de sa belle. Ses mains calleuses caressaient les plis poussiéreux de sa vieille fleur. Que sa peau était douce, polie par tant d'années de vie. Que ses cheveux gris sentaient bon, parfumés de vanille et de litchi. Que ses lèvres furent fruitées et sucrées lorsqu'elle lui offrit leur premier baiser.

Mandra-mpanisako telo
Pendant que je compte jusqu'à trois

Des bébés continuaient de naître et de mourir. Miangaly les berçait et les accompagnait vers le monde des razanas.
Balanola.
Leur minuscule ventre rebondi ne se gonflait plus et leurs lourdes paupières occultaient la lumière du jour.
Balanola.
Il y avait des cris sans bruit, des étoffes rougies par la nuit, des femmes haletantes et cramoisies.
Balanola.
Dans les airs. Des bébés. Sous terre. Des bébés. Quittant leurs mères. Des bébés.

Balanola.
Un chant pour le voyage. Un droit de passage. Le temps d'un massage.

Isa, roa, telo !
Un, deux, trois !

Les fillettes couraient à l'école dès qu'elles le pouvaient. Mais l'école fonctionnait par intermittence, faute de moyens pour défrayer le professeur. Et les femmes n'avaient de cesse de les solliciter dans les rizières. Recourbées, les pieds baignant dans la boue, les mains rugueuses et écorchées, les jupons remontés et ceinturés par un foulard, les mollets égratignés et durs comme de la pierre, le regard usé par les minuscules grains, les reines couleur ébène devenues vieilles aux rides sans merveille appelaient les jeunes filles à les rejoindre dans leurs champs de misère.

— Apprendre à lire, ça vous servira à rien, râlaient les anciennes. Avec nous au moins, vous apprenez un métier.

— Bande de jalouses, sifflait Hanitra. Laissez-les tranquilles, ces gamines. Elles se voûteront bien assez tôt.

Malheureusement, lorsqu'elles parvenaient à échapper aux rizières et que le maître était à son pupitre, les cinq manuels que comptait l'école avaient du mal à rassasier les soixante écoliers. Jusqu'au jour où…

Tsofy ny lanitra
Souffle vers le ciel

C'était un jour de mars, chaud et humide. La moiteur s'était infiltrée partout. Les tee-shirts collaient à la peau, les cheveux brillaient de sueur, les crayons grignotés glissaient sous les doigts, le maître s'essuyait le front entre chaque addition. À la récréation, les gamins, asphyxiés par l'air brûlant, s'étaient calés sous le baobab et jouaient au fanorona[1]. Des lignes tracées dans le sable, quelques cailloux de deux couleurs distinctes, la partie pouvait démarrer. Mais le jeu n'avait pas commencé. Domptant la boue et ses pièges, un énorme 4 x 4 toutes options s'était invité dans la cour silencieuse de l'école. Le vrombissement du moteur avait fait déguerpir toute la faune environnante et avait accaparé l'attention de tous les enfants. Après avoir bien fait crier sa machine assourdissante, le chauffeur avait coupé le contact. Puis il était descendu du véhicule. Lui, le seul Malgache de la voiture. Les Blancs tout rouges préférant la fraîcheur de leur monstre climatisé, de leur forteresse vitrée. L'homme noir avait contourné le carrosse pour rejoindre le coffre. De là, il avait sorti deux énormes cartons et les avait déposés devant la classe ahurie.

— C'est pour vous, s'était-il contenté de dire aux enfants dubitatifs.

Pendant ce temps, les vazahas, fiers de leur bonne action, observaient ces beaux gamins noirs à travers l'objectif de leur appareil. Gênés par les vitres teintées, ils avaient finalement dû les baisser afin de pouvoir mitrailler les élèves avec leur bazooka argentique. Leurs sourires tout blancs se dessinaient sous leur

---

1. Jeu de société combinatoire abstrait malgache.

zoom proéminent. De belles dents opalines pour savourer cette BA et ses authentiques images souvenirs. Quelle bonne idée, ce voyage humanitaire, pensaient-ils assis sur leur siège rembourré. Une véritable immersion. Satisfaits, les généreux donateurs jubilaient.

Foa !
F ! (faire le son du vent)

Puis le coffre avait claqué. Le moteur avait démarré. Le 4 x 4 s'en était allé. Les enfants étaient restés là, impassibles, se laissant crépir par les jets de boue offerts par les pneus du géant motorisé en guise de feu d'artifice final. Timidement, le premier des gamins s'était levé. Sur la pointe des pieds, comme pour ne pas déranger, de peur de tout faire exploser, il s'était approché des cartons. Ils étaient presque aussi grands que lui. Puis un deuxième écolier avait suivi. Puis un troisième. Puis Miangaly. Puis Fitia. Et le premier paquet avait été ouvert. À l'intérieur, un trésor. Un livre. Des livres. Des images à chaque page. Un stylo. Des… Par centaines. Des cahiers. De toutes les couleurs. De toutes les tailles.
— C'est à moi ! C'est moi qui ai ouvert le carton en premier !

Le calme avait cédé la place au vacarme. Les enfants endormis parlaient maintenant à coup de plaintes et de cris. Tous voulaient une part du butin. Aucun n'avait jamais vu ça. Autant de belles pages, des couvertures illustrées, des crayons pailletés… Et tout était neuf ! Ni usure, ni égratignure. Ils voulaient tout et tout de suite. Pas question de partager les lingots. La fièvre de l'or, c'était chacun pour soi. Les premiers manuels étaient en train de se faire déchiqueter et les coups commençaient à faire des blessés lorsque le maître était arrivé dans la cour survoltée.

— Mais qu'est-ce qu'il se passe ici ? avait-il demandé.

Aucune réponse. Personne pour l'entendre. Il avait essayé en criant. Toujours personne. Seulement des insultes et des chutes. Impuissant devant ce spectacle désolant, il ne savait plus comment faire. Il avait finalement sonné la cloche. Une seconde de silence. Il s'en était emparé pour tenter de tout réparer.

Ndomy ny tany
Donne un coup de pied au sol

— Tout le monde sous le baobab ! Tout de suite !

Les bras chargés au maximum, les feutres entre les dents, les cahiers coincés dans leur pantalon, les gamins s'étaient bousculés jusqu'à l'arbre magnifique. Le professeur avait chargé Fitia de lui rapporter les faits. Abasourdi d'abord, puis rapidement énervé, l'instituteur avait donné un coup de pied dans le deuxième carton. Celui qui n'avait pas encore été dévalisé. Il était tombé sur le sol, s'était ouvert et avait déballé son barda. Des vêtements. Des chemises, des robes, des tee-shirts. Tout dégringolait. Des pulls. Dans la boue. Des anoraks. Des bonnets. Dans la boue. Des cagoules.

Les enfants perplexes devant ces vêtements fourrés de polaire avaient lâché tout leur trésor tandis que les passe-montagnes prenaient un bain d'argile. Et, cherchant du regard les irresponsables, le maître avait hurlé au ciel pour que sa plainte ricoche jusqu'à l'oreille des fous :

— Des écharpes ! Bande de dégénérés !

E'y !
Hey !

Miangaly grandissait. Jour. Nuit. Jour. Nuit. La ronde du temps continuait. Les années passaient. Sur sa grande île, dans son minuscule village, Miangaly chantait. Hey !

18

Ainsi font, font, font

Ainsi font, font, font
Les petites marionnettes,
Ainsi font, font, font
Trois p'tits tours et puis s'en vont.

Les camions de déménagement. Les caisses pleines de riens encombrants. La théière immonde et ébréchée dont Sylvie ne voulait absolument pas se séparer. La balancelle du jardin. Les vieilles charentaises trouées que Jacques voulait continuer à user. La dînette d'Eva et son fenouil en plastique. Le porte-revues en rotin. Le miroir fendu du couloir. La collection de livres gastronomiques qu'on ne tachait plus depuis des lustres. Le pense-bête en pinces à linge. La table estropiée de la cuisine. Le mange-disque orange fluo. Les trente paires de chaussures de maman. Le gros Babar de Sue Ellen qui perdait toute sa mousse. Les Tupperware. La lampe de chevet et ses petites perles colorées.

Les mains aux côtés,
Sautez, sautez marionnettes,
Les mains aux côtés
Marionnettes recommencez.

Une autre maison. Une autre ville. Quelque part entre le nord et le sud. Entre la montagne et la mer. Entre les fabriques de nuages et les bords de plage. Entre Charlotte et le reste du monde. Les camions s'étaient vidés. La nouvelle demeure s'était remplie. La table de la cuisine avait trouvé une nouvelle cale. Le miroir, un tube de colle. L'éléphant en peluche, des points de couture. Tout avait trouvé sa place. Sa pièce. Sa chambre.

Une autre adresse. Un nouveau frère. Léo avait son coin. Un petit bout de cheminée pour y poser son cadre. Pour y exposer son sourire. Pour rappeler ses éclats de rire. Pour ne plus vivre dans le pire.

Une autre Sylvie qui n'allait plus au cimetière tous les vendredis. Encore pas très sûre. Se balançant entre le glaçon et le sorbet passion. Celui qui s'évanouit dans la bouche et réchauffe de son doux parfum, celui qui prend le temps de le laisser fondre.

Ainsi font, font, font
Les petites marionnettes,
Ainsi font, font, font
Trois p'tits tours et puis s'en vont.

De nouveaux voisins. Au bout de la rue Dareau, un cul-de-sac. Dans ce cul-de-sac, cinq maisons.

Les Hubert tout au fond. Les derniers. Puis en

remontant, une première maison abandonnée. Enfin pas vraiment. La dame était partie en hôpital psychiatrique à la suite du décès de son mari. La maison attendait son retour. C'était ce que racontaient les suivants, les psychopathes, comme les surnommait Jacques. Des maniaques. Tout devait être nickel. Le moindre centimètre carré de pelouse était clôturé de peur qu'il soit piétiné. La colonie de nains de jardin surveillait les grenouilles de plâtre et vice et versa. Les géraniums ponctuaient les allées méthodiquement alignées et le potager s'asphyxiait, oppressé par une overdose de piquets et d'insecticides.

Un peu plus loin, monsieur Chat. C'était comme cela que Sue Ellen l'appelait. C'était un vieux garçon d'une soixantaine d'années qui vivait dans une toute petite maison remplie de chats. Ils étaient partout. Sur les rebords de fenêtre, sur le palier, dans sa cuisine, sa chambre, ses toilettes, son lit. Des matous partout, comme si le bonhomme voulait se protéger à l'abri de cette forteresse féline. On l'apercevait très peu. Perdu au cœur de ces poils et de ces griffes, de ces moustaches et de ces puces, on le surprenait parfois en train de miauler.

Le dernier habitant de ce sans issue était M. Vivier. Assis sur un sofa déformé et maculé de taches par centaines, l'homme observait la rue derrière ses grilles. C'était un célibataire de trente-cinq ans, de cent quarante kilos, aux cheveux gras, à la bouche toujours sale, aux doigts gluants, au regard insistant. Un paquet de chips dans une main, une bouteille de soda dans l'autre, M. Vivier consommait sa vie sans bonne humeur mais avec beaucoup de beurre.

Et elles danseront
Les petites marionnettes,
Et elles danseront
Quant les enfants dormiront.

Un tour de vélo. Un anniversaire avec neuf bougies. Un cours de piano. Un gâteau avec dix chandelles. Onze. Douze.

La roue de la vie tournait. Les fillettes grandissaient. Léo les taquinait. On était loin du nucléaire. Et pourtant. Pourtant, Sylvie continuait de se glacer souvent. Et Jacques, les jours d'iceberg, redevenait l'homme invisible. On était loin des centrales mais il y avait toujours des gens bizarres autour. Des êtres à l'œil hagard et au regard plein de détours.

Encore des fuites. Mais des fuites de quoi ?

ADOLESCENCE

Je suis né quelque part
Laissez-moi ce repère
Ou je perds la mémoire.

Maxime Le Forestier – *Né quelque part*

1
KÉRÉ [1]
1989-1992
Nom de la famine : **Tsy mitolike**
On mange sans se retourner
La peau sur les os

Assise sur un bout de rocher, Miangaly regardait Fitia qui rinçait le linge dans la rivière quasiment sèche. Sa cousine était torse nu, indifférente à ses seins qui naissaient. Ses petits tétons gonflés pointaient et s'exposaient à la vue de tous sans complexe. Miangaly avait préféré garder son tee-shirt pour frotter les vêtements contre la pierre. Elle le gardait aussi pour se laver, se baigner et se coucher. La jeune fille avait du mal à découvrir ses formes féminines. Dans sa tête, il y avait une berceuse qui la confortait dans son corps de gamine sans poil et sans poitrine. Fitia se moquait d'elle et Miangaly se moquait de Fitia. Bako les observait, amusé, cherchant discrètement le téton de sa protégée sous le coton mouillé.

Près du petit cours d'eau assoiffé, les habits s'étalaient sur l'herbe pour sécher au soleil. Pendant ce

---

1. Grande sécheresse et grande famine, en malgache.

temps, les filles se jetaient dans le courant minuscule et se laissaient dériver, agrippées à une liane qu'elles ne devaient lâcher sous aucun prétexte. Elles ne savaient pas nager. En amont, des hommes baignaient leurs bêtes squelettiques tandis que d'autres nettoyaient leurs charrettes. Un peu plus bas, les femmes faisaient leur toilette, frottaient leur corps et leur visage, leurs mains et leurs dents, dans ce bain chargé d'urine de zébus et de vieux purin. Une fois secs, les draps incrustés de cette eau opaque étaient fourrés dans de grandes corbeilles que les gamines mettaient sur leur tête pour les ramener au village.

Depuis quelque temps, on passait plus de temps sur la plage, à la rizière, dans la forêt pour tenter d'oublier. Oublier la faim qui brûlait le ventre, qui faisait trembler les mains, claquer les mâchoires, perdre la mémoire. Une grande sécheresse sévissait depuis plusieurs mois. La rivière avait perdu de sa superbe. Il lui restait quelques vasques boueuses et un courant ridicule pour faire comme si tout était comme d'habitude. Pas d'inquiétude. Tout irait mieux demain. Mais la pluie les avait oubliés et les prières de l'ombiasy restaient sans réponse. La fatalité avait broyé leurs épaules, noué leurs estomacs et les quelques nuages qui traversaient le ciel azur ne parvenaient plus à les faire espérer. Pour les repas, les grains de riz étaient comptés et les légumes n'agrémentaient plus les plats de leurs couleurs. Ni viande ni poisson. Les animaux décharnés tentaient désespérément de conserver la mince couche de chair qui recouvrait leurs os, leurs arêtes. Les enfants, les anciens et les femmes enceintes avaient droit à un bol de riz par jour. Les autres devaient se contenter d'une ration tous les deux jours. Tout le monde essayait de s'occuper le corps et l'esprit sans trop se fatiguer pour ne pas tomber. Ces derniers mois, les bébés ne sortaient même plus du ventre de leurs mères. Ils mourraient dedans et emportaient souvent avec eux celles qui les portaient.

Au village, les chants et les danses ne parvenaient plus à sauver les apparences. Il n'y avait plus d'énergie, plus d'envie. La forêt, d'habitude si loquace, s'était tue elle aussi. Les jours se transformèrent en semaines. En mois. Les gros devinrent minces. Les minces, maigres. Les maigres, squelettes. Les squelettes disparaissaient.

Joro s'occupait sans relâche de son clan. Il essayait tout et n'importe quoi pour parvenir à nourrir les siens. Il testait la sève de plantes jusqu'ici ignorées et goûtait des insectes immondes à la recherche de protéines pour les plus faibles. Mais ses multiples expériences ne fonctionnaient pas et Mamy était à la limite du trépas. Le ciel ne voulait plus rien donner, la terre le boudait et les hommes subissaient. Même le raketa mena[1] les avait abandonnés.

Tahiry avait offert à la communauté toutes ses richesses de vieil épicier. Mais le stock fut vite épuisé et les villageois rapidement affamés. Le commerçant avait tout de même gardé une double ration pour sa fiancée. Il avait invité Hanitra à le rejoindre dans sa boutique pillée et il s'était occupé d'elle comme les mères de leurs bébés. Il la forçait à manger de petites portions qu'elle avait peine à avaler tant sa maigreur

---

1. Sorte de figue de Barbarie.

la fatiguait. Elle ne tenait plus debout et n'arrivait plus à boire les quelques centilitres d'eau que contenaient les tasses altérées. Son prince, survivant à ses côtés, ne lâchait rien. À chaque difficulté, il fouillait et far-fouillait les multiples recoins de sa cahute à la recherche d'une solution. Pour la boisson, il se servit de la pipette qu'il utilisait d'habitude pour nettoyer la mécanique de sa précieuse radio. Au goutte-à-goutte, avec la patience d'un ange, le vieil homme décharné arrosait son unique fleur. Il prenait soin de ses pétales flétris, de sa tige bancale, de son bouton froissé. Il ne voulait pas qu'elle fane. Tahiry ne ménageait pas sa peine et ignorait les crampes qui lui déchiraient les entrailles. Toute cette douleur n'était rien à côté de sa main dans la sienne, de son regard si doux embrassant ses pupilles décolorées, de ses lèvres amoureuses qui baisaient sa carapace usée. La famine pouvait le tor-turer tant qu'elle voulait, il ne céderait pas. Son corps n'étant plus qu'un tas d'os, il l'avait scellé avec de la poussière de pierre pour le rendre invincible. Un roc. Une armure pour secourir sa belle. Sa belle opales-cente.

— J'ai peur Hanitra, murmura un jour Miangaly.
— Peur de quoi, ma fille ?
— Peur que tu partes.
— Où veux-tu que j'aille dans mon état ?
— Rejoindre maman.

La vieille, assise sur son maigre squelette, cherchait sa petite-fille par-delà la brume de ses yeux qui, jour après jour, lui rendait la vie plus noire. L'ombre de Miangaly se mit à briller à travers le brouillard. Une larme scintillait sur sa joue creusée. Hanitra se dépêcha de rassurer la jeune fille.

— Tu sais, si je rejoins Tsiky, je serai très heureuse de la retrouver. Même si pour cela je dois te quitter quelque temps.

C'est ainsi que, quelques jours plus tard, la vieille Hanitra, famélique et immobile, s'en était allée. Sa peau chiffonnée et diaphane s'était glacée un matin d'enfer où l'ombre des baobabs cherchait désespérément des flaques pour se rafraîchir. Tahiry, trempé de sueur, avait tenu tout contre lui le cadavre gelé de sa fiancée. Des heures durant. Ne voulant plus le lâcher. Maudissant le ciel de retenir ses pleurs et de multiplier les leurs. Mamy et Tiana s'étaient approchées de lui et avaient commencé à fredonner. Des notes pour apaiser la souffrance et la défier pour ne pas qu'elle recommence. La mélodie avait duré des heures laissant à l'amant meurtri le temps de relâcher son étreinte. Quand l'épicier finit par s'évanouir sur la natte que sa belle avait tissée, Miangaly s'avança vers sa grand-mère. Elle ne pleurait pas, ne criait pas. Elle s'agenouilla près de la dépouille de son aïeule, baissa la tête quelques minutes pour trouver la force et la foi, puis, instinctivement, déboutonna le chemisier mité d'Hanitra. Torse nu, les seins tombant sur les côtés, le souffle coupé, les yeux scellés, l'ancienne n'était plus qu'une déesse ébène, sculptée dans la terre sèche et cruelle. Elle était belle. Immortelle. Miangaly frictionna ses mains et les posa sur le ventre creusé. Elle se mit à le masser. Elle se mit à chanter. Elle se mit à hurler. Miangaly accompagnait sa grand-mère vers

149

l'autre monde et ses notes n'avaient jamais été aussi profondes.

Durant plusieurs jours, le village avait dû supporter les plaintes de Tahiry qui transperçaient les murs et faisaient vibrer les tôles de sa cabane. Son corps meurtri pleurait des perles d'amour qu'il avait réussi à conserver à l'abri de son cœur possédé. Il les avait préservées de la sécheresse tant que sa bien-aimée vivait et maintenant qu'elle n'était plus, il les rendait à la terre. Le sol sec et craquelé reçut ces quelques gouttes salées comme une offrande généreuse et, pour l'en remercier, appela le ciel à venir à sa rencontre. Un soir de pleine lune, l'astre lumineux disparut derrière de gros nuages sombres. Les cieux lourds de tous ces morts et de toute cette peine commencèrent à sangloter et finirent par se vider de leurs larmes douloureuses.

— Il pleut !

2

Collège L'Immaculée Conception. Pour son entrée en cinquième, Eva avait préféré prendre le bus et éviter ainsi les mises en garde interminables que sa mère psalmodiait dans la voiture les jours de rentrée scolaire. Elle était montée dans l'autocar la tête baissée, les yeux sur ses baskets, le sac plaqué contre sa poitrine débutante, les mains agrippées au tissu renforcé. Une fois dans le couloir central, elle s'était installée sur le premier fauteuil disponible, s'appliquant à garder son regard au ras du sol.

— Ben Eva ! Qu'est-ce tu fous là ?

C'était Anna. Sa nouvelle copine dans sa nouvelle vie. Eva la rejoignit, relevant les paupières et balayant rapidement les quelques rangées suivantes de ses yeux inquiets. Anna, c'était une pipelette. Elle passa la demi-heure suivante à lui parler de ses vacances extra-ordinaires, de sa nouvelle télévision et de sa tenue de rentrée. Un jean usé, une ceinture Peace and Love, un tee-shirt LC Waikiki avec un singe coiffé d'une casquette fluo et des Doc Martens incrustées de bouts de ferraille. La fashion victime couronnait son look grotesque d'une incroyable houppette miraculeusement dressée au-dessus de son front boutonneux par des tonnes de gel qu'elle appelait « coque ».

Eva ne l'écoutait plus. Perdue dans le tissu à carreaux de sa chemise vieillotte, elle tentait désespérément de camoufler son horrible pantalon à pinces sous son cartable. Eva se sentait minable et mal à l'aise. Elle n'avait rien à dire. Rien à montrer. Au contraire. Elle aurait voulu se ratatiner, ne plus avoir à exposer son costume ridicule et désuet, n'être plus qu'un pin's sur le sac branché de sa voisine. Elle aurait voulu disparaître là, maintenant, immédiatement.

En cours d'anglais, le cauchemar vestimentaire continua. Le serre-tête de l'enseignante, sa jupe trop longue et ses chaussures à clochettes la renvoyèrent à son image ringarde. Flash. À sa dégaine décalée qu'elle avait trop longtemps supportée. Flash. À cette famille estropiée qui n'en finissait pas de dérailler. Flash. Au shopping avec sa mère qui n'était plus qu'un calvaire. Flash.

Ce n'était pas parce qu'elle était dans un bahut de nonnes qu'il fallait qu'elle se fringue comme une bonne sœur, pensa-t-elle tout bas.

— Et puis merde ! continua-t-elle tout haut.

La classe se figea et la professeure s'indigna :

— *Miss Hubert, in my classroom, we speak in English ! Only in English !*

Eva avait voulu répondre :

— *Shit ! Fuck !*

Mais elle ne le fit pas. Elle chiffonna un peu plus le bas de sa tunique, continua d'user les semelles de ses souliers vernis contre les pieds du bureau et gribouilla des têtes de mort sur son cahier de travaux pratiques. En silence, ruminant sa rage et sa révolte, elle se préparait à l'explosion.

Le soir de ce premier jour, Eva fut insupportable à la maison. Elle refusa de prendre son quatre-heures, prétextant qu'elle en avait ras le bol du quatre-quarts, prit la place de sa sœur devant *Punky Brewster* et se mit à zapper comme une folle. Le top 50 la calma un instant. Marc Toesca salua ses « p'tits clous », en référence au courrier des spectateurs qu'il recevait au nom de Marteau Esca, puis présenta le classement de la semaine. En tête des ventes, les NKOTB[1] avec leur nouveau tube *Step by step*. Eva oublia quelques minutes sa colère en regardant ces cinq beaux mecs qui se dandinaient à la faveur de leur clip. Des sauts, des motos, des altères, des cheveux au vent, des biceps luisants ponctuaient la vidéo et faisaient fondre toutes les midinettes qui bavaient devant leur écran. Eva ne se liquéfia pas. Au contraire. Ces Ken au brushing impeccable achevèrent de l'énerver. D'un coup, elle se releva et balança la télécommande sur le sol. Elle courut jusqu'à sa chambre, sortit tous ses vêtements du placard et les fourra dans un sac-poubelle. Ses parents la laissèrent faire sa crise puis, une fois les étagères déblayées, Jacques commença son sermon :

— Eva ! C'est quoi, cette histoire ? Un peu de respect ! Tu remets tout à sa place.

— Aux chiottes, toutes ces fringues !

— Ça suffit, Eva ! Tes habits, tu les as choisis avec...

— J'ai rien choisi du tout ! C'est maman qui a toujours tout décidé. Et... Et... hésita-t-elle quelques ins-

---

1. News Kids On The Block, boys band américain à succès.

tants comme si ce qu'elle avait à dire relevait du secret défense aux lourdes conséquences. Et toujours au rayon garçon ! finit-elle par lâcher en balançant le sac vers son père.

Le plastique se vida et, aux pieds des parents abasourdis, des vêtements de garçon envahirent le sol. Des treillis kaki, des chemises rayées, des tee-shirts gris, des joggings, des sweats de football.

Sylvie et Jacques n'en revenaient pas. Ils s'interrogèrent du regard, chacun se demandant comment l'autre avait fait pour ne rien voir.

— C'est clair non ? Il faut que je vous fasse un dessin ? Regardez ma chambre ! Regardez-la !

Muets, Sylvie et Jacques découvrirent cette pièce tapissée de ballons bleus. Un lit en bois recouvert d'un plaid Bioman. Un coussin rayé marron foncé. Une bibliothèque avec des livres illustrés de motos, de voitures, de dinosaures et d'insectes hideux. Un punching-ball près de la fenêtre.

Eva, les yeux pleins de larmes, observa ses parents se décomposer. Elle leur en voulait. Leur cécité la révoltait. Leur étonnement aussi. Ils n'avaient donc jamais rien vu, remarqué, suspecté ? Pour eux, tout était normal ? Malgré sa colère, Eva, bouleversée, ne pouvait s'empêcher de se sentir coupable. Pourquoi n'avait-elle pas explosé plus tôt ? Lors du déménagement ? Eva n'avait pas de réponse. Ce n'était peut-être pas le moment. Elle n'était tout simplement pas prête. Le poids du préjudice était tellement lourd à porter. Bien trop difficile à décharger. Jacques, asphyxié par cette nouvelle réalité, finit par briser le silence.

— Eva, enfile ta veste, je t'emmène faire des courses.

Sylvie, complètement claquée par cette révélation, ne dormit pas de la nuit. Au clair de la lune, elle essaya de s'apaiser en récurant sa maison. Nettoyer du concret pour laver son passé. Ce passé qui la hantait et la détruisait. Elle avait pourtant fait des progrès. Mais pas assez. Pas assez pour que tout soit accepté. Pardonné. Elle avançait puis reculait, incapable de se stabiliser. Le présent l'effrayait, la minait, l'énervait. Elle avait tellement peur de tout oublier, d'oublier Léo et son visage d'ange, qu'elle préférait vivre avec lui et ignorer tout le reste de sa vie.

Sylvie enfourna des machines à laver le linge, puis des machines à sécher ce linge, puis des machines à laver la vaisselle, puis elle enfila des gants et astiqua les cuvettes, les éviers, les lavabos, les vitres, les sols. Puis, à six heures du matin, elle s'écroula sur un tas de vêtements brodés d'étranges initiales : LH. Celles d'Eva Hubert durant ses douze premières années.

3

La pluie avait lavé la terre du sang de ses morts des-
séchés. De l'eau pour remplir les jarres et les chairs.
Pour marcher et espérer à nouveau. Les corps fracassés
s'étaient relevés et la vie avait repris le dessus même
si les absents n'en finissaient pas de hanter les présents.
Hanitra était dans la tête de Tahiry et ne pouvait plus
en sortir. Elle occupait ses jours et ses nuits et l'homme
survivait ainsi. Grâce à ses petits bouts d'elle éparpillés
dans son cerveau à lui. Le vieillard possédé par sa belle
semblait en paix. Ils ne faisaient maintenant plus qu'un
et, bientôt, lorsque ses pieds partiraient en lambeaux et
que ses poumons souffleraient leur dernier sanglot, il
s'effondrerait et s'enfoncerait loin dans la terre pour la
retrouver. Cette idée le réconfortait et lui offrait même
quelques sourires. Parfois.

Le clan de Joro s'était soudé un peu plus autour de
Mamy. Très diminuée, la vieille femme avait souhaité
suivre Hanitra dans le monde des razanas. Mais son cœur
à elle n'avait pas voulu lâcher et, maintenant, elle suffoquait. Il fallait donc être à ses côtés. Collés serrés. Unis.

— Tu viens ! On va être en retard à l'école.

— Non, je ne viens pas. J'ai du travail.

— Mais ma mère a dit qu'on pourrait tresser les paniers en rentrant. Allez, viens.

— Non. Tahiry a dit que ça le gênait pas si je lui empruntais son poste. Alors je vais travailler… mon chant.

— Qu'est-ce que tu veux dire par travailler ?

Miangaly, légèrement mal à l'aise, se sentant presque ridicule, essaya de lui expliquer son idée saugrenue. Elle lui parla d'un article dans *Rock and Folk* qui traitait des techniques de chant. Mémorisation, vibrations, répétition, rythme, tessiture et harmoniques. Miangaly, voyant que Fitia avait du mal à tout saisir et que cette idée de travail la perturbait, changea de tactique. Elle lui expliqua que l'école ne leur servirait à rien, que, maintenant qu'elles avaient quatorze ans, elles seraient bientôt obligées d'arrêter d'apprendre pour rejoindre les champs à plein temps, se marier, faire des enfants. Peut-être même des bébés morts. Fitia voulut intervenir mais Miangaly continua et parla du maître qui lui avait appris à lire et du fait qu'elle pouvait maintenant déchiffrer les articles. Mais maintenant, elle n'en avait plus besoin, alors Fitia pouvait y aller sans elle, elle ne viendrait pas.

— Non.

— Non quoi ?

— Non, je n'irai pas. J'y allais pour être avec toi et pour éviter d'avoir mal au dos dans les rizières. C'est tout. Car à moi, l'école elle a rien appris du tout. Je sais pas lire un mot. J'y comprends rien. J'sais pas comment t'as fait toi pour apprendre à lire au milieu de tout ce bazar.

— C'est mes magazines. Après l'école, je…

— Bon, maintenant, on fait quoi ? s'impatienta la mauvaise élève.

— On ? Mais… Moi, je fais comme j't'ai dit, je vais chercher la radio de Tahiry.

— J'viens avec toi.

Au pied du ravinala, Miangaly posa le poste mélomane. Elle s'assit tout près, un petit tas de revues à ses côtés. Fitia, intimidée par cette nouvelle entreprise, resta debout, figée et silencieuse, à observer sa cousine. Au détour d'une page, la chanteuse releva la tête et remarqua son assistante immobile. Elle l'invita à s'asseoir près d'elle.

Fitia prit place contre le tronc et pressa Miangaly de lui révéler les secrets du chant. Une fois la théorie survolée, les adolescentes mirent la méthode en pratique. Fitia lançait des sons incolores sur le fil de l'air et Miangaly devait les attraper au vol et les faire vibrer. L'écho devenait alors musique. Les simples syllabes se transformaient en notes rondes. De l'aigu au grave, la chanteuse se baladait sans faillir. L'air jamais ne lui manquait et son souffle, au loin, résonnait. Les feuilles autour commençaient à tressaillir, les fleurs à rougir et les lémuriens à applaudir. Miangaly, concentrée et les yeux fermés, n'avait aucune idée de ce qu'elle pouvait provoquer. À l'abri de son cocon musical, elle ignorait la larme au coin de l'œil de Fitia, la sève épaisse qui dégoulinait de l'arbre, la chair de poule qui secouait les carapaces les plus dures. Miangaly chantait et la vie se réchauffait. Imperceptiblement. Pas de fièvre. Juste un vent léger, tiède et sucré, pour habiller de douceur des journées trop souvent ponctuées de sueur.

Puis Miangaly poussa une dernière note. Haute. Cristalline. Pure. Une poussière de merveille qui figea durant quelques secondes le temps du monde. Un court instant. La perle d'eau salée sur la joue de Fitia cessa de rouler. La sève oublia les lois de la verticalité. Les pilons embrassèrent doucement le mil écrasé. Les zébus, dans la boue stagnante, cessèrent de s'ébrouer.

— Eh ben, t'en fais une tête ! s'amusa la virtuose en découvrant la tête ahurie de son assistante. Bon, maintenant, passons aux choses sérieuses. Le poste !

C'était l'heure d'une émission spéciale hits anglais et pour l'instant, la chanteuse ne parvenait pas à déchiffrer ce langage secret. Elle essaya tout de même quelques refrains qui se transformèrent rapidement en mélodie du yaourt.

La radio chantait :

« *One love – One life – When it's one need – In the night*[1]... »

Et Miangaly remixait :

— Oua lo – Oua ly – Ouen nis oua ni – I ze natte – Oua lo – Oui guetou chéri – Li ziou babi fiou don caire fori.

Puis ce fut au tour d'une certaine Madonna d'être relookée :

— Lac euvir gine, yé ! Teuch for ze veri feur tym. Lac euviiiiiiiir gine ! Ouen iou arte bite nestou my.

Même si les paroles souffraient d'être transformées par cette oreille mal affûtée, la mélodie était belle et la chanteuse exaltée. Sa répétitrice se contentait de régler le volume et de manipuler l'antenne. Puis il y eut la réclame. Fitia s'arrêta, écouta et s'interrogea. Quelles étaient donc ces chansons ridicules ? Miangaly lui répéta

---

1. *One*, U2.

les paroles de Tahiry et prit l'exemple des affiches de Coca-Cola placardées sur l'échoppe de l'épicier. Elle lui expliqua qu'elles étaient là pour leur donner envie de boire du Coca-Cola et de l'acheter, idem à la radio.

— N'importe quoi ! pouffa Fitia. Là, ils nous parlent de trucs qui existent même pas !

Miangaly, devenue experte, continua son exposé.

— Mais ce sont des publicités de France. C'est une radio des gens qui sont dans *La Redoute*. Là où est parti l'oncle Hery.

— Ouais… grimaça la cousine, peu convaincue par cette drôle d'histoire.

Son scepticisme ne rendit pas muet pour autant le poste racoleur.

— *Omo Micro : Touti rikiki maousse costo. Omo est là et crapoto basta.*

— On comprend rien à c'qu'y disent. S'ils veulent les vendre leurs trucs, il faudrait qu'ils soient un peu plus clairs d'abord. C'est vraiment nul, ces pubicités.

— Publicité ! Allez, tais-toi maint'nant ! J'la connais pas celle-là. Va falloir qu'tu m'aides pour les paroles.

Nous survolons des villes
Des autoroutes en friche
Diagonales perdues
Et des droites au hasard
Des femmes sans visage
À l'atterrissage
Soyons désinvoltes
N'ayons l'air de rien…

— Ouah, c'est… Tu sens ? C'est puissant !
— Fitia. Les paroles. Retiens les paroles.

Et les branleurs traînent
Dans la rue
Et ils envoient ça aux étoiles
Perdues

Les mots mitraillaient l'air chaud de la jungle et résonnaient contre la poitrine des jeunes filles. La guitare électrique déchirait les lianes et emmêlait les vagues à l'âme. Le tempo montait haut. Toujours plus haut. De plus en plus beau. De plus en plus chaud. L'exercice devenait délice. La répétition se perdait dans les frissons. Exaltation.

Encore combien à attendre
Combien à attendre
Tostaky Ah[1] *!*

— Ah ! hurla Miangaly.

Les deux adolescentes étaient en transe. Atteintes d'un mal inconnu, elles avaient la fièvre. Un désir noir s'était emparé de leurs corps pubères. Les têtes se secouaient, les bras faisaient de grands gestes survoltés, les paroles se criaient, les lèvres s'excitaient, les pieds tapaient, les visages fanatiques suaient à grosses gouttes. Improvisant un pogo endiablé, les deux filles se frottaient, se cognaient, se cambraient, s'époumonaient sans voir que Bako les observait. Médusé par tant de beauté, il se caressait.

---

1. *Tostaky*. Paroles, musique et interprète : Noir Désir (Bertrand Cantat).

4

Au bloc sanitaire, cachée derrière la porte des toilettes, Eva se dépêcha d'ôter son pantalon. Elle déboutonna son jean et le fit descendre jusqu'aux chevilles. Un petit air glacial lui gifla les cuisses. Elle attendit quelques secondes avant de baisser sa culotte.

— Alors ? s'empressa de demander Anna.

Eva finit par faire glisser son slip. Sur le coton blanc, une tache couleur cinabre. Foncée. Pas de serviette hygiénique à disposition, du papier toilette en guise de protection.

Sa couche de fortune coincée entre les jambes, Eva passa l'après-midi dans un brouillard incarnadin. Son encre dessinait des lettres vermeilles, les marguerites sur sa trousse se transformaient en coquelicots, les lunettes violettes du professeur de mathématiques commençaient à s'empourprer et la craie gravait des chiffres cramoisis sur le tableau. Les problèmes à résoudre ne l'intéressaient pas. Dans sa tête, c'étaient les cours de biologie qui lui revenaient. Menstruations. Ovaires. Ovules. Cycle. Follicule. Ovocyte. Hormones. Des schémas rutilants tentaient d'expliquer le pourquoi du comment tandis que le papier toilette protégeant sa culotte s'imbibait de rouge. De rouge sombre.

La sonnerie de l'école sortit Eva de son coma écarlate. Il était l'heure de retourner à la maison, de parler à sa mère, de lui demander conseil. Eva ne parvenait pourtant pas à quitter son siège. Elle avait mal au ventre et cela n'avait rien à voir avec sa puberté naissante. Ses entrailles se broyaient parce que Eva savait qu'à la maison, elle ne trouverait personne à qui se confier. Personne. Mais il fallait rentrer.

Lorsqu'elle arriva chez elle, Eva n'avait qu'une seule idée en tête : passer inaperçue. Elle courut jusqu'à la salle de bains mais sa mère l'appela. Sa mère insista. Sa mère vint jusqu'à elle et voulut ouvrir la porte.

— Eh bien, tu t'enfermes maintenant ! C'est nouveau. Bon. Quand tu auras fini, on appellera mamie Martine pour lui souhaiter sa fête.

Mamie Martine, la mère de Sylvie. La seule survivante des grands-parents. Les trois autres étaient morts.

Micheline et Jean-Jacques s'étaient suicidés au moment de la fonte des glaces de Sylvie. La mère de Jacques venait d'apprendre qu'elle était atteinte d'un mal incurable et que sa vie ne tenait qu'à un fil. Son époux, terrassé par la nouvelle, préféra couper le fil avec elle. Ils achetèrent un bon whisky, le meilleur, puis se soûlèrent une nuit entière. Au petit matin, ils étaient tous les deux rigides, empoisonnés par l'arsenic qu'ils avaient dilué dans leur scotch.

Jacques, qui venait de retrouver le cœur décongelé de sa femme et les sourires photogéniques de son fils, les avait enterrés sans trop de larmes.

Vincent, le compagnon de Martine, les avait suivis dans la tombe peu de temps après, victime d'une collision porcine lors d'un week-end chez un ami pour une journée cochonnailles. Le grand-père avait absolument voulu capturer le cochon lui-même comme à la grande époque, mais, une fois dans la porcherie, une énorme truie subjuguée par son Brut de Fabergé était venue se frotter pour lui exposer son jambon et le faire saliver. Mais ce fut le verrat qui remarqua la parade et, fou de jalousie, le mâle se rua sur Vincent, le bouscula et le fit valser par-dessus la croupe cochonne. Vincent s'écrasa la tête dans le fumier et son cœur affolé s'arrêta. Net. Au milieu de la boue et des bêtes. Le porc fut mangé et Vincent inhumé. Martine, qui n'avait plus toute sa tête, le pleura par intermittence et Sylvie se contenta de faire livrer une gerbe fleurie sur la tombe de cet homme qui n'était pas son père.

Eva entra dans le salon, quelques Kleenex dans le fond de son pantalon. À la télévision, des familles en or s'affrontaient tandis que la jeune fille se demandait comment parler de ses fuites sanguinolentes à sa mère. Devant l'écran abrutissant, Sylvie repassait son linge.

— Bon, qu'est-ce que tu veux me dire ? Je vois bien qu'il y a un truc qui tourne pas rond, ça fait dix fois que tu ouvres et que tu fermes ce magazine.

— …

— Bon, après tout, t'es pas obligée de m'en parler.

— J'ai. Enfin aujourd'hui…

— Oui ?

— J'ai mes règles.

— Eh bien, tout ça pour ça. Dans la salle de bains. Dans mon placard. Le troisième tiroir. Tu trouveras tout ce qu'il te faut.

Aucune chaleur. Aucune complicité. Même pas une étreinte maladroite ou quelques mots malhabiles. Mais c'était ainsi, Eva s'y était préparée et savait qu'on ne pouvait pas trop demander à une ancienne surgelée. Résignée, elle quitta la pièce en traînant des pieds. Désolée, Sylvie posa son fer sur le côté et chiffonna la chemise qu'elle venait de défroisser. C'était plus fort qu'elle, elle n'arrivait pas à communiquer. Elle était handicapée et son cœur fendu ne parvenait pas à récupérer. Il boitait. Indéfiniment.

À côté du lavabo, Eva déballa le nécessaire pour fille pubère. Tampons avec ou sans applicateur, serviettes de jour ou de nuit, *Normal* pour flux normaux ou *Super Plus* pour flux abondants. La jeune fille auscultait les paquets sans trop bien savoir par où commencer. Elle déplia les notices et commença son initiation. Bien qu'elle eût sa petite idée concernant l'utilisation des Tampax, les schémas clairs et barbares finirent de l'en dissuader. La fille du dessin écartait sa vulve, plaçait le tampon à l'entrée du vagin et le poussait avec son doigt ou avec l'applicateur suivant ses préférences. Comment avait-on pu imaginer un truc pareil ? Comme si elle allait s'introduire ce truc dans le vagin et faire comme si de rien n'était. Dégoûtée, Eva replia le tout n'importe comment, prit la première serviette qui traînait et s'enferma dans sa chambre jusqu'au lendemain matin.

— Qu'est-ce qu'elle a, Eva ? demanda Sue Ellen en écrabouillant ses légumes.

— Elle a ses ragnagnas, répondit Jacques.

— C'est pas juste ! s'indigna Sue Ellen. Elle a toujours des trucs mieux que moi, Eva ! Moi aussi, j'veux des ragnagnas plutôt que des épinards ! Des ragnagnas à la fraise !

5

Bako. Un marteau dans une main, de vieux clous rouillés dans l'autre, le jeune homme réparait une coque près de l'échoppe du vieux Tahiry.

La radio chantait, les grillons grésillaient, le vieillard ronflait et Miangaly matait.

Le corps de suie du garçon en sueur brillait au soleil. Sculptés à la perfection, ses muscles secs et rassurants s'étiraient impudemment le long de ses bras, de son torse, de ses cuisses en mouvement. Il portait un short. Rien d'autre. Un seul minuscule bout de tissu pour toute cette chair immense. Un petit rien pour couvrir un être puissant aux membres insolents et aux reliefs vertigineux.

La radio chantait, les grillons grésillaient, le vieillard ronflait et Miangaly transpirait.

Assise à califourchon sur une barrière branlante, l'adolescente ne comprenait pas tout à fait ce qui était en train de se passer. Son grand Bako réparait une pirogue, Tahiry ronronnait et elle fredonnait les airs venus de l'autre terre. Tout était comme d'habitude et pourtant, tout était différent. Le garçon qu'elle regardait travailler n'était plus le grand frère qu'elle chamaillait. Elle qui de coutume le corrigeait, le dirigeait, le taquinait et ne se préoccupait que de la bonne imperméabilité de la coque ne disait mot. Seule la mélodie parvenait à faire danser ses lèvres. Miangaly, pour la première fois, ne pouvait détacher ses yeux du corps de Bako. Comme si de rien n'était, se balançant au rythme de *La Lambada*, elle savourait les moindres détails de cette sculpture d'ébène. Une nuque large et solide dominait des épaules massives et plongeait vers un trapèze parfaitement dessiné. Ce dos taillé dans le roc rejoignait par une scandaleuse cambrure un fessier ferme et rebondi.

— Passe-moi le chiffon, demanda l'ouvrier imperturbable à la spectatrice perturbée.

Aucune réaction.

— Le chiffon ! Là !

Miangaly sursauta. Le travail reprit et la contemplation continua. Les avant-bras de Bako. Larges, puissants, aux veines saillantes, prolongeant des mains expertes et calleuses. Et puis, il y avait son torse. Son torse contre lequel elle rêvait de se coller. Ses pectoraux gourmands et gonflés, son abdomen creusé se perdant avec lasciveté derrière son minuscule short. Derrière son minuscule short. Derrière. Qu'y avait-il derrière ce tout petit bout d'étoffe ? Que cachait-il ? Miangaly l'avait aperçu une fois alors que le garçon se baignait sous le pont. De loin, elle avait deviné cette tache plus sombre avec cet étrange appendice suspendu. Mais ce ne fut qu'une apparition brève et floue. Depuis plus rien, juste des suppositions entraînant des pulsions. Miangaly se dépêcha de redescendre vers les jambes de Bako. Mais la fièvre qui s'était emparée d'elle ne diminua pas. Au contraire, ses cuisses brillantes, ses mollets gonflés, ses chevilles… ce corps de géant n'arrêtait pas de l'appeler. De la tenter. La danse sur la branche devint une transe. Les balancements de Miangaly s'intensifièrent. Son chant s'essouffla. Ses mains se crispèrent. Derrière. Derrière le tissu. Qu'y avait-il ? Les paupières fermées, la jeune fille laissait la chaleur s'emparer de sa chair. Les coups de marteau s'enchaînaient. Les ronflements vrombissaient. Bako transpirait. Miangaly suait. D'un coup, la moiteur se mit à brûler et les fourmillements qui chatouillaient l'adolescente se mirent à piquer et disparurent dans un tremblement. Miangaly perdit l'équilibre et tomba sur le sol, le souffle coupé.

— Hé fillette ! Tout va bien ? s'inquiéta Bako.

— Je… Je vais…. aller me baigner, bégaya Miangaly qui, sans le savoir, venait d'avoir son premier orgasme.

Miangaly mit quelques jours à se remettre de ses émotions. Perturbée par les délires de son corps, elle évitait celui qu'elle tenait pour responsable. Mais le malaise finit par disparaître et Miangaly sentit qu'au plus profond de son être le rythme de son cœur venait de changer. Il s'était emballé, palpitant déraisonnablement sous sa poitrine tendue. Il tapait contre son sein et frémissait le long de sa peau. Il ouvrait de nouvelles portes à chaque percussion et offrait à Miangaly des coups de chaud qui n'avaient rien à voir avec les rayons du soleil. La fièvre se réveillait à nouveau et l'adolescente se rappelait l'ivresse de la première fois. Miangaly se réfugia sous un manguier et essaya de se raisonner mais le parfum de la forêt, la beauté de ses couleurs, la tendresse de sa mousse l'invitèrent à ne pas résister. Se laisser aller. Laisser la chaleur embrasser la fraîcheur. Les mains se dénouèrent et commencèrent leur voyage dans la jungle de ce corps naissant. Les paupières closes, les souvenirs de cette chair virile revinrent titiller les pensées de Miangaly. Ses doigts se firent caresses et ses gémissements ne furent pas des cris de détresse. Contre le tronc dur et puissant, la jeune femme s'agrippa, se figea et s'effondra en silence sur le sol et ses racines.

6

Le bus s'arrêta. Un sursaut plus tard, la collégienne observait son autocar qui crachait sa fumée noire. Elle toussa, remonta le zip de son anorak et descendit la rue Dareau, le nez dans son écharpe. C'était un jour de grand froid. M. Vivier, emmitouflé dans sa couverture jacquard, avait mis un chauffage soufflant près de son canapé dégueulasse. L'air chaud de l'appareil tentait en vain de réchauffer les deux mètres carrés qu'occupaient le gros bonhomme et son barda. Eva ne l'aimait pas. Elle détestait son visage luisant de graisse, ses mains bouffies, son corps gonflé dessiné de bourrelets, ses pieds minuscules suspendus à ses jambonneaux ridicules. Mais ce qui la répugnait le plus, c'étaient ses yeux globuleux. Elle abhorrait ce regard gluant qui la dévisageait à chaque passage. M. Vivier, un porc rosâtre sur un sofa gris.

Eva rentra la tête dans son col, fixa la voiture rouge des voisins psychopathes et avança en essayant de ne pas regarder Porcinet. Mais le gras du bide se mit à tousser et à roter. Eva, tellement concentrée à l'ignorer, prit ses éructations pour des salutations et, avec force et courage, parvint à lui répondre d'un geste de la main sans détourner la tête vers la porcherie. Surpris par ce bonjour discret mais néanmoins extraordinaire, M. Vivier cracha ses frites et esquissa un sourire. Le premier depuis des années sur son balcon poisseux. Une fois l'épreuve porcine passée, Eva se remit à respirer, s'approcha du muret voisin et attendit que la ronde des matous se mette en route. Mais la ronde fut triste. Seuls les vieillards étaient de sortie, traînant la patte et cherchant leur équilibre. Vieux funambules pleins d'arthrose et de vertiges, les félins ne faisaient rien d'autre que se lécher le pelage. Les jeunes acrobates étaient restés au chaud, se gavant de lait UHT et de boîtes de viande hachée. Eva observa la minuscule maison de brique quelques minutes, dans l'attente du spectacle des fauves, puis se décida finalement à rentrer. Les minous boudaient et ses pieds commençaient à geler. Juste à côté, M. et Mme Unal, les maniaques, astiquaient leur Citroën BX munis de gants et de bonnets. Les deux olibrius absorbés par leur récurage de jantes ne virent même pas Eva qui se moquait. Eva qui gloussait. Eva qui… qui manqua de s'étouffer. La maison d'à côté. De la lumière. De la fumée qui s'échappait de la cheminée. Les volets déverrouillés. La voisine folle était sortie de son hôpital psychiatrique. L'adolescente curieuse s'approcha discrètement de la clôture et tenta d'apercevoir les silhouettes derrière les rideaux tirés. Quelques ombres défilèrent furtivement mais elles gardèrent tout leur mystère. Eva baissa la tête et se dépêcha de rentrer chez elle. Sue Ellen parla avant elle :

— T'as vu, y a la folle qu'est arrivée !

— Sue Ellen, ça suffit ! s'énerva Sylvie. Ne parle pas comme ça ! Dans ta chambre !

La gamine s'exécuta après avoir gavé sa bouche de cake et de chocolat. Eva courut la rejoindre sans un mot à sa mère. La fenêtre près du lit de Sue Ellen donnait sur la cour voisine.

— Alors ?

— Personne.

— T'as vu quoi, toi ?

— Elle est belle. Enfin, j'ai pas trop pu voir, elle avait son chapeau, son parapluie, son manteau. Mais je suis sûre qu'elle est très belle.

— Et comment t'en es si sûre ?

— Parce que je le sais, rétorqua la plus jeune. Elle a les cheveux jaunes.

Eva esquissa un sourire. Sa petite sœur était une « Toc », comme elle l'appelait. TOC. Troubles obsessionnels compulsifs. Sue Ellen en souffrait depuis des années. Elle aimait les gens blonds, détestait les bruns et supportait toutes les teintes intermédiaires. TOC. Elle se brossait systématiquement les dents trois fois de suite. Une fois à sec, une fois avec du dentifrice, une fois à l'eau. TOC. Elle ne supportait pas les aliments verts. Exit les haricots, petits pois, cornichons. TOC. Avant d'aller se coucher, elle devait allumer et éteindre la lumière de sa chambre cinq fois, puis ouvrir et fermer sa poubelle trois fois, aligner toutes ses peluches parfaitement au pied du lit, faire deux fois le tour de sa chaise et retourner son coussin quatre fois. TOC. Ces chiffres et ces rituels n'avaient ni queue ni tête, n'étaient issus d'aucune logique ou raisonnement quelconque. C'était comme ça et rien n'expliquait cela. TOC. Éventuellement, un traumatisme antérieur justifiant une telle recherche de la rigueur.

— Demain, j'irai lui apporter un céleri du jardin, défia Eva, comme s'il s'agissait d'une mission à haut risque.

— Beurk ! Fais attention quand même. Elle est jolie mais elle est dingo !

Le lendemain, au retour du collège, Eva courut jusqu'au jardin, arracha un vieux céleri flétri par le givre et se planta devant le portail de la nouvelle venue. Sur la boîte aux lettres, deux initiales raturées. Un O et un G. Ou peut-être un Q et un C ? Eva inspira profondément et, après deux timides essais avortés, se décida finalement à appuyer sur le bouton de la sonnette. La sonnette qui ne marchait pas. Silence. Eva fit un pas en arrière puis, trop curieuse, s'avança de nouveau. Le portail. L'allée de cailloux et de mauvaises herbes. Le paillasson dépoilé. La porte décolorée. Toc sans TOC. Toc. Toc. Toc.

— Oui, deux p'tites s'condes. J'arrrive.

Des plats ricochèrent contre l'évier en céramique. Des couverts chantèrent inox contre inox. Des placards s'ouvrirent et se refermèrent. Des talons claquèrent sur le carrelage. La clé dans la serrure. Mécanique des verrous. Poignée de porte. Ouverture.

— Bonjourrr, mademoiselle.

Rayon de soleil.

— Mademoiselle, ça va ? Entrrrez ! Il fait si frrroid dehorrrs.

Bouffée de chaleur. Les pupilles dilatées, les paupières écarquillées, la bouche bée, l'adolescente contemplait le fabuleux tableau qui s'offrait à son regard. La porte s'était ouverte et une fée s'était présentée. Face à Eva, une petite femme tout en rondeur et aux cheveux d'or. De fines boucles dégringolaient le long de son cou et s'évanouissaient sur sa poitrine plantureuse. Des seins énormes dessinaient son corsage bleu électrique. Elle portait une jupe criblée de pois, parsemée de fourrure, avait un nœud vert dans sa coiffure platine et des chaussures turquin pour s'accorder avec son chemisier. Ses grands yeux turquoise étaient mis en valeur par un trait indigo et ses lèvres finement ourlées avaient été chargées de rouge baiser pour pulper le sourire. Une Barbie rondouillette qui parlait avec un accent qui roulait les r.

— Eh bien. Vous avez perrrdu votrrre langue ?

Et puis son parfum. Une senteur sucrée l'enveloppait. De la rose, de la cannelle, du pain d'épice et une pointe de caramel. Eva en avait l'eau à la bouche. Toutes ces courbes plantureuses, ces odeurs indécentes, ces couleurs vénéneuses. La jeune fille était complètement hypnotisée. Ses mains tremblantes lâchèrent le céleri décrépit, ses chaussures le piétinèrent et, subjuguée, elle fit marche arrière.

— Bon, ça suffit maint'nant. Allez entrrrez, vous allez attrrraper frrroid.

Rrrrr. Le ronron de la belle Slave n'en finissait pas de bercer l'adolescente qui, envoûtée, avait fini par rentrer. À l'intérieur, il faisait chaud. Les murs habillés de rouge enflammaient le hall. Un grand miroir doré réfléchissait la couleur et la sublimait. À droite, le salon et ses lampes habillées de velours, son canapé gonflé, ses coussins pourpres délicatement brodés, ses tapis superposés, ses rideaux lourds, ses cadres immortalisant des photos noir et blanc. Eva continuait de saliver. Dans cette maison gourmande, tout invitait à la faim. La faim de sommeil au creux de ses fauteuils douillets. La faim de douceur au contact de ses textures moelleuses. La faim d'histoires dans cette galerie de portraits et de cérémonies enrubannées immortalisées sur du papier. La faim tout court dès que le regard flirtait avec le comptoir de la cuisine. Des moules par dizaines, talqués de farine, attendant patiemment que la pâte cacaotée du saladier vienne les rassasier. Des casseroles dégoulinant de chocolat. Des cuillères encore barbouillées de crème. Un four chaud et croustillant fumant l'exquis parfum de la première fournée.

— J'étais en pleine cuisine. Je suis gourrrmande. J'en fais toujourrrs trrrop. Tenez ! Vous en prendrrrez un peu. Il en rrresterrra moins comme ça.

Eva tanguait, complètement dépassée par tout ça. Par ce trop qu'elle ne connaissait pas. Ce trop qui accentuait son vide à elle. Celui de sa maison. Son peu de meubles, son peu d'aquarelles, de moquettes confortables, de cuisine croquante, de drapés chaleureux, de parrroles avec trois rrr.

— Mademoiselle, vous n'avez pas l'airrr bien du tout. Suivez-moi, je m'occupe de vous. Allez ! Dans le fauteuil ! Mettez-vous à l'aise, je vous fais un chocolat chaud.

Eva qui n'aimait pas le Nesquik se réveilla enfin dans un sursaut.

— Non. Je. Je suis vraiment désolée mais je ne bois pas de Nesquik, murmura l'adolescente, gênée par cette première phrase déplacée.

— Nes… quoi ? Ta-ta-ta ! C'est de chocolat chaud qu'il s'agit ! Le vrrrai ! Suivez-moi !

Dans la cuisine, l'étrangère rebondie s'affairait. Une casserole cuivrée, trois cuillères de cacao noir et corsé, une pincée de sucre, un fond de lait, un bon coup de fouet. Une belle mousse bien aérée, encore un peu de lait, un reste de crème fraîche et quelques grammes de poudre mystérieuse.

— Ça, c'est mon petit secrrret ! Il faut toujourrrs un secrrret dans une rrrecette pour qu'elle soit rrréussie. Si vous venez chez moi de temps en temps, je pourrrais vous en dévoiler quelques-uns.

Cette femme la vouvoyait. Cette femme la dorlotait. Cette femme lui souriait. Eva ne connaissait pas son nom, son âge, son histoire. Mais il y avait deux choses dont elle était sûre : cette femme était une fée gourmande et sa chaleur irradiait l'air froid de l'hiver et son cœur en mal de mère.

Du sang. Rouge. Très foncé. Presque noir. Sur sa peau d'ébène, il passait presque inaperçu. Mais sur le drap jauni, ça ne faisait aucun doute. Du sang coulait entre ses jambes. Miangaly resta immobile quelques instants. Paralysée par la peur, elle observait son corps se vider. Miangaly allait crier le prénom d'Hanitra lorsqu'elle se rappela qu'elle n'était plus. Elle appela sa tante :

— Tiana ! Tiana !

Ce fut sa cousine qui entra la première dans la hutte.

— Qu'est-ce qu'y a ? Qu'est-ce qu'y a ? s'affola Fitia.

— C'est affreux. J'ai. Ça…

— Mais c'est quoi, tout ce sang ? Tu t'es coupée ?

— Non ! Je… Je me suis réveillée comme ça. Avec tout ce rouge entre mes jambes.

Fitia partit dans un grand éclat de rire. Tiana entra à son tour.

— Eh bien, vous en faites du bruit. Qu'est-ce que… Mon dieu ! Mian…

— Mais non, maman, t'inquiète pas. Elle a juste ses règles.

— Mais. Mais, qu'est-ce que tu racontes ? bégaya Miangaly. Mais si, il faut s'inquiéter. Il faut appeler l'ombiasy. Je me vide de mon sang.

— Mais non ! Tu ne…

— Tais-toi Fitia, tu vois bien qu'elle ne sait pas ! Miangaly, tempéra Tiana, c'est ton corps qui te dit que tu portes en toi la vie.

Miangaly se redressa, les bouscula, attrapa un bout de drap roulé sur le côté, l'entortilla autour de son corps ensanglanté et courut vers la rivière.

Dans l'eau jusqu'au nombril, la jeune fille observait les gamins qui chahutaient. Filles et garçons mélangés. Dans la nudité. Avant la puberté et ses transformations. Avant que la chrysalide ne dévoile le papillon. Un papillon qui effrayait Miangaly. Elle ne voulait pas sortir de son cocon et s'envoler de ses propres ailes. La fillette voulait préserver ses habitudes, ses repères, l'odeur de ses mères, la chaleur de son père, ses chants solitaires. Ce sang. Ce sang venait tout salir. Il lui promettait de grands changements et plus rien ne serait comme avant. Ce sang lui donnait le goût de la femme, de l'épouse et de la mère. Celle qui serait liée pour la vie à son mari, à sa hutte, à son carré de rizière, à ses enfants morts et vivants. Miangaly aimait sa terre, son peuple et ses traditions mais elle ne voulait pas de tout ça. Elle ne voulait pas pousser hors de son ventre un bébé sans cœur, voir la famine grignoter la peau de son père et ne lui laisser que son squelette, vivre voûtée face à ses grains de riz et à ses bains de boue, mourir dans une mare cramoisie comme sa maman. Miangaly avait des rêves d'ailleurs. Dans les bras de Morphée, la gamine s'offrait une tignasse blonde et déstructurée, une robe de panthère et un micro d'argent. Sa voix la portait au-dessus du monde et transcendait toutes les misères de la terre. La ronde des songes tournait et les images s'enchaînaient. Un canapé et un fauteuil *La Redoute* pour meubler sa cabane. Un amoureux blanc avec une belle chemise bleu pastel. Hanitra chantant avec Blondie. Bako l'accompagnant à la batterie. De la viande pour parfumer les gamelles de riz blanc et gluant. Des radios dans toutes les huttes.

Fitia vint rompre sa rêverie et l'invita à rejoindre Tiana qui allait tout lui expliquer.

Dans la case, Tiana s'était tout d'abord excusée de ne pas l'avoir informée plus tôt. Elle pensait que Soa ou Hanitra s'en étaient chargées. Elle s'était trompée. Tiana avait ensuite demandé à Miangaly de s'allonger afin de la frictionner avec sa potion et purifier ainsi son nouveau corps qui venait de la faire saigner. La tante frotta ses mains avec de l'huile de coco puis, du bout des doigts, dessina quelques signes étranges sur le ventre noué de l'adolescente. Elle accompagna son geste d'une mélodie inconnue qui faisait vibrer l'air et libérait les chairs. Miangaly fut parcourue de légers tremblements et ressentit quelques picotements au niveau du nombril. Tiana calma sa nièce en posant ses paumes brûlantes sur son bas-ventre. Là, elle commença à masser. La peau brillante roulait entre ses mains avec une douceur infinie. Des frictions succédaient aux caresses. Des effleurements rassuraient les frémissements. La douleur qui malmenait les ovaires de la jeune fille s'envola. Miangaly s'endormit. Tiana lui raconta :

— Fille de la terre, tu portes maintenant en toi le sel de la vie, les étoiles de la nuit, le début de l'infini. Désormais, ton sang se transformera en lait et ton ventre battra au rythme de ton cœur. Fille de la terre, ta peau et tes os s'accordent au souffle du monde et ton sexe s'ouvrira bientôt pour agrandir la ronde. Fille de la terre devient aujourd'hui femme. Accueille contre ta poitrine la poussière de la glaise et transforme-la en vie.

Lorsque Miangaly se réveilla, le mal qui piquait son ventre n'était plus. À la place, une drôle de sensation lui chatouillait l'entrejambe. Miangaly releva le foulard qui la couvrait et aperçut la cause de la démangeaison. Un tissu rêche et épais lui servait de couche et pas une goutte de sang ne le transperçait. Elle découvrirait un peu plus tard en se déshabillant que Tiana avait superposé quelques épaisseurs de coton filé intercalées de fines feuilles d'écorces afin d'assurer l'imperméabilité du linge. Légèrement indisposée par cette culotte rembourrée, Miangaly rejoignit sa tante d'un pas bancal.

— Ça va durer longtemps ? s'inquiéta la jeune fille.

— Quelques jours par mois pendant longtemps, ma belle. Ça s'arrêtera de temps en temps quand tu porteras tes bébés dans ton ventre. Ils se serviront de ton sang pour faire pousser leurs petites mains, leurs minuscules orteils, puis une fois dehors, ils te rendront ce qui t'appartient et tu saigneras de nouveau. Jusqu'à ce que ton corps vieillisse et que ton ventre se flétrisse, là tu seras vieille, ton sang arrêtera de couler et il restera en toi pour te permettre de survivre encore quelques années.

Les gamines étaient bouche bée. Les bras serrés contre leur poitrine, elles observaient ce néant érubescent. Dans leurs pupilles, des ombres écarlates se dessinaient et se mettaient à danser. Les fillettes, inconsciemment, avaient croisé leurs jambes et resserré leurs cuisses. Elles ne voulaient pas qu'il s'échappe, leur rubis.

— Et il faudra, les jours où tu perdras ton sang, que tu respectes un des fadys[1] du village. Les femmes qui ont leurs règles ne doivent pas traverser la rivière. Tu devras t'y plier.

— Mais la radio. Pour aller chez Tahiry, il faut prendre le pont.

— Eh bien, tu n'iras pas.

Une fille ébène à la couche de porcelaine s'allongea sur le sol drapé et chanta les mots qu'à la radio elle avait savourés. Des mots de Serge, habillés d'une voix de vierge.

Les dessous chics
C'est ne rien dévoiler du tout
Se dire que lorsqu'on est à bout
C'est tabou

Les dessous chics
C'est la pudeur des sentiments
Maquillés outrageusement
Rouge sang[2]...

---

1. Tabous et interdits locaux destinés à apaiser les ancêtres.
2. *Les Dessous chics*. Musique : Serge Gainsbourg, Jean-Pierre Sabard ; interprète : Jane Birkin.

8

Eva passa les deux jours suivants à tourner, tourni-coter, s'emmêler, avancer, reculer. Elle voulait revoir la voisine mais n'osait pas, trop émue et bouleversée par ces nouvelles émotions qui l'assaillaient. Elle venait de découvrir l'envie, le manque, le réconfort et ne savait pas trop comment faire avec. Un souffle clair et puissant avait empli ses poumons d'un air nouveau. Vigoureux. Il lui faisait presque mal. Il était un peu trop grand pour elle. Eva, qui aurait dû se sentir légère et ragaillardie, avait du mal à respirer. Effrayée par tant de beauté et de bonté, elle suffoquait. Le troisième jour pourtant, elle y retourna. La revoir était devenu vital.

La dame aux boucles d'or accueillit Eva comme une amie qu'elle venait de quitter. Tout était simple et naturel. Une évidence.

— Entrrrez ! Le manteau, ici ! J'allais cuisiner du pain d'épice. Vous allez m'aider.

Cuisiner. Du pain d'épice. Eva ignorait que ce gâteau parfumé pouvait se préparer à la maison. Elle connaissait Prosper le roi du pain d'épice, aimait bien ce gros nounours gourmand avec son tee-shirt jaune qui vantait les mérites de son cake, mais elle pensait qu'il était le seul et unique à posséder la célèbre recette. De toute façon, pour Eva, tout ce qui concernait la cuisine était énigmatique. Sa mère n'ayant jamais raffolé des casseroles et des marmites, les repas chez les Hubert étaient le plus souvent de petits plats mijotés sous vide ou sortant du freezer. Les barquettes avaient depuis longtemps remplacé les assiettes et le micro-ondes avait pris les commandes de la cuisine. Pour Eva, le poulet se résumait aux nuggets, le poisson était un petit rectangle blanc et pané, les épinards des boules gelées qui se transformaient en bouillie verdâtre après décongélation et les crêpes des galettes toutes faites qu'on sortait du paquet décoré. À quatorze ans, l'adolescente n'avait jamais cassé un œuf et ne soupçonnait pas qu'en mangeant un steak elle mangeait un bœuf.

— Eh bien, qu'est-ce qu'il se passe ? Vous êtes toute rrrouge.

Rouge de honte. L'aider. Comment pourrait-elle l'aider ? Elle ne savait même pas faire cuire des pâtes.

— Pourrr commencer, un peu de musique. Pas de gastrrronomie sans musique.

Gastronomie. Qu'il était beau ce mot avec trois rrr. Eva sentit son corps se détendre. Ses mains sortirent de leurs poches, son abdomen se décrispa et prit de grandes inspirations, sa bouche s'autorisa enfin à déglutir et ses lèvres esquissèrent un sourire. Dans le coin près du réfrigérateur, sur une petite commode habillée de pochoirs pastel, un tourne-disque attendait le 45 tours qui viendrait lui faire tourner la tête. Ce fut un 33 tours. The Mamas and the Papas. *California Dreamin'*.

Les minutes passèrent à une vitesse folle. Les ingrédients valsaient de plat en plat, les chanteurs psychédéliques fredonnaient leurs tubes inlassablement, le bois dans la cheminée crépitait et les deux femmes s'apprivoisaient. Le vous avait fait place au tu, Eva commençait à répondre aux questions qu'on lui posait, le fouet mélangeait le sucre aux jaunes battus, il y avait de la buée sur les vitres décorées de sapins blancs, la farine recouvrait la table de son délicat voile opalin, les spatules dégoulinaient près des plats parfumés, des éclaboussures atterrissaient à côté du tablier, les coups de fourchette succédaient aux rires de midinettes et les souvenirs frappaient à chaque soupir. La pâte dans son moule avait fini dans l'antre du four et les récipients maculés à tremper dans l'évier. En moins d'une heure, Eva connaissait déjà une partie de la vie de son doux cordon-bleu.

La poupée slave qui l'avait accueillie dans son nid s'appelait Olenka. Olenka, qui voulait dire « sainte », car ses parents, très pratiquants, l'avaient, dès la naissance, considérée comme une merveille pure et innocente. Un bel ange blond qui s'avéra être par la suite une gamine aux délires excentriques et au tempérament impudique. Olenka venait d'une petite ville, Dąbrowa Górnicza, située au sud de la Pologne. La métallurgie, la production de matériaux de construction, de verre, de matières plastiques, et l'industrie textile faisaient vivre toute la population du bourg. Mais

Olenka ne trouvait pas sa place au cœur de ces usines crasseuses. Olenka avait d'autres aspirations que le travail à la chaîne qui faisait la fierté de ses parents. Olenka rêvait de rose, de paillettes, de tulle et de chaussons. Olenka voulait être danseuse.

À dix ans, elle quitta sa famille pour rejoindre sa tante à vingt kilomètres de là dans la grande ville de Katowice. Des heures de ménage contre des cours de danse et de cuisine. La belle vie. Un lit minuscule dans le coin de l'entrée mais un préau immense pour s'exercer aux déboulés et grands jetés. Des mains souvent creusées par les produits ménagers et l'eau gelée mais une vieille tante pour les lui masser le soir avant d'aller se coucher. Des chaussures trouées mais des chaussons toujours parfaitement rapiécés. Un cartable sans livre mais un sac plein de collants. Olenka enchaîna les écoles de danse et, à l'âge de seize ans, put intégrer le grand ballet folklorique de Katowice. Ses parents vinrent l'applaudir pour son premier spectacle, puis elle ne les revit plus jamais. Une explosion dans l'usine de textile où ils travaillaient tous les deux ce jour-là. Olenka passa plus d'une semaine à faire des tours dans la cour pour essayer de perdre la tête et les oublier. Elle garda toute sa tête, les oublia et partit faire une grande tournée dans les pays de l'Est. Bulgarie, Roumanie, Allemagne. Olenka tourbillonnait sur les planches, parée de costumes multicolores. Puis le destin s'en mêla. Un accident de la route. Des semaines de coma. Des mois de rééducation. Un corps en mille morceaux et la sentence des médecins : « Écoutez, mademoiselle, pour vous la danse, c'est terminé. Estimez-vous heureuse d'être en vie et de pouvoir encore marcher. »

— Quelle bande de connarrrds ! s'énerva Olenka. Excuse-moi, Eva. Mais ils se rrrendaient pas compte ! Enfin, ça suffit comme ça. Quelle pipelette quand je m'y mets.

— Non. Ça me plaît, ce que tu racontes. Ça change de chez moi.

— Allez, ma belle. *Tea time.*

Ma belle. Eva sursauta. Personne ne lui avait jamais parlé ainsi. Ma belle. C'était une expression toute faite ou Olenka pensait-elle vraiment ce qu'elle venait de lui dire ? Eva esquiva la question et savoura cet incroyable surnom. Sur le tourne-disque, Billie Holiday prit place. La clarinette et le piano soufflèrent un petit air de nostalgie qui poussa les cuisinières vers le cocon du salon. La voix de Billie grésillait et le bois dans la cheminée crépitait.

Dans le canapé, les deux femmes s'étaient recroquevillées. Chacune dans son coin, en boule, les pieds nus sous la couverture de laine grise, le dos calé contre l'accoudoir, des coussins fourrés un peu partout et une tasse d'Earl Grey fumant dans le creux de leur main. De grosses parts de gâteau patientaient dans leurs belles assiettes de porcelaine sur la table basse égratignée. Eva et Olenka ne parlaient plus. Elles dégustaient l'instant. Olenka soufflait délicatement la chaleur du thé et contemplait cette jolie gamine venue lui tenir compagnie. Ça faisait tellement longtemps qu'elle n'avait pas parlé ainsi. Un bout de canapé garni, une deuxième assiette de sortie, une pâtisserie à partager, une théière remplie que l'on vide, une tonne de bonheur brut et gratuit qu'Olenka engloutissait sans bruit. De l'autre côté du sofa, Eva écarquillait ses grands yeux brillants et observait avec envie les dizaines de photos qui habillaient le grand mur tapissé du salon. Beaucoup de clichés en noir et blanc fixant pour l'éternité les arabesques de la danseuse. Des petites et grandes images d'Olenka posant seule ou avec sa troupe. Des sourires étincelants, des regards complices, des fronts brillant de sueur et d'émotion, des ports de tête fiers et puissants. Les danseurs et leurs pirouettes traversaient la pellicule et s'offraient sans pudeur au regard virginal de l'adolescente. Car Eva était vierge. Vierge du corps d'un homme – cela lui importait peu – mais surtout vierge de toute fièvre. Ces bouts de vie photographiés la secouaient. L'énergie que ces personnages transpiraient, leur détermination et leur passion, leur rêve et leur déraison. Eva, fascinée, regardait, buvait et s'imprégnait de cette démesure. Chez elle, tout avait toujours été si… Trop… Pas assez…

— À quoi tu penses, ma belle ? murmura la danseuse brisée.

Eva ne répondit pas et Olenka attendit que sa protégée accouche de ce qui la contrariait. Elle se contenta de se pencher, d'attraper une assiette et de la tendre à la jeune fille nouée.

— Non merci.

Olenka garda la part pour elle et se prépara à écouter ce qu'Eva avait à lui dire. Elle savait que la belle allait parler, le parfum des épices s'étant chargé de déverrouiller les derniers cadenas qui scellaient ses angoisses et ses regrets.

192

— Je… Quand… bredouilla la jeune fille. Tu étais si belle. Enfin, tu l'es toujours. Mais ces photos. Ces photos. Ça fait tout bizarre. Bizarre. Chez moi, les photos, elles sont pas comme ça. Y a pas ce truc. J'sais pas comment l'expliquer. C'est pas pareil quand on les regarde. Quand on les regarde, il se passe rien. Déjà, il n'y a pas beaucoup de photos. Sur les murs, j'veux dire. Chez moi, elles sont enfermées dans des vieux albums. Elles sont froides et elles moisissent.

Les bégaiements avaient cessé. Eva s'était redressée. Sa voix devenait plus claire. Et, comme si elle retrouvait la parole après avoir été bâillonnée des années, elle se remit à parler sans s'arrêter. Sans respirer. Une délivrance qui ne supportait plus une seconde de silence.

— Dans ma maison, on ne danse pas, on ne se salit pas, on ne transpire pas. Ma mère, elle est, comment dire, elle est froide. Et mon père, il a vraiment du mal à la réchauffer, il est plutôt du genre à disparaître quand elle est là. Pour rigoler, je l'appelle l'homme invisible mais il ne le sait pas. En fait, tout ça, c'est la faute de mon frère. Mon grand frère Léo qui est mort quand j'étais pas encore née. J'lui en veux pas, à Léo, il s'est endormi et ne s'est jamais réveillé. C'est pas sa faute à lui. Le problème, c'est que mes parents, ils ont décidé d'avoir un autre enfant. Moi. Et puis un autre. Sue Ellen. J'pense qu'ils croyaient que, comme ça, Léo y reviendrait. Enfin, c'est ce que je crois. J'suis pas très sûre. Ce que je suis sûre, c'est que dans notre maison, y a pas des photos comme chez toi. Il y a quelques cadres et dedans, c'est surtout Léo et un peu nous. Et puis, y a pas de sourires. Enfin si, y a Léo qui sourit. De toute façon, chez nous, c'était mieux avant. À un moment, quand on a déménagé ici, ça allait un peu mieux. Ça va toujours un peu mieux, mais bon, c'est pas comme chez toi. Ce sera jamais comme avant. Avant la mort de Léo. Il fera toujours un peu froid chez nous. C'est comme ça. Chez toi, j'ai chaud partout.

Eva, devenue la belle, savoura son pain d'épice sans Prosper. Il était tendre, moelleux et ne collait pas sous la dent comme celui caché sous son packaging coloré. Eva partagea encore un moment le plaid de sa nouvelle amie pour sentir ses pieds brûlants réchauffer les siens. Elle avait la peau si douce. Peut-être avait-elle des plumes cachées sous son corps molletonné ? Eva eut un sursaut. Une angoisse profonde lui agrippa les épaules et lui serra la gorge. Un trouble viscéral. La peau de sa mère, qu'elle n'avait pas effleurée depuis des lunes, de quoi était-elle faite ? Mousse, laine, coton ? Eva ne s'en souvenait plus. Instinctivement, elle aurait dit : flocon.

9

Il avait plu à torrent toute la nuit. Le matin s'était réveillé moite et brumeux et les arbres pleuraient encore les larmes de la veille. Le sol humide fixait les empreintes des pas au contact de son argile rouge et boueuse. Les oiseaux affolés par l'averse nocturne n'arrêtaient pas de piailler. Le village, épuisé par cette nuit sans sommeil, restait silencieux et discret. Chacun, lové dans sa tanière, profitait du répit de cette matinée sans orage. Autour, les lémuriens joueurs se balançaient de liane en branche ne prêtant aucune attention au désordre ambiant. Dans sa hutte, Miangaly n'arrêtait pas de tourner. Son tee-shirt humide et collant la démangeait. Elle changeait de position toutes les cinq minutes afin d'en trouver une meilleure qui éviterait au tissu de se frotter désagréablement. Puis Miangaly finit par se lever. Résignée.

— J'vais à la rivière, marmonna-t-elle.

Son père ne répondit pas, trop absorbé par la fatigue. Il avait passé la nuit à creuser des rigoles pour sauver les réserves de mil et de riz en déviant le chemin de l'eau folle. Miangaly marcha pieds nus jusqu'au lit bouillonnant du ruisseau. Au bord du rapide, elle s'accroupit et ôta son tee-shirt poisseux. Elle plongea ses mains dans le flot tiède et s'aspergea le corps. Encore et encore. Elle voulait se débarrasser de toute cette sueur qui l'oppressait et lui rappelait les éclairs de la nuit mais surtout les rêves courts et intenses qui l'avaient échauffée dans son lit de palme. Des flashs allaient et venaient sur le rideau de brouillard qui ondoyait au-dessus du courant. Des images charnelles se dessinaient et flottaient sur l'eau chocolatée. L'adolescente ne s'aspergeait plus. Elle se caressait. Ses doigts fins effleurant le bout de ses seins, le creux de son ventre, le galbe de ses cuisses. Seule au milieu de l'aurore endormie, Miangaly se sentait libre. Libre d'avoir ces pensées brûlantes, de câliner son corps chaud, de se dénuder pour mieux s'aimer. La jungle autour récupérait de l'orage en silence. Il n'y avait plus qu'elle et cette fièvre. Cette chaleur obscène qui lui faisait tourner la tête, qui réveillait en elle la bête. Lentement, pour savourer l'instant, Miangaly s'accroupit sur le sol humide. Les genoux dans leur bain de boue, la jeune femme ferma les yeux et sentit les herbes sauvages lui chatouiller l'entrejambe. Cette sensation l'amusa d'abord. Puis l'excita. L'enivra. Miangaly frissonna puis… sursauta. Une main, une autre que la sienne, venait de s'agripper à ses épaules. Miangaly voulut se retourner mais la voix de Bako lui murmura de ne pas bouger, de rester ainsi, les yeux fermés. Rassurée par ce timbre familier, la belle dévoilée se laissa aller sans résister. Derrière elle, accroupi lui aussi, Bako contempla un instant le dos de son amie qui se perdait dans une cambrure généreusement bombée, puis sa main relâcha son étreinte pour descendre le long de la colonne frémissante de la jeune femme. Des omoplates jusqu'au creux des reins, la paume se fit caresse. Au niveau des hanches, la douceur perdit de sa légèreté. La deuxième main de Bako vint à la rencontre de cette peau douce et mouillée pour rejoindre la première et attraper fermement par les flancs celle qui tremblait d'être ainsi caressée. Bako ferma les yeux à son tour, tellement la vue de cette croupe l'enivrait. Les paupières closes, il baissa la tête et souffla le trop-plein de plaisir qui le faisait haleter. L'un derrière l'autre, les deux amants ne se voyaient pas. L'un derrière l'autre, les deux adolescents vibraient à genoux dans l'argile rouge qui sculptait leurs ébats. Lascive et vicieuse, Miangaly se pencha vers l'avant, posa ses mains dans la boue et se cambra passionnément. Bako, encouragé par sa partenaire libérée, laissa ses mains suivre le dessin de ses courbes. Imperceptiblement, elles glissèrent des hanches vers les cuisses et découvrirent la beauté de ses fesses. Douces, rondes, fermes, gourmandes. Bako sentait ses doigts se dérober, sa tête lui tourner et son sexe se dresser. Les caresses continuèrent leur balade troublante et finirent par découvrir les vallées interdites pour se perdre dans l'entrejambe mouillé de la jeune vierge essoufflée qui savourait cette étreinte qu'elle avait tant de fois rêvée. Mais les sensations étaient trop fortes et l'envie gloutonne. Miangaly voulait le voir. Elle voulait voir Bako fondre de désir pour elle. Elle voulait voir ses yeux voraces, son torse nu et luisant, ses bras puissants, ses lèvres charnues et son sexe tendu. Sans plus attendre, regrettant déjà les doigts de l'homme qui se perdaient autour de son clitoris, Miangaly se dégagea de l'étreinte chaleureuse et se tourna vers Bako. À genoux, face à face, à l'abri d'un brouillard laiteux, les deux amants se fixèrent un instant. Les deux aimants se rapprochèrent. Leurs regards affamés avaient les mêmes paillettes au fond des yeux. Nez contre nez, bouche à bouche, poitrine contre tétons. Le souffle de l'un brûlant le souffle de l'autre. Une larme de sueur se perdant dans celle de l'autre. Un court instant pour deux affamés impatients. Bako prit le visage de Miangaly entre ses deux mains et l'embrassa sans plus attendre. Les lèvres tendres. Les langues emmêlées. La salive parfumée. Le souffle coupé. Puis Miangaly s'arrêta et se recula pour admirer l'homme qui la possédait. Elle voulait contempler le dessin de ses muscles affolés, la puissance de son sexe fort, la transpiration qui l'habillait. Miangaly examina cette nudité qu'elle ne connaissait pas. Bako était beau avec son pénis en érection. La jeune femme ne put résister davantage et posa sa main contre sa verge ardente. À son contact, elle sentit son sexe à elle devenir brûlant. Puis Bako, fou de désir, bascula délicatement sa belle en arrière. Allongée sur le dos, lovée dans la boue tiède et docile, Miangaly embrassa l'homme couché sur elle. L'homme la lécha. Elle le mordilla. Il la lécha encore. Plus bas. Encore. Elle se cambra. Il remonta et se frotta contre sa peau d'argile. Il passa ensuite sa main sous sa cuisse et remonta ses jambes. Et, enfin, il la posséda. Miangaly poussa un cri de soulagement. Son sexe affamé enfin rassasié. L'étreinte devint de plus en plus forte, de plus en plus folle. Les caresses disparurent à coups de griffes, les bouches avides dévoilèrent leurs dents et se mirent à mordre, les mains s'agrippèrent profondément sous les plis de la peau. Bako faisait l'amour à Miangaly.

Miangaly faisait l'amour à Bako. Les va-et-vient s'intensifièrent et les cris de l'amant s'étouffèrent dans le cou de sa belle. Des spasmes incontrôlés secouèrent les deux corps emboîtés. Miangaly suffoquait. Tout son être tremblait, choqué par tant de passion. Le brouillard autour se dissipa et dévoila la beauté de leur union bestiale. Aucune parole. Plus aucun mouvement. La magie de l'instant.

Les jours qui suivirent s'accommodèrent de sourires timides et de coups d'œil discrets. Ni l'un ni l'autre n'osait reparler de ces baisers enflammés. De ces peaux nues et brillantes. Miangaly fuyait du regard celui qu'elle mordit quelques lunes plus tôt et Bako détournait sa tête dès que la belle et sa merveilleuse croupe faisaient leur apparition. Mais, malgré cette gêne puérile, aucun d'eux ne pouvait se résoudre à l'absence de l'autre. La proposition de Fitia leur offrit le compromis idéal.

— Bon ! Maint'nant, t'es prête ! C'est le moment de te transformer en Blondie.

— …

— Eh ben, tu dis rien ? Qu'est-ce t'en penses ?

— En Blondie ?

— Oui, avec Tahiry, on pense que c'est le moment.

— Avec Tahiry ?

— Bon, t'as fini de répéter tout ce que je dis !

— Mais tu dis n'importe quoi, alors je…

— Non, je dis pas n'importe quoi ! Et puis laisse-moi t'expliquer jusqu'au bout au lieu de répéter comme un perroquet !

Miangaly, consciente qu'elle n'aurait la paix qu'une fois que sa cousine aurait terminé, la laissa poursuivre. Fitia lui exposa son dessein : avec plus de trente chansons à son répertoire, il était temps pour Miangaly de monter sur scène. Tout était déjà organisé. Njaka prêterait sa charrette pour faire l'estrade, Fitia la décorerait avec Bako et Tiana ferait son costume. Elle précisa que ce ne serait pas le même que Blondie car ils n'avaient pas trouvé la même bête mais qu'il y aurait quand même des poils dessus. Les belles rayures du maki catta[1]. Après plusieurs tentatives dissuasives, Miangaly finit par céder.

— OK, mais sans costume !

Et c'est ainsi que le quatuor se mit au travail. Fitia et Tahiry rafistolèrent la carriole, dénichèrent un vieux pot de peinture pour lui donner une deuxième jeunesse et s'occupèrent de transformer ce drôle de chariot en scène musicale. Bako suspendit maladroitement diverses étoffes aux branches du grand arbre. Il tentait désespérément de créer des drapés féeriques mais les répétitions toutes proches de la belle chanteuse avaient raison de ses mains expertes. Tous ses nœuds se détachaient et les tissus se froissaient sans arrêt. Mais Bako persévérait et recommençait, imperturbable, bercé par la mélodie de sa belle, de son cœur et de son postérieur. Miangaly, de son côté, essayait de ne pas se laisser distraire par tous ces à-côtés. Elle reprenait inlassablement les airs qu'elle avait tant de fois répétés et, chaque fois, modifiait un rythme, un silence, une tonalité. Les mêmes paroles pour une autre chanson qu'elle s'appropriait et qui lui ressem-

---

1. Lémurien.

blait. Des mots venus d'ailleurs pour une nouvelle voix, pour une jungle languissante, pour une terre affamée, pour donner du rêve à des nuits sans sommeil.

Les préparations, puis le grand soir. Tout était allé très vite. Miangaly, planquée derrière la charrette fleurie, n'arrivait pas à comprendre ce qu'elle faisait là, avec ces couleurs sur ses lèvres et sur ses paupières, vêtue d'une belle robe prêtée par Ravaka, avec tous ces gens venus des villages voisins qu'elle ne connaissait pas, avec Fitia qui lui faisait boire des infusions de néphiles[1] broyées censées purifier ses cordes vocales. Miangaly avait la tremblote et ne voulait plus entendre parler de cette idée idiote. Elle prétexta un pipi qui ne pouvait attendre et se faufila derrière les bambous qui longeaient la scène. Elle courut quelques minutes et puis s'arrêta. Face à elle, près d'un manguier, Bako l'attendait. Sans un mot, il s'approcha d'elle, se colla face à son corps frémissant et posa ses mains d'homme sur ses cuisses rondes. Il agrippa le tissu soyeux et le remonta doucement au-dessus de la cambrure de sa belle. Les jambes nues, Miangaly ne tremblait plus, complètement possédée par les mains qui lui caressaient les fesses. Puis les caresses perdirent leurs bonnes manières et les corps s'échauffèrent. Les baisers s'échangèrent sans retenue et les peaux couvertes tentèrent violemment de s'atteindre sous les plis des vêtements. Les doigts de Bako se faufilaient dans le corsage de Miangaly pour retrouver ses tétons tendus tandis qu'elle se dépêchait de dénouer le nœud de son pantalon pour atteindre son

---

1. Mygales. Récoltées pour servir de remède contre la toux.

sexe si doux et si dur. Mais Fitia et son concert vinrent stopper leur corps à corps brûlant.

— Miangaly ! Miangaly ! Mais t'es allée où pour pisser ? Y a tout le monde qui… Oh ! Mais… Je… ne… Je…

Fitia finit par se taire complètement abasourdie par ces deux corps à moitié nus. Par sa cousine et son ami. Par Bako et Miangaly. Par leurs mains égarées et leurs bouches dévergondées.

Miangaly suivit sans un mot de plus sa cousine empourprée qui marmonnait tout bas. Confiante et détendue, elle escalada l'estrade de fortune et se mit face à son public bruyant. Les enfants criaient, les vieillards toussaient, les poules caquetaient, les femmes bavassaient, les hommes s'impatientaient et Miangaly se concentrait, indifférente à ce bourdonnement qu'elle savait éphémère. La tête baissée vers le plancher de sa scène rafistolée, elle préparait sa voix avec aisance, sûre des effets hypnotiques qu'elle aurait sur son auditoire. Les baisers de Bako avaient apaisé ses angoisses et renforcé sa confiance. Rien ni personne ne pourrait plus la faire taire, même pas l'indri qui criait dans la jungle grouillante. Fitia, encore bouleversée par ces visions charnelles, eut quand même la présence d'esprit d'allumer la dizaine de flambeaux qui encerclaient la charrette. Le soleil déclinait et la foule s'impatientait tandis que Bako admirait la star sans peau de bête qui cachait sous son corsage ses seins goûteux. Puis, sans prévenir, Miangaly releva la tête et commença à chanter. Et le reste du monde stoppa son brouhaha.

Madame rêve d'atomiseurs
Et de cylindres si longs
Qu'ils sont les seuls
Qui la remplissent de bonheur

Madame rêve d'artifices
Des formes oblongues
Et de totems qui la punissent

Rêve d'archipels
De vagues perpétuelles
Sismiques et sensuelles

D'un amour qui la flingue
D'une fusée qui l'épingle
Au ciel
Au ciel[1]

Et le reste du monde se mit à rêver.

---

1. *Madame rêve*. Paroles, musique et interprète : Alain Bashung.

10

Le collège à mi-temps. La maison de temps en temps. Olenka pour tout le reste du temps. Tout était prétexte à lui rendre visite. Une question en géographie sur les pays de l'Est, un litre de lait pour dépanner ou encore une recette qu'elle ne ferait jamais, Eva avait toujours une bonne raison pour venir frapper à sa porte. Ou n'en avait pas. Il lui arrivait souvent de rester plantée là sur le palier sans rien demander. Olenka se dépêchait alors de l'inviter à entrer. Chez elle, il y avait toujours ce parfum exotique. De la cannelle, de la muscade, parfois même des notes d'anis. L'hiver, il y avait toujours du bois qui pétillait dans la cheminée, du chocolat chaud dans la marmite et quelques biscuits encore tièdes qui attendaient leur heure dans la gueule du four. L'été, des transats à l'ombre du cerisier, de l'orangeade dans de la glace pilée et des sorbets maison qui se les gelaient dans le compartiment à glaçons. Chez Olenka, il y avait toujours tout. Tout ce qu'Eva pouvait désirer. Tout ce que, chez elle, elle ne pouvait trouver. Olenka connaissait le nom des fleurs et savait trouver les trèfles portebonheur, elle caressait les entrechats et pouvait tourner plusieurs fois sans perdre la tête, elle pouvait faire gonfler des soufflés sans levure et raclait toujours les restes de ses préparations cacaotées, elle aimait la musique classique, *Mon amant de Saint-Jean*, Johnny, la pop, *Atomic*, le rock et les Skatalites.

— Tu ne connais pas les Skatalites ? Tu as un tee-shirrrt de Bob et tu ne connais pas les Skatalites !

Toutes les fenêtres de la maison étaient ouvertes. Dans le jardin, le cerisier découvrait ses fleurs et les premières abeilles venaient les butiner. Eva regardait d'un air moqueur Olenka qui s'appliquait à bien positionner son 33 tours sur le tourne-disque vieillissant.

— Il faudrait quand même que t'achètes un lecteur de CD.

— Ah, tu ne vas pas m'embêter comme mon marrri, grogna la belle Slave.

— Ton mari, c'est lui ? interrogea Eva en désignant le portrait sépia sur le buffet.

— Oui, c'est Max.

— Il est… ? murmura l'adolescente.

— Il est morrrt.

Olenka lui tournait le dos. Eva n'osait plus parler. Elle venait de poser la question de trop et s'en voulait. D'habitude, elle n'était pas aussi curieuse. Mais dans cette maison, entre ses murs croquants et poivrés, sa langue se délayait. Un peu trop parfois. Eva allait s'excuser quand Olenka, toujours face au mur peint, reprit la parole :

— Il est décédé, il y a cinq ans. J'ai cinquante-cinq ans et je suis veuve. La veuve de Max. Je ne suis pas trrriste. Je ne le suis plus.

Olenka se retourna. Eva, rassurée par la fossette souriante de sa bonne fée, posa sans réfléchir la question qui la démangeait :

— Y a les voisins qui disent que la mort de ton mari t'as rendue folle. C'est vrai ?

Après quelques secondes de silence, Olenka lui demanda des explications. Eva parla de la rumeur. Le voisinage racontait qu'à la mort de son mari Olenka avait mis la musique à fond pendant des jours, qu'elle avait bu et dansé en sous-vêtements toute la journée, qu'il y avait beaucoup d'hommes qui venaient, qu'à chaque fois elle fermait les volets, que lorsqu'ils repartaient ils portaient les habits de Max, et qu'au bout de quinze jours l'ambulance était venue la chercher pour l'emmener dans un asile pour les fous.

Une fois le récit terminé, Olenka, soûlée par tant d'idioties, se mit à rire sans retenue. Il fallait qu'elle exulte pour digérer cette histoire ridicule. Eva, empourprée, ne savait plus où regarder.

— Allez, on va boirrre un p'tit coup, finit par dire la folle tout essoufflée.

Les Skatalites, avec leur swing entraînant et leurs saxophones détonants, accompagnèrent les filles jusque dans la réserve qui se cachait derrière le vaisselier de la cuisine. Là, au milieu des conserves maison et de la charcuterie suspendue, un tout petit congélateur trônait au milieu de la pièce. D'un geste élancé, Olenka ouvrit le coffre-fort glacé et annonça haut et fort l'identité du magot :

— Zubrrrowka ! La meilleurrre vodka du monde !

Une dizaine de bouteilles languissaient sur les grilles gelées. Eva n'en croyait pas ses yeux. Tout cet alcool. Les voisins disaient peut-être la vérité. Olenka ne lui laissa pas le temps de délirer. Elle attrapa l'élixir d'une main, Eva de l'autre et les entraîna vers la table. Là, sans un mot, aussi concentrée que le curé préparant le sang et le corps du Christ sur l'autel avant la messe, elle installa un petit napperon sur lequel elle posa deux minuscules verres. Elle les remplit à ras bord et fit trinquer les godets l'un contre l'autre.

— *Na zdrrrowie !* se mit-elle à chanter.

Zubrowka. *Na zdrowie.* Eva ne comprenait plus rien à rien. Tout ce cirque lui donnait soif et, sans réfléchir, paumée et altérée, l'adolescente descendit son verre cul sec.

Eva resta quelques minutes la bouche ouverte tentant désespérément de chasser le feu qui lui brûlait la poitrine, la gorge, la langue, le palais, les dents, les narines et les tempes.

— Bon. Maintenant, il est temps de t'expliquer et d'oublier toutes ces connerrries.

Eva, sonnée mais pas encore sourde, tendit l'oreille afin de connaître l'envers du décor.

— Voilà ce qui s'est passé. Ce qui s'est vrrraiment passé. Max est décédé un jeudi des suites d'un cancerrr du poumon qui n'intérrressait pas nos voisins. Avant son décès, on avait longuement discuté de ses funérrrailles et de la suite. Il m'avait demandé une belle fête, de danser pourrr lui et bien d'autrrres choses encore. Voilà. Je commence. Max est décédé un jeudi. Je l'ai enterrré le samedi. Le dimanche, j'ai mis une

208

magnifique jupe blanche qu'en danse on appelle tutu et qui n'est pas un sous-vêtement, j'ai écouté tous ses disques et j'ai dansé. J'ai fait des sauts et des déboulés pourrr mon Max. Ensuite, j'ai quitté le tutu et j'ai enlevé tous ses habits des placarrrds comme il me l'avait demandé. J'ai appelé ses frrrèrrres. Il en avait huit. À chacun, j'ai passé une petite vidéo qu'il avait faite pour eux. Ses mots d'adieu. Les volets clos à cause du soleil dans la télé. Et à chacun, j'ai donné un lot de vêtements. Ils ont tous pleurrré, m'ont longuement rrremerrrciée et m'ont quittée avec les habits de Max surrr le dos. Ensuite, j'ai tout nettoyé, rrrangé, classé puis je suis allée chez ma tante en Pologne. C'est le plus jeune de ses frrrèrrres qui m'a accompagnée à l'avion avec son ambulance. Je devais y aller pourrr quelques semaines, j'y ai vécu quelques années, puis je suis rrrentrrrée. Voilà !

Voilà. Voilà. Comme si l'histoire s'arrêtait là. Comme si c'était si simple. Mais dans la tête d'Eva, tout devenait très compliqué. Eva était gênée de lui avoir raconté tout cela. D'avoir cru ces gens-là. Désolée pour elle, pour ces voisins médisants, pour tous ces mensonges qu'on raconte si souvent. Embrouillée par ce malaise et abasourdie par cette histoire de fou, Eva, qui n'arrivait plus à trouver les bonnes phrases, parvint cependant à prononcer un mot. Un seul.

— Zubrowka.

— *Na zdrrrowie !* répondit la Slave au tutu affriolant.

11

— L'oncle Hery est rentré ! L'oncle Hery est rentré ! criait Fitia à qui voulait l'entendre.

Elle courait de partout, faisait des détours par
dizaines, repassait plusieurs fois au même endroit afin
de répandre la bonne nouvelle. Ses pieds nus piéti-
naient le sol de latérite tandis que ses mains se perdaient de toutes parts. À l'annonce de cette arrivée
extraordinaire, tout le monde stoppa ses petites
affaires. Plus de pilon pour le mil, plus de mains pour
tisser les filets, plus de bras pour charger les stères
de bois, plus de seins pour allaiter les bébés, plus rien
ne fonctionnait. Le monde venait de s'arrêter pour
accueillir le roi d'un jour, celui qui revenait de l'autre
monde, celui qui allait tout leur raconter. L'oncle
Hery, un des frères de Joro, venait de passer cinq ans
en France. Cinq années illustrées de quelques cartes
postales, cachet de la poste faisant foi. Cinq années
parsemées d'enveloppes fourrées de modestes billets
pour aider sa grande famille.

— L'oncle Hery est arrivé !

Mamy, la mère d'Hery et de Joro, fut prise d'un
vertige. La nappe qu'elle brodait dégringola dans la

boue et Mamy de son tabouret. Tiana la rattrapa de justesse.

— Hery. Mon p'tit Hery est revenu, murmura-t-elle en parlant de son fils qui avait plus la pilosité du singe que la peau duveteuse du nouveau-né.

Tout le monde se précipita vers le grand baobab, lieu de toutes les rencontres et de toutes les cérémonies. Hery se trouvait planté là, sa minuscule valise au bout du bras, vêtu de ses beaux habits de France, avec une casquette du PSG et des baskets toutes blanches qui rougissaient au contact de la glaise collante. Sa mère hystérique se jeta dans ses bras sans faire attention à toute cette panoplie qu'il avait soigneusement choisie pour son grand retour. Elle l'embrassa, le renifla, l'étouffa. Lui ne bougeait pas. Il lui fallut quelques heures pour retrouver ses marques et remettre les pieds sur terre. Sur sa terre. Celle de ses ancêtres. Il semblait perdu. Désorienté. Toutes ces courbettes qu'on lui faisait, tous ces yeux qui brillaient, toute cette curiosité affamée, toute cette foule contre lui agglutinée, c'était pourtant ce qu'il espérait. Cependant, il semblait gêné. Mais cet embarras allait vite le quitter.

Les femmes célibataires étaient arrivées les dernières. À l'annonce de cet homme revenu de France, elles s'étaient toutes réfugiées dans leur case afin d'y dénicher les tissus, les couleurs, les parfums qui les mettraient le plus en valeur afin de séduire cet élégant que l'on n'attendait plus. L'élégant en question avait plus l'allure grotesque du supporter benêt que du dandy distingué mais cela leur importait peu. Seules comptaient ces années françaises à côtoyer le grand monde et ses richesses. Ce séjour à l'étranger faisait d'Hery l'homme le plus convoité du village. Il devenait ainsi le plus beau, le plus intelligent, le plus riche. Il n'en avait pourtant pas l'allure. Au pied de l'arbre gigantesque, flottant dans son jogging trop grand, il ne disait mot et tentait doucement de se décontracter. Puis, petit à petit, il se détendit. Grâce au betsa-betsa, sa timidité se brisa et à la fin de la journée, il était allongé sur les meilleurs matelas, à savourer toutes ces révérences saupoudrées de compliments et d'applaudissements.

Dès le lendemain, il embaucha quatre jeunes du village et leur confia la construction de sa résidence comme il l'appelait. Car Hery ne comptait pas habiter une vulgaire hutte. Hery avait sur un vieux morceau de nappe les plans d'une maison. Une vraie. Avec une chambre, une cuisine et une salle d'eau séparée.

— Une salle d'eau ? interrogea sa mère. Mais y a la rivière, ça suffit bien.

— Mais là au moins, maman, je suis tranquille. Tout seul. Comme en France. Je vais chercher l'eau à la rivière, je la stocke dans ma salle d'eau et je me lave tout seul.

— Y se compliquent bien la vie pour rien, ces Français.

Tandis que ses ouvriers s'occupaient de monter les planches, Hery se pavanait au milieu de ses jolies poupées. Dans son coin, Fitia bougonnait :

— Elles m'énervent toutes ces imbéciles à se frotter contre lui. Qu'est-ce que vous avez toutes à vouloir vous frotter contre les hommes ? Elles le lâchent plus. On peut même plus lui parler. Moi, ça m'énerve, j'ai tellement de questions à lui poser. Ça t'énerve pas, toi ? Tu t'en fous ?

— Non, je m'en fous pas. Moi aussi, j'ai des questions.

— Bon ben, on a qu'à y aller. On est ses nièces quand même ! On va les remettre à leur place, ces pintades.

Fitia fit une entrée fracassante au milieu du cercle de courtisanes. En quelques mots, l'affaire fut réglée.

— Bon, autant vous le dire tout de suite, comme ça, vous ne vous fatiguerez pas pour rien. Mon oncle aime les grosses blondes à la peau blanche. Alors si vous êtes des petites brunes à la peau noire, vous perdez votre temps.

Avant qu'Hery n'ait eu le temps de réagir, les belles demoiselles ébène avaient quitté la ronde. Fitia se dépêcha de trouver la parade pour rattraper ses gros mots.

— Oncle Hery ! Je m'excuse. J't'promets, j'irai les voir pour leur dire que tout ça, c'est des bêtises. Mais j'voulais… Tu sais, avec Miangaly, on attend depuis deux jours de pouvoir te parler un peu. On voulait que tu nous racontes. La France, les belles voitures, Paris, tout ça.

Hery ne lui en voulait pas. Il était plutôt fier de voir que même ses petites nièces s'intéressaient à lui. La face arrogante, le sourire étincelant, Hery gonflait désormais son torse afin de remplir son tee-shirt Nike de ses pectoraux de midinette. Le petit homme à l'allure fragile de l'arrivée avait fait place à un pacha insolent, sûr de son aura et de ses exploits. Des exploits inventés de toutes pièces comme tout ce qu'il allait raconter par la suite. Mais les regards dans lesquels se renvoyaient ses souvenirs factices l'émerveillaient tellement qu'il allait bientôt finir par s'en persuader lui-même, oubliant ce qu'avait été pour lui la France.

Cinq années de souffrance qu'il allait transformer en cinq années d'opulence. Tout le monde allait y croire. Lui le premier.

Il leur posa une question pour faire celui qui s'intéressait :

— Alors, ça vous fait quel âge, maintenant ?

— Quinze ans, répondirent-elles fièrement.

Puis l'oncle Hery commença le grand déballage.

Il énuméra ses conquêtes.

Laure, Sandrine, Julie, Charlotte, Manon. Une ribambelle de prénoms exotiques qui donnait aux fillettes transies la chair de poulette.

Il localisa sa fabuleuse épopée.

Vitrolles, Pierrelatte, Vaulx-en-Velin, Sarcelles, Port-Saint-Louis, Calais. Des noms de villes merveilleux dispersés aux quatre coins de la France qui berçaient de leur douce mélodie les oreilles naïves des deux adolescentes fascinées.

Il parla de ses incroyables aventures.

Son déjeuner avec la magnifique Catherine Deneuve, la plus grande actrice du monde. Ses vacances de neige dans un chalet des Alpes. Ses soirées gastronomiques dans les plus grands restaurants de la capitale. Son rôle dans un film d'action international. Des histoires à dormir debout que Fitia et Miangaly gobèrent sans sourciller.

Puis le soleil se coucha et le hâbleur se leva, répondant à l'appel de la marmite pleine de riz et des femmes débordantes d'envie. Fitia et Miangaly ne bougèrent pas. Fitia et Miangaly ne parlèrent pas. Les lèvres muettes et l'œil figé, elles regardaient la toile des songes qui leur parlait de l'autre monde. Sur l'écran fantasmagorique, des images peintes de couleurs vives prenaient possession de l'obscurité. Des ombres multicolores dansaient inlassablement sur le fil de la nuit. Les adolescentes tentaient d'imprégner leur être tout entier de ce spectacle en trois dimensions. Avec force et concentration, elles déverrouillèrent tous leurs sens afin de palper les contours, humer les extraits, écouter la rumeur, savourer les miettes de cette vie que leur oncle avait bien voulu leur conter. Cinq sens perdus dans une merveilleuse transe. Les mots se mélangèrent. Les rêves se dessinèrent… Miangaly et Fitia sirotant un cocktail fluorescent dans des fauteuils de velours au milieu des tours étincelantes de Sarcelles. Miangaly et Fitia, rebaptisées Sandrine et Caroline, dévorant du chocolat dans la charmante ville de Vitrolles. Miangaly et Fitia, deux filles noires, glissant sur des montagnes blanches habillées d'énormes manteaux de fourrure.

Puis, Tiana les appela et le pilon leur confia. Le rêve se brisa, broyé par un vulgaire bout de bois.

Dès le lendemain matin, les filles repartirent à l'assaut. Mais le beau parleur, las de ces gamines agi-

tées, les envoya balader sans cérémonie. Interrogation.
Incompréhension. Obstination.

— Oncle Hery, tu peux…

— Arrêtez de m'appeler oncle ! Hery, ça suffit.
Maintenant, du balai !

— Tu peux nous prêter ta carte de France ? souffla
Miangaly dans un dernier élan.

Hery ne répondit pas et leur tourna le dos. Les
jeunes filles à la tête haute sentirent leur cou lâcher
prise. Leurs muscles diminués de passion n'avaient
plus la force de résister au terrible pouvoir de la déception. Puis il y eut un sursaut. L'oncle imposteur changea de posture et sa silhouette refit surface. D'un geste
malhabile, il jeta vers elles le papier chiffonné. Sans
un merci pour cet oncle qu'elles n'admiraient déjà
plus, elles se jetèrent sur la carte convoitée et partirent
se cacher près des manguiers afin de pouvoir l'admirer
en paix.

— Laisse-moi faire ! C'est…

— C'est comme ça !

— Non, c'est comme… Ouah ! T'as vu ça !

Des milliers de noms indigènes ponctuaient cette
France immense. Des tracés la traversaient de toutes
parts.

— Tu crois que c'est des routes ? interrogea Fitia
sans attendre de réponse. Ils ont tout ça de routes, tu
te rends compte ?

Non, ni elle ni Miangaly ne se rendaient compte.
Ce dessin étrange qu'elles avaient sous les yeux avec
ses traits rouges et ses traits bleus, cette forme hexa-
gonale sillonnée de veines s'agrippant tout en haut à
un drôle de cœur, cette carte tachée de graisse séchée
et marquée de pointillés représentait l'antichambre de

leur rêve. Des songes empreints de richesse, de belles toilettes et d'improbables parfums. Cette France imprimée était bien plus qu'un joli croquis minutieusement reproduit à l'échelle. Cette France-là portait en elle, dans le courant de ses fleuves et au sommet de ses montagnes, tous les symboles de cet eldorado qu'ici on appelait là-bas. Là-bas, il y a des routes noires qui ne se perdent pas quand il pleut. Là-bas, il y a des maisons qui éclairent la nuit. Là-bas, il y a des tas de poulets pour mettre dans le riz. Là-bas, il y a des machines en or pour faire des billets.

— Là-bas… se contenta de murmurer Miangaly sans se rendre compte que ce là-bas allait changer sa vie.

12

De la Zubrowka au canna, il n'y a qu'un pas.

— Canna… Cannabis… C'est du cannabis, bégaya Eva qui n'en revenait toujours pas.

— Du calme, demoiselle, chanta la Slave de sa voix suave. Cette plante est si belle. J'ai la main verrrte aussi bien avec des lys qu'avec du cannabis. Mais ne t'inquiète pas, poursuivit Olenka, je ne fume pas de marrrijuana.

Marijuana, que c'était doux dans la bouche d'Olenka. Le r roucoulait et le reste vibrait. Bien que légèrement déçue par cette réponse – Eva aurait bien fumé quelques pétards avec son amie polonaise – elle fut en même temps soulagée de constater qu'Olenka n'avait pas tous les vices. De la Zubrowka mais pas de cannabis. Enfin presque.

— J'utilise les feuilles seulement pour mon cocktail. Quelques têtes bien gluantes dans ma Zub avec un peu de jus de canne. Un délice ! Tu veux goûter ?

Onze heures du matin, c'était un peu tôt pour l'adolescente qui détourna la conversation vers des plaisirs plus culinaires en lui demandant s'il était possible de cuisiner le soufflé qu'elle lui avait promis. Acquiescement de l'alchimiste herboriste. Invitation dans la cuisine. Sur le plan de travail strié de milliers de coups de couteau passionnés, la cuisinière disposa les ingrédients nécessaires. Elle plaça deux saladiers devant son apprentie et lui demanda de séparer les blancs des jaunes. Eva déclina l'offre, incapable d'exécuter une telle prouesse technique. Olenka riposta et, avec autorité, la dirigea pour tout le reste de la recette. Une fois la préparation achevée, Olenka retrouva sa bonne humeur qui allait si bien avec ses robes à fleurs.

— Maintenant, on va vite le mettrrre dans le moule et commencer la cuisson. Un soufflé, ça n'attend pas.

Olenka farfouillait dans ses tiroirs afin de dénicher le modèle approprié quand la radio l'arrêta.

« *Les secours ont finalement maîtrisé le feu. Pour l'instant, on dénombre cinq blessés légers. Tous les résidents de l'association ont été placés dans l'aile droite du bâtiment épargnée par les flammes. Des recherches sont encore en cours car deux réfugiés manquent à l'appel.* »

— *Mój Boże*[1], gémit Olenka. Enfile ta veste, on va à La Lune.

— Sur la lune, rectifia Eva, qui en apportant cette correction réalisa l'énormité de cette invitation.

La Lune, siège discret d'une association venant en aide aux sans-papiers. La Lune, petit bout de terre pour âmes sans identité qui rêvent d'un coup de tampon négligé près de leur photo délicatement découpée. La Lune, cocon réconfortant pour êtres de soleil vivant dans l'ombre d'un drapeau bleu blanc rouge bien trop fier pour voir ceux qui se cachent derrière.

---

1. « Mon Dieu », en polonais.

Sur le trottoir, des badauds en mal de drame et d'hémoglobine. Dans la cour, une ambulance prête au départ et un camion de pompiers remballant son matériel encore trempé. Olenka passa les barrières de sécurité sans se poser de questions, traînant Eva à sa suite et lui broyant les doigts de ses mains crispées. Un homme en uniforme bleu l'interpella :

— Madame ! Arrêtez-vous. Vous ne pouvez pas entrer.

— Je suis de l'association. Il faut que je voie Moussa et…

— Vos papiers, s'il vous plaît.

— C'est une blague ! se moqua Olenka.

— Sur un autre ton, tout de suite madame. Vos papiers !

— Mais je bosse ici, j'vous dis ! J'ai… J'ai pas mon sac. J'ai quitté la maison en vitesse.

— Je vais vous demander de me suivre, madame. Et votre fille aussi.

— Mais j'ai des papiers ! À la maison ! Et elle, c'est pas ma… Et puis merrrde, vous faites flic ! commença à s'énerver Olenka. Je veux juste voirrr si tout le monde va bien.

— Vous verrez ça plus tard, suivez-moi ou je vous emmène de force.

— De forrrce ! Vous avez que ce mot-là à la bouche ! cria la Polonaise qui aperçut *in extremis* celui qui allait faire sauter le barrage. Pascal ! Tenez ! Pascal, y va vous expliquer qui je suis.

Pascal, le directeur de l'association, identifia formellement Olenka comme une des bénévoles et promit au policier une copie de sa pièce d'identité pour le lendemain. Olenka faillit bondir sur le garde-barrière mais la main de Pascal qui lui écrabouillait le bras l'en dissuada.

Dans le réfectoire trop petit, les vingt-cinq résidents attendaient sur leurs bancs, immobiles et silencieux. Une ribambelle de visages noirs brillant devant le mur tapissé de muguet. Les regards étaient vides, les lèvres closes, les têtes lourdes courbant les nuques épuisées, les bras repliés sur les torses comme pour se protéger. Eva n'osait pas s'approcher. Dans l'embrasure de la porte, elle observait les figures brisées et fermées s'illuminer à la vue de la danseuse blanche qui parfumait de son eau de toilette patchouli les relents de fumée. Les hommes se levaient les uns après les autres pour saluer celle qu'ils considéraient comme une maman.
— Mama Lenka.

Olenka, émue et en colère, bouscula les tables et rapprocha les êtres solitaires. Elle resta près d'eux un moment, occupée à embrasser de ses bras douillets les épaules effrayées, à serrer les mains inquiètes, à frictionner le dos de ceux qui tremblaient. Puis elle se leva, prépara du thé, du café, ouvrit quelques boîtes de biscuits et les invita à se confier. Mama Lenka confessa les âmes blessées en prenant des nouvelles de chacun et fut rassurée d'entendre que les deux disparus n'étaient pas morts calcinés mais s'étaient enfuis avant l'arrivée des secours. De temps en temps, elle jetait un coup d'œil à la porte faisant signe à Eva de la rejoindre mais celle-ci, mal à l'aise sur La Lune, préférait rester à la frontière. De là, elle admirait sa fée se démultiplier, répandre autour d'elle les centaines d'étoiles scintillantes qui illuminaient son regard et les offrir généreusement sans se préoccuper de ce qui lui resterait. Olenka était prête à tout donner, peu importe le vide qui suivrait. Eva, transportée, sentit l'aura de cette femme rassasier l'antre de son ventre creux. Le soufflé pouvait attendre. Le monde pouvait attendre.

— Et nous ? Qu'est-ce qui va se passer pour nous, Mama Lenka ?

Les questions s'enchaînaient et la Polonaise tentait d'y répondre tant bien que mal. Même si elle savait leur avenir morose et leurs corps voués à l'exil, loin de leurs flamants roses, elle restait positive et trouvait chaque fois le mot qu'il fallait. Olenka avait toujours été ainsi, optimiste et utopiste. Elle préférait la magnificence du soleil aux incertitudes de la pluie, ne supportait pas la nudité des cœurs pillés et avait toujours de la fourrure pour les emmailloter et les panser. Olenka ne croyait pas au destin et à toutes ces foutaises qui vissaient bien des gens dans des vies de malheur sous prétexte d'être né le mauvais quart d'heure ou avec le mauvais coefficient de bonheur. Olenka s'était toujours battue. Pour ou contre, pourvu que la lutte soit juste. Contre une vie d'ouvrier flanquée d'usines abrutissantes. Contre les injustices qui tétanisent et avilissent. Contre les fachos et leurs minuscules cerveaux. Pour une vie de saltimbanque. Pour des grands jetés défiant les lois de la gravité. Pour des rêves qu'elle savait déjà avortés.

S'extirpant du groupe, indifférent aux plaintes qui résonnaient et esquintaient la cantine, le protégé d'Olenka se leva et s'avança vers la jeune femme qui les observait.

— Salut, je m'appelle Moussa.

Aucune réponse. Pas un battement de cils. Moussa lui donna son nom, lui demanda son âge, mais Eva resta muette, paralysée face à cette statue ébène étrange et puissante. Agacé par cette Française trop timide ou trop fière, le garçon voulut la secouer un peu. Beaucoup. Il reprit la parole et décida de ne plus la lâcher. De tout exploser, de cracher les bouts de terre qui déchiraient ses viscères, d'expulser le diable qui buvait la sève de ses ancêtres et le vidait de son sang. Il se rapprocha un peu plus de sa cible, prit une grande inspiration et raconta à l'inconnue son histoire misérable.

Moussa avait quitté le Mali à pied en abandonnant ses parents, ses amis, sa vie. Il avait marché durant des semaines en mangeant un jour sur deux. En haut de l'Afrique, il avait enfin vu la mer. Là, le Malien avait donné toutes ses économies à un Arabe qui l'avait fait attendre quarante jours et quarante nuits une barque toute pourrie. Ils furent vingt à prendre place dans le minuscule bateau troué. Le moteur toussait et s'arrêtait souvent. Lui, en fond de cale, vibrait de peur et de froid. Au bout de dix-huit heures, ils comprirent qu'ils étaient perdus en mer sans eau potable, sans nourriture. Les premiers commencèrent à les quitter. Une fillette agrippée au tee-shirt de sa mère mourut dans sa tunique brodée. Ils restèrent finalement huit jours sur le rafiot avant de s'écrabouiller sur une côte espagnole. Beaucoup périrent. Moussa survécut. Sans une égratignure. Il se releva, salua sa

224

terre de l'autre côté de la mer et reprit sa marche insensée le regard perdu sur ses souliers défaits. Pour un jour s'arrêter enfin, titubant sur les marches qui menaient à La Lune. Depuis, il ne faisait qu'attendre. Le réveil des administrations. Les assiettes fades et sans curry qu'il devait apprivoiser pour ne pas tomber affamé. Que la France sorte de sa névrose xénophobe. Des papiers afin de pouvoir travailler et s'installer. De parler aux siens pour enfin recoudre les plaies suintantes qui bientôt le tueraient.

Une fois l'histoire terminée, le Malien reprit la conversation là où elle avait démarré.

— Salut, je m'appelle Moussa.

— Je... Je m'appelle Eva. J'ai quinze ans, je suis française et... et... et j'ai honte.

13

C'était un jour de pluie intense,
Où les sanglots du ciel barrent l'horizon de milliers
de gouttes d'eau,
Où les embruns de la mer se perdent dans le piquant
de l'air,
Où la terre rouge devient un torrent couleur sang.

C'est Tahiry qui les avait accueillis. Personne ne
les avait aperçus. Il leur offrit un bol de café chaud
et leur indiqua le chemin à suivre jusqu'à la vieille
baraque.

Lorsque la pluie s'en alla, les nouveaux venus finirent
par sortir de leur tanière. Dans le petit village, autour
du baobab, à l'entrée des huttes, à la lisière de la
jungle, tout se figea. Sur la petite place encore humide,
les pieds dans la gadoue, quatre vazahas à la peau rose
étaient plantés là, vissés dans leurs bottes en caoutchouc et engoncés dans leurs cirés étriqués. Deux
grands et deux petits. Une famille blanche au parapluie
noir. Le père tenta une première approche auprès de
Benja, le sourd d'Anandrivola. Mauvaise pioche. La
mère se dépêcha de prendre le relais en allant saluer

Ravaka. Cette dernière apprécia les bonnes manières de cette étrangère et l'invita à se présenter.

— Bonjour, madame. Nous sommes la famille Lebrun. Nous sommes français. Je m'appelle Clémence, mon époux Mathieu et nos enfants Pascaline et Pierre-Louis.

Ravaka souriait, séduite par ces syllabes distinguées.

— Votre épicier nous a indiqué l'ancienne résidence de nos frères. Nous venons prendre leur relève et tenter de réussir là où ils ont échoué. Ils sont restés si peu de temps. Mais avec nous, ce sera différent, ne vous inquiétez pas, nous ne vous abandonnerons pas.

Ravaka ne souriait plus, horrifiée par ce qu'elle venait de comprendre. Ces quatre hurluberlus étaient des chrétiens, des adventistes du septième jour pour être plus précis, et ces grands Blancs prétentieux avaient dans la tête de leur apprendre la vie. À eux, les Malgaches. À eux, hommes de la forêt et de la mer, capables de converser avec les morts et de survivre au milieu des serpents. Un couple avait déjà essayé, quelques années plus tôt, mais ils avaient vite abandonné trop insupportés par les boas, les lycoses[1], les sangsues, ou bien tout simplement par l'ampleur de la tâche.

— Nous pensions peut-être... poursuivit la Blanche capuchonnée.

Ravaka se retourna brusquement et la laissa plantée là à converser avec le néant. Clémence Lebrun toussa légèrement pour faire diversion et tenter de rebondir sur un autre interlocuteur mais tous les yeux se baissèrent et le regard de l'étrangère se perdit dans la boue encore fraîche. Son mari tenta de rattraper le coup en allant

———
1. Mygales.

chamailler quelques enfants ébène mais les gamins, non accoutumés à ces visages pâles, prirent la poudre d'escampette en poussant des cris d'indri. Seule et ridicule dans ses godasses en plastique, la petite famille pivota sur la droite d'un air détaché et, comme si de rien n'était, se dirigea vers la cabane du vieil épicier. Avec lui au moins, un dialogue pourrait s'amorcer. Tahiry les aimait bien, ces gens. C'était en général de bons clients. Ils avaient un gros porte-monnaie, l'achat compulsif et des tonnes d'appareils électroniques, mécaniques, électriques, qu'il fallait entretenir. Changement de pièces, révision, décrassage, tout ce service après-vente, c'était bon pour le commerce. Mais il n'était pas le seul à les apprécier, les jeunes femmes du village aussi. Même si elles se cachaient derrière la doyenne et ne manifestaient aucune réaction face à ces Blancs plastifiés, elles seraient bientôt nombreuses à rôder près de la cabane des colons pour leur demander conseil. Car elles savaient que ces Blancs déguisés connaissaient le remède pour sauver les bébés.

Il fallut plusieurs semaines à la famille française pour se faire une petite place. La réticence des anciens et leurs mises en garde virulentes contre ceux qu'ils appelaient escrocs contribuèrent à ces débuts difficiles. Mais très vite, la jeunesse dominante laissa la vieillesse à sa psalmodie ennuyante. La méfiance ne permettait pas la délivrance et ça, les jeunes l'avaient bien compris. Le respect des aïeux honoré durant ces quelques jours à bouder l'étranger, les premiers dissidents s'empressèrent de grimper jusqu'à la cabane pour épier ces vazahas aux pieds chaussés et à la peau multicolore.

— T'as vu, ils sont de toutes les couleurs ! s'émerveilla Fitia.

— Mais qu'est-ce que tu racontes ? souffla Miangaly.

— Eh ben, le petit garçon qui est toujours avec son chapeau et ses grandes chemises, il est tout blanc. Sa sœur, elle est rose avec des taches marron sur les joues et elle a même du bleu sur les genoux. Son père, il passe son temps à vomir derrière le ravinala et il est tout vert. Sa mère, elle est toute rouge. Plus rouge que le short de Bako.

Le short de Bako. Quatre mots de trop. La ronde des blancs polychromes disparut et le fantasme de l'adolescente apparut. Bako et son short. Bako sans son short. Bako.

Fitia, voyant sa cousine se répandre, s'énerva.

— Eh ! Mais… Miangaly ! Tu… T'arrêtes tes cochonneries !

— Quoi ? Mes cochonneries ? répéta Miangaly déboussolée.

— Ouais, grimaça la gamine écœurée. Tu vois très bien de quoi je parle…

— Eh ben mes cochonneries, comme tu dis, c'est normal et c'est la vie ! J'suis pas une vieille, moi. J'ai des envies ! J'suis normale. Par contre, toi…

Les chamailleries des cousines alertèrent la dame française qui dénicha ainsi leur tour d'espion.

— Mais qu'est-ce que vous faites là-haut, toutes les deux ?

— On. On ramasse des… des corossols[1], bégaya Fitia.

---

1. Fruit vert à l'écorce piquée d'épines, à la chair blanche et pulpeuse, au goût sucré et acidulé.

— Sur un manguier ? grommela Miangaly, devançant les interrogations de l'étrangère.

— Allez, descendez de là, je vais vous offrir un jus d'ananas.

Et c'est ainsi que les jeunes filles chocolat et la grande dame blanche toute rouge firent connaissance au pied d'une branche pliant sous le poids des mangues.

Miangaly, excitée par toute cette nouveauté venue de France et légèrement désappointée par les réflexions de Fitia, bouda Bako durant quelques semaines. Elle négligea également le chant, oublia ses magazines et se concentra sur les paroles d'Évangile de ces Blancs cultivés. La Française, habillée de ses vêtements *La Redoute*, impressionnait les deux gamines. Ces dernières chahutaient sur le chemin, criaient à tue-tête et se bousculaient joyeusement, mais, lorsqu'elles passaient la barrière délimitant les deux communautés, leurs pas se recroquevillaient et leurs voix se cachaient à l'abri d'une toux malaisée. Là, elles avançaient timidement vers la maison des étrangers puis s'arrêtaient près de la belle carriole métallisée. Elles attendaient alors que quelqu'un les remarque et les invite à entrer.

Clémence Lebrun prenait son rôle de missionnaire très au sérieux. Tandis que son mari, momifié dans son hamac, passait des grasses matinées aux siestes rallongées, elle, se levait toujours avant le chant du coq et veillait tard dans la nuit afin de réaliser toutes les tâches qu'elle avait soigneusement reportées sur son grand cahier doré. Elle avait la foi. La foi en son Dieu. La foi en l'humanité. La foi en la générosité.

Pour Dieu, elle comprit vite que tout enseignement religieux était vain et qu'il y avait bien d'autres choses plus importantes à gérer ici. Elle se concentra alors sur ce qui lui paraissait essentiel. L'éducation. Qu'elle soit scolaire, hygiénique ou bien sanitaire, il y avait ici tout à faire. Ou à défaire. Elle voulut briser certaines croyances pour enseigner quelques bases. Mais elle dut se contenter de tenter, la tradition pesant de tout son poids sur la population. Même les plus jeunes étaient difficilement influençables. La Française changea donc de tactique et ne parla plus des acquis indestructibles qu'il fallait changer mais plutôt de nouvelles habitudes qu'il fallait prendre. Miangaly et Fitia étaient vite devenues les intermédiaires entre le Blanc et le Noir. Les villageois, trop occupés et pas assez impliqués, avaient chargé les deux adolescentes d'écouter les vazahas pour ensuite en rendre compte au village. De longs discours passionnés furent prodigués, de merveilleux théorèmes dessinés sur la latérite et des tonnes de conseils dispensés dans les plis de la jungle.

Sevrer les bébés en favorisant l'alimentation diversifiée plutôt que le gavage au riz. Préserver la qualité de l'eau en évitant de baigner les bêtes aux mêmes endroits que les hommes pour ne plus la souiller de toutes ces déjections délétères. Inviter les enfants à étudier plutôt qu'à travailler. Préserver la forêt et ne plus la brûler, pour éviter une culture vouée de toute façon à l'échec sur une terre ainsi stérilisée. Faire bouillir l'eau croupie pour éliminer les bactéries et prolonger la vie. Utiliser une capote en plastique pour couvrir les pénis et stériliser le vice afin d'éviter les bébés par milliers et le HIV.

Tout entra par deux oreilles mais ressortit par les dizaines qui les écoutaient. Les entremetteuses répétaient, le public s'intéressait mais le lendemain, rien n'avait changé. Et les minuscules modifications opérées finissaient, lassées, par se perdre dans le labyrinthe insondable de la mangrove.

Des jours s'écoulèrent, des semaines. Bercés par le ronron des visages pâles aux teintes arc-en-ciel.

Des semaines s'écoulèrent, des mois. Indifférents aux miaulements rédempteurs de l'étrangère instruite et trop cuite.

Des mois s'écoulèrent, une année. Avec autant de bébés morts et d'arbres carbonisés.

Miangaly la Malgache reprit le chant. Clémence la Française, assise sur un tronc grignoté, lasse et fatiguée, écoutait.

Armstrong, je ne suis pas noir, je suis blanc de peau
Quand on veut chanter l'espoir quel manque de pot
Oui, j'ai beau voir le ciel, l'oiseau, rien rien rien
ne luit là-haut
Les anges, zéro, je suis blanc de peau.

Armstrong, tu te fends la poire, on voit toutes tes
dents
Moi, je broie plutôt du noir, du noir en dedans
Chante pour moi, Louis, oh oui, chante chante
chante, ça tient chaud
J'ai froid, oh moi, qui suis blanc de peau.

Armstrong, la vie, quelle histoire, c'est pas très
marrant
Qu'on l'écrive blanc sur noir ou bien noir sur blanc
On voit surtout du rouge, du rouge, sans sans sans
trêve ni repos
Qu'on soit, ma foi, noir ou blanc de peau.

Armstrong, un jour, tôt ou tard, on n'est que des os
Est-ce que les tiens seront noirs ? Ce serait rigolo.
Allez, Louis, alléluia, au-delà de nos oripeaux
Noir et blanc sont ressemblants, comme deux
gouttes d'eau[1].

Miangaly + Clémence.
Noir sur blanc.
Des rondes et des croches pour un même tempo.
Tempo. Tempo. Nougaro.

---

1. *Armstrong*. Paroles et interprète : Claude Nougaro ; musique :
traditionnelle, arrangements de Maurice Vander.

14

— Je vais peut-être enfiler un gilet.

— Maman, grommela Eva.

Jacques et Sue Ellen, immobiles et muets, attendaient dans l'entrée.

— Je change de chaussures et j'arrive.

— Maman ! s'impatienta Eva, la main sur la porte.

— Ah mince, j'ai oublié de mettre en route la machine.

— Maman, si tu veux pas y aller, t'es pas obligée ! finit par s'énerver Eva. Tu n'as qu'à rester là.

— Je suis presque prête ! chanta Sylvie comme pour exorciser le stress qui la rongeait.

Deux jours auparavant, lorsque sa fille lui avait transmis l'invitation d'Olenka, Sylvie Hubert avait cassé trois assiettes dans l'évier. Conséquence de la surprise. Elle s'était ensuite précipitée vers les toilettes prétextant une envie pressante. Conséquence de la conséquence. Agrippée à la cuvette, elle y avait rendu son petit-déjeuner puis, après un détour à la salle de bains pour se débarbouiller, elle avait retrouvé sa fille près du frigidaire pour lui annoncer que c'était avec grand plaisir qu'elle irait dîner chez cette voisine dont on parlait tant. Eva regagna sa chambre, légèrement irritée par cette fâcheuse habitude qu'avait sa mère de laisser dégouliner ses mauvaises ondes sur tout ce qui pour elle avait de l'importance. Du sens. De la consistance. Car même si Sylvie avait fait quelques progrès, elle restait une mère insupportable à l'attitude exécrable. C'est ce qu'Eva pensait. Eva qui avait de nouvelles références et qui ne voulait plus excuser cette mère qui lui faisait trop souvent offense. Sylvie abandonna la cuisine, rejoignit le sofa et s'effondra au cœur des coussins afin de s'y perdre. Il lui fallait oublier qu'elle n'était plus et qu'elle avait disparu. Effacer ces tremblements qui ne la quittaient plus. Gommer cette peur invisible et invincible qui s'agrippait et la griffait. Faire taire cette voix qui lui disait qu'elle ne valait plus rien, que son mari ne l'aimait plus et que ses filles préféraient une voisine dorée à une mère décongelée. Chasser cette angoisse perpétuelle qui lui faisait tourner la tête. Ce froid glacial qui paralysait son sang et endommageait son cœur. Mais des pas sur le sol avaient claqué et Sylvie Hubert s'était relevée comme si de rien n'était, oubliant la femme brisée et retrouvant la dame aux sourires acérés.

— Maman ! On y va maintenant !
La porte claqua. Eva souffla. Sylvie éructa.

— Bienvenue ! Entrreez. Entrrrez.
C'était pire que tout ce que Sylvie Hubert avait pu imaginer. Tout ici semblait parfait. Cette femme slave aux rondeurs impeccables brillait de toutes parts et son parfum enveloppait ses invités dans un nuage vapo-

reux et troublant. Son accent généreux roulait et vibrait harmonieusement. Sa maison était douillette. Ses murs, patinés de rouge pomme d'amour, étaient tapissés de photos rieuses. Ses fauteuils enrobés de douceur et incrustés de paillettes reposaient sur de la moquette moelleuse. Près de la table basse, deux poufs de velours rose languissaient impunément. Il y avait des bougies parfumées, des guirlandes bariolées, des rideaux ornés de broderies, des miroirs dorés, des tableaux fantaisie, des tournesols dans l'entrée et des coquelicots sur les tapis. La famille Hubert, hypnotisée par cette féerie bigarrée, resta muette et les « bonjourrr » d'Olenka n'eurent aucune réponse. Les regards ahuris n'en finissaient pas d'admirer ce palais des mille et une nuits et se perdaient dans la pléthore de bibelots exotiques et de lampions allumés pour l'occasion. Puis, en l'espace d'une seconde, les paupières furent distraites et les narines sollicitées. Le tourbillon des sens pouvait continuer côté cuisine. Des effluves croustillants vinrent caresser les nez encore gelés et, juste derrière ce premier voile parfumé, une ribambelle d'arômes entra dans la ronde des senteurs : ail fondant sur un lit de beurre, curry saupoudré de coriandre, sucre disparaissant dans un caramel roux et pommes colorées de cannelle. L'eau à la bouche et les yeux clignotants, la petite famille parvint finalement à entrer en contact avec l'hôte de charme. Ce fut Jacques qui bégaya le premier :

— Bon... Bonjour, madame ! Comment allez-... vous ?

— Bien, je vous rrremerrrcie, monsieur.

Séduit par cette roucoulade polonaise, le monsieur en question invita Olenka à l'appeler Jacques.

Sue Ellen baragouina à son tour :

— Bonjour, madamoiselle Otanka. Je suis Sue Ellen. C'est très bon chez vous, toutes ces couleurrrs, et ça sent la confiturrre, comme quand on va chez le tapissier.

— Pâtissier ! corrigea Eva, légèrement désappointée par la niaiserie dominante.

— Pâtissier, continua la gamine, avec les choux à la crrrème et…

Sylvie ne lui laissa pas le temps de finir.

— Couleur, crème ! Ça suffit ! Y a qu'un r à la fin ! Y en a déjà une qui ronronne, tu vas pas t'y mettre toi aussi !

Le choc de la rupture après la douceur de la confiture. Silence. Le rouge quitta les murs pour empourprer les figures et le parfum qui quelques minutes avant les faisait saliver commençait à les barbouiller. Eva gonfla la poitrine, prit une grande inspiration et s'apprêtait à réprimander sa mère lorsque Olenka la coupa :

— Eh bien, maintenant que les prrrésentations sont faites, allons dans le petit salon.

Sans un mot de plus, chacun offrit à son postérieur un siège confortable et rembourré en espérant ainsi disparaître sous les coussins tandis qu'Olenka continuait sa réception comme si de rien n'était. Enfin presque. Elle se permit quelques petits plaisirs avec Sylvie Hubert et lui offrit un festival de ronronnements.

— Madame Huberrrt. Que prrrenez-vous à boirrre ce soirrr ? Du rrrhum, du rrrosé, du rrrouge, un Marrrtini, un Rrricarrrd, de la Zubrrrowka, du…

— Zubowka, trancha dans le r Sylvie Hubert qui ne comprenait rien à ce qu'elle venait de répondre mais qui voulait mettre un terme à ce roucoulement insupportable.

— Zubrrrowka ! répéta victorieusement Olenka.

Et la soirée commença à coups de vodka. De grands verres pour les Hubert et de discrètes lichettes pour les fillettes. Avec l'alcool comme antigel et les rires de la Polonaise pour assaisonner tout ça, l'apéritif se prolongea. Sylvie faisait face à Olenka. Le froid luttant contre le chaud. Le glaçon se méfiant des coups de soleil. Mais il y avait trop de chaleur ici. Sylvie, qui à son arrivée avait revêtu la plus solide des armures, finit par rendre les armes. En quelques gorgées, tout s'effondra. Toutes les pièces rafistolées qu'elle avait soigneusement assemblées pour dresser un mur insondable venaient de dégringoler. À terre. Par terre. Nue et sans artillerie, la mère de glace esquissa un sourire. Jacques et les autres n'y prêtèrent pas attention. Puis les lèvres de Sylvie dessinèrent un nouveau sourire que Jacques et les filles harponnèrent nerveusement de peur de le perdre. Mais la bouche de l'amer continua ses rictus joyeux et malicieux, contaminant bientôt les joues et le front pour finir avec des larmes dans les yeux. Ce petit bout de bonheur au coin de l'œil, Sylvie perdit son teint grisâtre et ses lourdes paupières. Un voile s'était levé, tout semblait soudain plus léger. Plus facile. Plus vrai. Au moment de passer à table, les mots n'avaient même plus besoin d'être prononcés. Tout le monde se comprenait. Les regards brillants se répondaient, complices, entre deux fous rires exaltés. Autour de la nappe ronde, les convives se découvraient passionnément. Sylvie essayait discrètement de se rapprocher d'Olenka, fascinée par sa chevelure dorée, ses seins gonflés, ses fesses tendres, ses joues rosées, son parfum épicé. Jacques la regardait elle, Sylvie. Il redécouvrait sous sa robe de gel celle qu'il avait aimée avant et pensa avec soulagement qu'avant pouvait encore redevenir maintenant. Jacques ne parlait plus, ne mangeait plus, occupé à contempler sa femme ainsi délivrée. L'instant était trop important et pouvait cesser à tout moment. Jacques le savait et faisait le maximum de réserve pour affronter l'après. Cette soudaine métamorphose n'avait pas non plus échappé à Eva et Sue Ellen qui buvaient les rires de leur mère comme le nouveau-né s'accroche au téton de sa nourricière. Les gamines semblaient affamées. Ces retrouvailles, même précaires, leur donnaient de l'appétit. Elles dévoraient tout ce qui se présentait, empilaient dans leurs assiettes viandes et crustacés, léchaient les cuillères, raclaient les bols, engloutissaient les mets salés et sucrés qui se succédaient sur la table. Mais leurs yeux restaient fixes et concentrés, hypnotisés par le nouveau visage de leur mère. De cela, elles ne voulaient perdre aucune miette. Elles avaient soif de son nouvel éclat, de cette voix qu'elles ne connaissaient pas, de ses fossettes naissantes, de ses pupilles claires et lumineuses.

— J'ai faim !
— J'ai soif !
— *Na zdrrrowie !*

15

Géralda : cyclone tropical intense
Intensité maximale le 31 janvier 1994 à 18 UTC[1]

Intensité sur l'échelle de Dvorak :	**7.0/8.0**
Intensité sur l'échelle de Saffir-Simpson :	**5/5**
Pression :	**890 mb**
Vents moyens sur 10 mn :	**200 km/h**
Rafales :	**300 km/h**
Diamètre de l'œil :	**Régulier de 35 km**
Diamètre de la masse nuageuse :	**> 1 000 km**
Diamètre de la masse nuageuse active :	**200 km**

Ils n'avaient rien vu venir.
Ils auraient dû partir.
Pour aller où ?

La hutte trembla une première fois. Imperceptiblement. Pas assez pour les réveiller. Un léger sifflement d'air entre les palmes. Le vieux Tahiry avait bien essayé de les prévenir mais personne ne l'avait écouté.

---

1. *Coordinated Universal Time* (temps universel coordonné).

Les délires d'un vieillard sénile n'avaient pas décidé les villageois à monter la garde.

— Il faut consolider les cloisons, criait l'épicier à qui voulait l'entendre. Je l'ai entendu à la radio.

— La radio. T'en as bien du temps à perdre. Y a la récolte à trier, les bêtes à nourrir, les outils à nettoyer et nos blessures à panser, alors tes barricades...

Ils n'avaient rien vu venir.

La hutte trembla encore. Cette fois, Miangaly sursauta.

— Papa !

— ...

— Papa ! Réveille-toi !

En quelques minutes, toute la nuit se transforma. La lune disparut, les étoiles aussi. Dans le ciel, une masse sombre et vivante dévorait les astres et grondait sur la terre endormie. Rapide et puissante, elle tournoyait dans l'obscurité et, petit à petit, se transformait en tourbillon.

— J'ai peur papa.

— Mais non, c'est un orage. Allez, rendors-toi.

Puis la ronde céleste se mit à souffler sa colère. Le vent jusqu'ici régulier se fragmenta en rafales désordonnées qui n'en finissaient pas de crier çà et là leur courroux. L'air furieux se mit à gifler les cabanes minuscules et à les secouer violemment. Cette fois, Joro s'inquiéta.

— Miangaly ! Lève-toi. Il faut sortir. Ce n'est pas un orage.

Et la vie bascula. Dehors, face à la tempête, des dizaines d'hommes et de femmes erraient, les yeux dans les cieux, impuissants face à ce terrible spectacle. Chacun tentait désespérément de garder ses enfants tout près pour ne pas les perdre. Derrière les grognements de la tourmente, on pouvait deviner les pleurs, les cris, les plaintes de ceux qui avaient peur. Tout semblait figé dans ce chaos monstrueux. Des statues de jais hypnotisées par la folie du ciel se succédaient, immobiles, les pieds nus dans le sol argileux.

Joro agrippa la main de sa fille et la traîna à sa suite, slalomant entre les villageois transis et perdus. Il lui broyait les mains mais elle ne disait rien. Ne sentait rien. Trop absorbée par la fureur du dehors. À grandes enjambées, Joro luttait de toutes ses forces pour faire face à la tempête. Il avançait d'un pas puis reculait de deux. Puis il recommençait encore. Et encore. Mais lui et sa fille restaient là. À la même place. Complètement déboussolés par ce tourbillon insolent, ni l'un ni l'autre ne se rendait compte qu'ils faisaient du surplace et que leur marche entêtée n'avait qu'une seule issue : l'épuisement. Puis le vent redoubla et les hommes sondèrent la démesure de ce combat. À plat ventre ou à genoux, les mains cramponnées à la boue, chacun tentait de résister à ce tremblement d'air qui secouait la terre. Les gorges étaient nouées, plus un mot n'était murmuré. Les corps étaient pris de secousses, les paupières clignotaient avec panique, les bouches mordaient les lèvres, les jambes se ramollissaient, les cœurs tapaient. Miangaly ne voyait plus son père. Les feuilles, le sable, les branches, et bien d'autres choses encore lui fouettaient le visage. Les yeux endoloris par le vent alourdi de toute cette matière, Miangaly s'accrochait désespérément à la main de Joro. Peu importe où il allait, peu importent les choix qu'il ferait, elle n'avait qu'une seule idée en tête, ne le lâcher sous aucun prétexte.

Ils auraient dû partir.

Alors que la tempête semblait être à son apogée, un tourbillon extraordinaire transforma le naufrage en ravage. Les arbres déracinés, les hommes traînés, les huttes envolées, les animaux écrasés. Joro n'avait plus la force. Joro faillit perdre son trésor. Ses doigts commencèrent à lâcher prise. Mais, au cœur de l'ouragan, une ombre puissante l'attrapa par le bras et le tira sur plusieurs mètres. La silhouette ne fit aucun bruit, aucun râle ne sortit de sa carapace indestructible. Joro ne disait rien, trop abruti par la folie de la nuit, par son souffle et par ses cris. Trop absorbé par sa seule obsession, ne pas couper le cordon entre lui et sa fille. Puis, après un temps qui ressemblait à l'éternité, une porte claqua et tout s'arrêta. Dans la pénombre de l'abri, chacun tentait de comprendre où il était et avec qui il se trouvait. Les regards pleuraient doucement les multiples couches de poussière afin d'éloigner la cécité. À la lumière d'une bougie, résistant aux courants d'air par magie, Joro trouva avec soulagement le visage de sa Miangaly. Ne parvenant pas à lui parler, il se contenta de la serrer fort contre lui. Puis, il chercha l'homme de l'ombre. Celui qui venait de les soustraire au chaos. Bako. Bako se tenait en retrait, la tête baissée et le corps courbé par l'épuisement. Il serrait contre son torse ses gros bras musclés qui tremblaient démesurément. Sa peau brillait à la lueur de la flamme. Ce n'était pas la sueur. Ce n'était pas la pluie. C'étaient les pleurs. Un trop-plein de larmes qui demandait plus que le coin des yeux. Un torrent de sanglots qui dégoulinait le long de son large squelette. Joro relâcha son étreinte et s'avança vers le jeune homme grelottant. Il ne remercia pas de vive voix l'homme qui venait de les sauver mais passa sa main derrière sa nuque et posa son front contre le sien. Tête contre tête.

Une accolade puissante pour déjouer la tourmente.

Miangaly mit quelques minutes avant de comprendre où elle était. Cette grotte miraculeusement épargnée par le cyclone était la maison des vazahas. La famille Lebrun était en effet la seule famille du village à posséder une maison bétonnée. Ici, les murs ne se contentaient pas de quelques feuilles de raphia ou de quelques bouts de bois superposés, il y avait des portes et même des serrures. Clémence et ses enfants étaient recroquevillés sur le grand fauteuil. M. Lebrun était absent, il était à Toamasina. Était-ce l'apocalypse à Toamasina ? Miangaly scruta les visages terrifiés qui se cachaient dans cette forteresse à la recherche de Fitia. Mais Fitia n'était pas là. Ni Tahiry. Ni Mamy. Ni Tiana. Elle reconnut Soa et se jeta dans ses bras.

Pour aller où ?

La nuit passa. La tempête continua. Parfois, elle semblait s'éteindre. Disparaître. Mais la minute d'après le vent prenait un nouveau souffle et le cauchemar se répétait, insatiable. Indomptable.

— Papa, il faut aller chercher Fitia. Il faut la ramener à l'abri avec nous.

— Chut, Miangaly. Chut…

Joro ne pouvait rien dire de plus, trop épuisé et trop effrayé. Dehors, des bruits horribles venaient mitrailler leurs oreilles ensablées. Des braillements de zébus agonisants, des sifflements aigus et acérés, des hurlements de douleur, des tirs non identifiés contre la porte de plus en plus fragilisée. Bako se leva et de Miangaly se rapprocha enfin. Il l'invita à s'asseoir sur le sol et l'enveloppa de ses bras et de ses jambes pour la protéger du mal venu les exterminer.

La journée passa. La soif et la faim, ils ne les ressentaient même pas. Les viscères contractés par cette angoisse insurmontable, l'esprit préoccupé par ceux qu'on avait laissés de l'autre côté, l'âme et le corps anesthésiés par tant de violence, chacun suffoquait dans son coin. Seul ou groupé, cela n'avait aucune importance, la détresse était la même. Épouvantable.

La journée passa et à la nuit tombée, le vent cessa sa plainte destructrice. Mais personne ne bougea. Pas encore. Il fallait être sûr que la colère du ciel s'en était allée. Que la vie n'allait pas leur échapper. Au bout d'une heure de calme et de silence, Miangaly sursauta.
— Fitia ! J'vais chercher Fitia !

À son signal, tout le monde se leva. À l'extérieur, le néant. Un voile moite et flavescent occupait l'espace et rendait l'obscurité claire et lumineuse. Une lune pleine et généreuse devait se cacher derrière les nuages fuyants. Une lune solidaire qui voulait éclairer le chemin vers les survivants. L'œil hagard et les jambes flageolantes, la poignée de réfugiés s'avança machinalement vers le village. Du moins, vers ce qu'il en restait. Des branches déchiquetées et des noix de coco éventrées tapissaient le sol labouré. Des tissus déchirés suspendus çà et là accentuaient cette impression de fin du monde. Quelques huttes avaient réussi à conserver un bout de cloison, un bout de toit ou un bout d'autre chose. Tout semblait morcelé, grignoté, ravagé. Le petit groupe déboussolé continuait d'avancer à petits pas. Des troncs énormes tutoyaient maintenant la latérite sanguinolente. À terre. Tout était à terre. Brisé. Des jarres fracassées, des sacs lacérés, des charrettes désarticulées. Et puis, sous une énorme pierre tombée du ciel, un bras. Un bras sans vie qui rejoignait un cadavre. Puis une jambe, pour une autre dépouille. Enchevêtrés sous les décombres, des dizaines de corps inanimés. Démembrés. Broyés.

— Fitia ! hurla Miangaly.

Le groupe se brisa. Chacun partit à la recherche des siens, ne se préoccupant plus de ceux qui dans la nuit leur avaient tendu la main.

— Fitia !

Miangaly souleva des montagnes de gravats. Elle retourna des morts qu'elle ne reconnaissait pas, libéra des lémuriens gémissant pour les rendre à la jungle, appela inlassablement les noms de ceux qu'elle aimait. Et, dès qu'une silhouette se relevait, elle accourait espérant la nommer, l'embrasser, la toucher. Mais ce n'était jamais ceux qu'elle attendait. Alors, insatiable, elle reprenait ses recherches et grattait la terre à s'en brûler la peau, à la recherche d'un nez, d'un regard, d'un parfum qui lui dirait que la vie pouvait continuer. Mais soudain, tout se figea. Suspendu comme par enchantement aux ramures du baobab puissant, un enfant. Un minuscule bonhomme d'à peine deux ans, dénudé par la tempête, gisait contre son flanc. Miangaly s'avança passionnément vers ce petit être qu'elle espérait vivant. Mais ce fut la mort qu'elle toucha. Rigide et glaciale. De toutes ses forces, elle tira le garçon vers elle et, sans réfléchir, s'agenouilla dans la boue et le plaqua contre elle. Elle entama alors le chant qu'elle offrait aux bébés morts. Elle hurla cette mélodie d'amour qui devait l'aider à passer de l'autre côté. Elle rugissait mais aucun son ne sortait, personne ne pouvait l'entendre. Sa haine était trop grande, la boule dans sa gorge trop résistante, toute cette horreur ne pouvait être extériorisée. Elle continua quand même. Pour lui. Pour elle. Juste un sanglot violent sans musique ni parole. Cet enfant, elle ne le connaissait pas. Il n'était pas du village. Sûrement de la localité voisine. L'ouragan avait dû le prendre dans son tourbillon meurtrier et avait dû le rejeter dans les griffes du grand arbre. Il l'avait balancé là. Balancé. Là. Miangaly l'imaginait volant dans les airs tourmentés perdu et désemparé et le serra plus fort encore pour le rassurer. Après de longues minutes, elle déposa l'enfant consolé sur un lit de racines et reprit ses recherches.

— Miangaly !

Cette voix. Elle la reconnaissait. Miangaly mit quelques secondes à voir celle qu'elle désirait tant. Elle l'aperçut enfin, au loin dans le brouillard de cette nuit ensoleillée. Elle avait ses deux bras et ses deux jambes. Sa peau était noire. Seulement noire. Pas une trace de sang. En vie. Sa cousine était en vie. Miangaly s'effondra. Fitia, dans les crevasses de la terre et sur son lit de misère, s'agenouilla. Elle prit dans ses bras celle qu'elle aimait tant et murmura à son oreille écorchée :

— Je vais bien. Nous allons bien. L'épicerie de Tahiry. Une vraie forteresse. Y avait maman, Tahiry,

Ravaka et plein d'autres. On était les uns sur les autres. On tremblait. On suffoquait. On. On. On.

Miangaly reprit connaissance et serra à son tour celle qu'elle avait appelée désespérément. Elle la serra avec force. Avec rage. Montrant au ciel qu'il n'avait pas réussi à tous les punir. Puis Miangaly sursauta.

— Et Mamy ? Mamy était avec vous ?

— Elle est morte. J'ai vu le vent la livrer au torrent.

Fitia éclata en sanglots. Ses pupilles horrifiées cherchant dans le néant un soupçon de répit.

— C'est fini, Fitia. Le cyclone nous a épargnées. Le cauchemar est terminé.

— Non. Il y a... Il y a tous ces corps à retrouver. Tous ces morts ! continua Fitia, hystérique. Y a même des bébés. Des bébés morts ! Empalés ! Pendus ! Des bébés morts ! Des...

— Pour eux, nous allons chanter, coupa la jeune femme à la voix d'or.

Avec le temps...
Avec le temps, va, tout s'en va
On oublie le visage et l'on oublie la voix
Le cœur, quand ça bat plus, c'est pas la peine d'aller
Chercher plus loin, faut laisser faire et c'est très bien

Avec le temps...
Avec le temps, va, tout s'en va[1]...

1. *Avec le temps*. Paroles, musique et interprète : Léo Ferré.

16

Dans la cuisine, où la troisième télévision de la maison venait d'être installée, la famille Hubert tentait à sa manière de se dégriser de sa cuite. Ou plutôt à la manière de Sylvie Hubert. Atelier nettoyage : dépoussiérer et décaper les objets pour se sentir plus léger. Mais cette formule ne convenait pas à tout le monde et, en raison de leur état d'ivresse avancée au lendemain de cette soirée, tous n'avaient pas la même façon de l'appréhender. Jacques, qui était censé récurer les bocaux, préférait la cuvette à l'évier qu'il auscultait sous toutes ses coutures chaque fois qu'il allait vomir les litres de vodka ingurgités. Sue Ellen qui tanguait de droite à gauche mais aussi d'avant en arrière cherchait sans cesse un endroit où se raccrocher. Elle avait commencé par essuyer les verres pour les libérer de leur voile de calcaire mais les casses répétées l'avaient obligée à passer au pliage du linge. Eva, de son côté, fixait l'écran animé afin de ne pas sombrer. Le sommeil pesait sur chacune de ses paupières, lourd et implacable, et le tri des tiroirs berçait de plus belle celle qui transpirait sa Zubrowka jusqu'au bout des orteils. Les bouchons dans le panier en osier. Les cure-dents dans le Tupperware. Les allumettes dans la boîte d'allumettes. Les punaises dans le bol ébréché. Les stylos dans la conserve vide qui trônait près du grille-pain. Cette ribambelle de choses minuscules lui donnait le tournis et l'envie de retourner dans son lit. À chaque coup de mou, l'adolescente se raccrochait à l'image multicolore et tentait de se réveiller stimulée par le stroboscope télévisuel. On ne parla pas de la soirée de la veille. La bouche trop pâteuse. Les souvenirs trop flous. Pas envie. Pas l'énergie. Trop de nostalgie. Un peu honte. La nuit s'en était mêlée et le lendemain était arrivé entraînant avec lui un dur retour à la réalité : cette soirée n'avait été qu'une parenthèse enchantée. Il leur fallait maintenant se réveiller. À quoi bon croire aux miracles ? Mieux valait se barricader d'obstacles. Pour avoir moins mal. Pour ne pas être déçu. Ils étaient quatre dans cette cuisine blanche et moderne, équipés de leurs casiers misérables et de leurs ustensiles stupides. Quatre à se résigner malgré un microscopique soupçon d'espoir. Ersatz.

Entre un slogan publicitaire et un feuilleton aliénant, un flash spécial vint extirper Eva de sa torpeur. Autour d'elle, personne ne bougeait. N'écoutait. Ne regardait. Trop concentré à s'acquitter de la tâche qui lui avait été confiée.

— Mon Dieu, bredouilla-t-elle.

— C'est pénible ces taches qui résistent, coupa Sylvie, indifférente à l'horreur qui se reflétait dans les yeux de sa fille.

Eva ne l'entendait pas non plus, absorbée par les commentaires qui décrivaient le cataclysme.

— Un cyclone. Des morts. Trois cent cinquante mille sans-abri. Trois cent… répétait Eva hébétée par la violence de ces chiffres.

Autour d'elle personne ne bougeait. N'écoutait. Ne regardait. Tous trop concentrés à s'occuper de leur petite personne, de leurs maux de tête et autres bobos, de leur moi en proie à des nausées insupportables. Puis, sans crier gare, Sylvie prêta enfin attention au drame qui se jouait.

— Où ça ?

— À Madagascar.

Enfin presque.

— Passe-moi le produit à vitres.

D'un bond, révoltée par ce flash insupportable et par l'indifférence des siens, Eva se dressa sur sa chaise, attrapa une poignée de punaises et mitrailla à l'aveugle la cuisine et ses occupants.

— Vous m'faites tous chier !

Les jours suivants, tandis qu'Eva ruminait ses multiples colères, le reste de la famille s'appliquait inconsciemment à retrouver les délices de la soirée polonaise. Chacun avait secrètement décidé, à l'insu de tous et d'eux-mêmes, de défier le mauvais sort et de mettre un soupçon de plaisir dans la grisaille de leur quotidien en assaisonnant leurs journées comme bon leur semblait. Sue Ellen décida de se consacrer à sa grande passion : l'informatique. Elle éclata sa tirelire, s'acheta un nouveau disque dur et se réfugia dans son monde virtuel. Nuit et jour. Ses parents ne lui dirent rien car ils ne virent rien. Chacun le nez dans son guidon à la recherche du grand frisson. Pour Jacques, l'obsession nouvelle était le corps. Son corps. Jusqu'ici chétif et invisible, il s'était senti présent lors de cette soirée décalée. Rien que ça. Ni imposant ni puissant, non, juste présent. Et cette sensation anodine l'avait grisé. Être à sa place, remarqué, consulté, un pur bonheur pour l'homme translucide. Il voulait que Sylvie le sente, que ses filles le voient, que ses empreintes imprègnent le sol du poids de sa chair. Être plein à nouveau. De désir, d'hystérie, de dérision, de force. Être en vie à nouveau. Envie. D'elle. De plâtrée de pâtes. De jeux idiots avec ses gamines. De se souvenir sans sombrer. De sentir ses poings se serrer. D'avoir une carapace de tueur pour écrabouiller le malheur. Afin de poursuivre cette quête de l'être, Jacques décida de s'inscrire à Body's Power. Un centre de remise en forme dernier cri, équipé des meilleurs appareils et des meilleurs programmes du marché. Au menu : Power Plate®, Bike, GMP4.14, Body Pump. Sans oublier leur best-seller, la Proellixe Vibrorollage®, une plate-forme oscillante pour tonifier les fessiers, affiner la silhouette, remodeler le corps et réduire l'aspect peau d'orange avec, en prime, aucune transpiration et aucune fatigue musculaire.

Sylvie, malgré sa gueule de bois, s'était découvert une passion pour la Zubrowka. Au début, timide et gênée, elle avait essayé de se retenir, de faire sans. Mais rien à faire, elle n'arrivait pas à se dérider et à s'amuser comme la dernière fois. Prisonnière de son armure, elle commençait à étouffer. Il lui fallait de l'air. Un verre pour déposer les armes et goûter à nouveau à l'insouciance de sa vie d'avant. Un verre pour faire comme si Léo était toujours vivant. Faire illusion pour ne pas se faire sauter le caisson. Perdre un peu la raison pour vivre un jour de plus. Survivre. Rien ni personne ne pourrait jamais lui rendre ce qui lui avait été volé. Jamais. Condamnée à souffrir, Sylvie venait de découvrir un puissant anesthésique : la vodka. Et puis elle avait envie de revoir Olenka. Après quelques jours d'abstinence, la mère abandonnée avait finalement répondu à l'appel de l'alcool. La voisine accentuée l'avait reçue les bras ouverts et elles avaient bu le thé. Sylvie n'osa pas demander ce qu'elle était venue chercher et elle commença à trembler. Olenka s'en aperçut et lui proposa une vodka.

Sylvie acquiesça. Un verre. Puis deux. Pour finalement oser demander :

— C'est excellent. Vous n'auriez pas une petite bouteille à me dépanner ? C'est juste parce que ce soir on reçoit du monde. Je voulais leur faire goûter.

Le soir, il n'y eut personne à la maison. Et le lendemain, Sylvie Hubert remplissait son chariot de vodka premier choix.

À la maison, tout ne tarda pas à être sens dessus dessous. La famille avait fini par disjoncter. Sue Ellen, d'ordinaire trop présente, passait désormais tout son temps dans sa chambre le cul sur sa chaise et le nez devant un écran. Jacques avait troqué ses vieilles chemises trop amples contre des tee-shirts moulants en Gore-Tex®. Hydrophobes et respirants, il ne jurait plus que par eux et, lui qui d'habitude avait l'art de passer inaperçu, défilait matin et soir afin d'exposer à la communauté sa gonflette de survie. Sylvie, qui avait toujours été froide et rigide, se déhanchait exagérément et s'esclaffait pour un oui ou pour un non.

Au milieu de ce bordel familial, qui au début l'avait plutôt réjouie, Eva avait fini par se perdre. Les vieilles cicatrices d'un petit frère disparu n'excusaient pas tout. Elle avait été patiente et indulgente. Elle avait raisonné son cœur et supporté la douleur. Le sang dans ses veines s'était mis à circuler au ralenti, ses lèvres s'étaient figées pour faire place au silence, ses yeux compatissants avaient transformé la névrose de ses parents en folie douce. Mais là, ils dépassaient les bornes. Ils avaient même réussi à oublier son anniversaire. Ses seize ans. Seize années dans un foyer givré. Givré dans tous les sens du terme.

Eva, à bout de forces, se réfugia chez Olenka pour des journées ponctuées de cuisine et de 33 tours grésillants. Sa recette préférée : le bigos. Du chou, des saucisses, de la sauce tomate, des oignons, du paprika. Une choucroute polonaise pour compenser les lacunes affectives de cette famille qu'elle rêvait obèse. Sa tribu, elle l'aurait voulue tout en rondeur et pleine de saveur avec des poignées d'amour et une poitrine généreuse. Avec des plis douillets dans lesquels se réfugier et des fesses bien rondes pour amortir les chocs et encaisser les coups de la vie et des années. Mais tout cela n'était qu'un rêve et lorsqu'elle se réveillait, c'est un squelette qu'elle voyait. Sec et fragile sans aucune prise pour s'accrocher.

17

Dans l'œil du cyclone, Bako avait perdu un père et le village un chef.

Dans la violence et la tourmente, des vies s'en étaient allées. Envolées, comme des feuilles cueillies par le vent. Mamy s'était transformée en feuille et avait suivi le lit du courant pour rejoindre l'autre côté du monde et reposer son corps vieillissant.

Dans la nuit gorgée de soleil, la terre avait été dépossédée de ses racines, les hommes de leurs abris et les animaux de leur jungle.

Des semaines pour reconstruire leurs cahutes.
Des mois pour se vider de leurs larmes.
Des années pour survivre malgré le drame.

Et puis, la vie avait repris le dessus. Parce que c'était comme ça. Parce qu'il y avait des bêtes à nourrir et des champs à entretenir. Parce que le temps avait réussi à panser les blessures les plus virulentes et à sculpter de solides cicatrices. Douloureuses mais ardentes. Vivantes. Parce que le soleil continuait de se lever.

Miangaly l'adolescente était maintenant une femme. Dix-huit années, dix-huit printemps, dix-huit coquillages à son poignet.

— J'aime sa peau.
Bako. Le temps d'un ou deux coups de chaud et de corps à corps enivrants. Des frissons à l'embrasement. De l'excitation à l'épuisement. De la main à la bouche. Bako. Du fantasme à l'orgasme. De la caresse aux griffes. Bako et son short. Bako sans son short.

— J'aime quand il fond dans ma bouche.
Le chocolat. Et ses petits carreaux précieux. Un pour toi, un pour moi. Surtout le savourer et ne pas le laisser s'échapper. Garder caché au creux de son palais la saveur merveilleuse de ce trésor cacaoté. La tablette parée de sa robe d'argent se déshabille doucement. Voluptueusement. Les bouches salivent. Les poitrines suffoquent. Les regards vacillent. Un seul petit carré pour une seconde d'éternité.

— Plus fort. Encore plus fort.
De la musique. Encore et encore. Plus de son. Plus de notes. La radio grésille. Au loin, dans les rizières, les femmes chantent leur douleur les pieds dans la boue. Au pied du manguier qui l'a vue naître, la jeune chanteuse répète inlassablement les mots de l'autre monde. Des paroles de là-bas avec une voix d'ici. Ici et maintenant. Chante, rossignol, chante !

— Quelle belle culotte.

La lingerie *La Redoute*. De belles dentelles et de jolis nœuds. Un string noir sur des fesses blanches. Et un string blanc sur des fesses noires ?

Dix-huit. Un mètre soixante-huit. Miangaly dépassait maintenant Tiana. Des centaines de tresses dessinant ses cheveux, la jeune femme dansait sous la pluie. La pluie et sa musique. Ses perles musicales qui valsaient sur la tôle les jours d'orage. Miangaly s'accordait à leur partition sauvage et leur offrait sa voix pour un concert unique et inimitable. Jamais le même. Des notes que l'on sème. Pour que l'on s'aime.

— Je t'aime, papa, mais je vais partir.

Partir vers l'autre monde voir si la terre est ronde. Aller à la rencontre de ces ondes qui étaient venues jusqu'ici. Miangaly avait choisi. C'était en France qu'elle irait. Pas tout de suite. Ni demain. Mais un autre jour. Un jour de pluie sûrement, pour suivre le murmure de cette mélodie lointaine qu'elle voulait faire sienne. Elle mettrait dans la valise d'Hanitra un peu de terre de Madagascar pour être près des siens. De la glaise rouge. Pour se rappeler le sang de sa mère de l'autre côté de la mer.

18

No woman no cry.
Du Bob saupoudré de Marley,
Pour des années lycée
Où le pétard se fume à la récré.

Eva passe de la première économique et sociale à la terminale littéraire. Problème d'orientation qu'on ne remarque même pas à la maison. Quelques cours séchés, des DS[1] bâclés et des profs déprimés. Une cigarette. Un joint. Herbe ou shit, peu importe pourvu que ça fasse du bien. Eva cherche toujours sa place entre l'homme invisible devenu Monsieur muscle et la mère de glace transformée en vodka frappée. De toute façon, ce n'est pas important, tout ça. On s'en fout, des parents. C'est tous des cons.

Foxy lady.
Jimmy, t'as pas vu Hendrix ?
Les copains grattent leur basse pour se remplir de son,
Les filles s'endorment sur les poufs de la salle de répétition.

---

1. Devoirs surveillés.

Quand médiator rime avec corps. Les mecs dans le grenier répètent les mêmes morceaux. Sous leur tee-shirt, une peau moite et rebelle qui vibre en accord. Corps accord. Les cordes des guitares sous leurs doigts experts. Eva fait partie des groupies et fond pour celui qui joue de la batterie. À chaque coup de grosse caisse, elle tremble comme une cymbale.

Come as you are.
À la recherche du Nirvana.
Fantasmes pour nuits torrides,
Le cœur tape et les mains dérapent.

Une ado pas encore femme dans un corps chargé d'hormones sniffant de la testostérone. Elle renifle et se frotte mais ne va pas plus loin sur la route du plaisir. Le désir lui suffit et les rêves humides aussi. Elle n'a pas peur, ce n'est pas ça. Ce n'est pas du dégoût non plus. Au contraire. C'est juste cette étrange fraîcheur. Il y a comme du givre sur son cœur et sur sa peau. Des milliers de microscopiques flocons qui font barrage. Quand on la touche, ça pique. Comme un engourdissement sous la neige qui paralyse et qui picote. Ainsi la jeune femme réfrigérée préfère se contenter d'images sous THC[1]. Droguée et artificiellement comblée, elle attend patiemment que la malédiction de la mère de glace soit levée.

I shall not walk alone.
Ben Harper berce la mélancolie.

---

1. Tétrahydrocannabinol : molécule au caractère psychotrope contenue dans le cannabis.

Ses chansons tournent en boucle. Amères.
Pour ne pas marcher seul. Espère.

Tour d'ivoire plantée dans cette formule majeure ponctuée de dealers, la maison rose et chocolat d'Olenka. Havre de paix, à l'abri du pire, le cocon slave est toujours là. Doré et parfumé. Eva y va souvent. Puis n'y va plus. Puis revient et ne veut plus en partir. Une bouffée d'air. Une caresse qui panse. Un gâteau moelleux qu'on déguste encore chaud. Un asile loin de la folie du dehors où les théières fumantes se moquent du temps qui passe. Avec sa poupée polonaise dans la main, Eva n'a pas peur d'avancer vers demain.

ADULTE – ERRANCE

Est-ce que les gens naissent
Égaux en droits
À l'endroit
Où ils naissent ?

Maxime Le Forestier – *Né quelque part*

1

Dans son échoppe, vissé au milieu de ses épices et de ses caisses poussiéreuses, Tahiry tentait désespérément d'attraper une boîte perchée en haut de l'étagère. La chaise branlante craquait et les pieds du vieil homme vacillaient. L'épicier, que Miangaly avait toujours connu vieux, était maintenant un vieillard recroquevillé. Un ancêtre sans âge sillonné par le temps qui s'avançait de jour en jour vers le monde des razanas. Mais Tahiry travaillait toujours dans sa cahute usée et crasseuse. Le sel avait souvent le goût de sucre et les noix finissaient mangées par les vers mais le boutiquier qui n'avait pas d'enfants refusait de voir un étranger, c'est-à-dire tout le monde excepté Bako, toucher à ses provisions. Bako qui n'avait aucune envie de s'enfermer entre ces planches et qui rêvait d'être le plus grand pêcheur de la côte. Alors, Tahiry continuait à tourner au milieu de son trésor érodé et faisait comme si de rien n'était. « Comme si », c'était la devise du vieux.

— Miangaly, avait-il confié un jour à la jeune femme, dans la vie, il y a une seule chose à retenir : il faut faire comme si.

— ... ?

— Si un jour, la gamelle est vide, il faut faire comme si elle était pleine. Ça fait pas de mal et ça peut même faire du bien. Si la maladie te grignote, il faut faire comme s'il existait un remède. Et si un jour l'amour te quitte, il faut faire comme si...

— Comme s'il n'était pas parti, termina Miangaly.

— Ou déjà revenu.

Tahiry attrapa finalement la boîte convoitée, du lait concentré sucré périmé. Il cala son fauteuil bancal avec une chute de bois, perça la ferraille rouillée et porta le nectar parfumé à sa bouche. Aux premières gorgées très liquides, succéda une pâte épaisse qui ne voulait plus passer par le petit trou perforé. Frustré et affamé, Tahiry mitrailla le couvercle à coups de couteau et parvint à aspirer la sève blanche. Tétant goulûment sa conserve décrépite, il ne vit pas l'homme qui rampait devant la masure.

Le visage et le corps couverts de latérite rouge et brillante, un géant couché sur le sol tentait d'avancer vers l'épicerie. Mais, abandonné par les dernières forces qui l'animaient, le colosse se rendit à la terre et l'embrassa le souffle court. Chauffé par le soleil et prisonnier de la boue, l'homme ne bougeait plus. Dans sa cabane, Tahiry, épuisé par son épopée lactée, entonna les premiers ronflements d'une sieste qui s'annonçait longue et profonde. Les vrombissements du vieillard s'amplifièrent, l'astre lumineux s'approcha de son zénith et la statue embourbée commença sérieusement à se figer. Miangaly, qui rentrait de la rivière avec le panier de linge en équilibre sur sa tête, aperçut cette masse écarlate devant la cabane de son ami. Elle pensa d'abord à un gros tas de tissus. Des vieilleries que Tahiry débarrassait. Mais plus elle avançait, plus cet amas terreux l'intriguait. Plus le corps se dessinait. Un corps immense.

— Un corps ! finit par réaliser Miangaly. Un homme à terre ! hurla-t-elle en ce début d'après-midi inerte et désert.

Personne ne lui répondit car personne ne l'entendit. Sans réfléchir, elle balança sa corbeille et se mit à courir vers l'épicerie. Une fois l'homme à ses pieds, elle s'arrêta. Ses cris, son agitation, son inquiétude s'envolèrent. L'être étendu respirait. Son dos massif bougeait lentement au rythme de ses inspirations. Ses mains immenses tremblaient doucement. Rassurée par cette vie qui vibrait, Miangaly essaya de reconnaître celui qui, dans la boue, gisait. Mais le géant à la peau d'argile avait quelque chose d'étrange. D'étranger. Une chevelure d'ange. Épargnés par la fange écarlate, ses cheveux étaient d'or. Une merveilleuse crinière ambrée à la fois épaisse et légère. Miangaly resta un moment à contempler cette coiffure qu'elle n'avait vue que dans ses magazines. Elle observa ses reflets et sa lumière, se demandant comment elle avait pu attraper le soleil. Elle voulut la caresser pour savourer sa douceur et comprendre cette lueur mais lorsqu'elle s'approcha, le géant sursauta. Miangaly recula d'un bond et s'immobilisa. Le colosse d'argile se mit à murmurer des mots inaudibles. Il parlait à voix basse et Miangaly n'entendait rien. Elle voyait juste ses lèvres bouger et ses paupières trembler. Elle s'avança prudemment en se concentrant sur ses syllabes épuisées.

— O… O…

Le premier phonème se répétait inlassablement. Miangaly, frustrée de ne rien comprendre au langage de l'étranger, tenta de le faire parler :

— O… quoi ? Orange. Océan. Orchidée. Orteil ! Vous avez mal à l'orteil !

— O… O… O…

— O… Oreille. O… O… Eau. Eau ! De l'eau ! Vous voulez de l'eau ! Quelle imbécile… Je… De… Dans… Les crocodiles…

Paniquée et désorientée, Miangaly piétinait et radotait. Tout en prenant conscience qu'il lui fallait de l'eau pour cet homme agonisant, elle se rappelait la légende du lac d'Antanavo. Celle où le village fut inondé à la suite du refus des villageois d'offrir de l'eau à un voyageur et où les habitants se seraient réincarnés en crocodiles.

— Crocodiles.

C'est en répétant ce mot une deuxième fois que la jeune femme finit par réagir affolée à l'idée que la malédiction pourrait s'abattre sur elle et sur son peuple. Elle enjamba le corps, entra dans l'épicerie, bouscula Tahiry et attrapa un des seaux alignés sous la banque. Dans la précipitation, elle renversa quelques piles de marchandises et coupa court aux ronflements du vieux dormant. Dehors, sans prendre le temps de la réflexion, Miangaly balança le contenu du récipient sur la tête de l'étranger. L'homme se mit à tousser et à grogner. Puis, d'un coup, il se retourna et se retrouva sur le dos, victime de violentes secousses. Des spasmes. Comme s'il s'apprêtait à vomir. Tahiry, alerté par tout ce tintamarre, sortit voir ce qu'il se passait.

— Mais. Miangaly. Ce seau, c'est…

— Ça pue !

— Bien sûr que ça pue ! C'est tous les fonds de bouteille que je récupère pour faire ma potion anti-parasites. T'en as fait quoi ? Elle est... Non ! Vite, de l'eau !

Tahiry se jeta sur le grand bidon qui jouxtait la cahute et en tira un seau d'eau de pluie. Il renouvela l'opération plusieurs fois afin de libérer l'homme de cette infâme bouillie et, par la même occasion, lui ôter son cataplasme incandescent. Sous la croûte de terre, un homme blanc respirait. Un visage pâle orné de boucles blondes et d'un nez fin parfaitement dessiné. Miangaly, les yeux écarquillés, contemplait ce jeune vazaha étendu à ses pieds. L'étranger était beau. Beau de ce qu'elle ne connaissait pas. Sa peau d'opale l'éblouissait. Ses poils blonds l'intriguaient. Ses lèvres claires l'attiraient.

— Miangaly, mais qu'est-ce que tu fais ? Réveille-toi ! Il faut l'aider ! gronda Tahiry. Je vais relever sa tête pendant que tu le feras boire. Vas-y doucement...

La jeune femme s'exécuta.

— Va chercher de l'aide, il faut l'abriter du soleil et le rafraîchir, il est bouillant.

Joro et Bako furent rapidement sur place et s'occu-pèrent d'installer l'homme blanc sur la couche de l'épicier. Les bras ballants, Miangaly ne réagissait tou-jours pas. Hypnotisée par cet ange immense, elle l'observait et l'admirait.

— Miangaly ! finit par s'énerver Tahiry. Il faudrait te réveiller maintenant ! On a un homme à sauver ! Allez ! Va chercher de l'eau fraîche au puits et reviens vite. Tu mettras ces quelques feuilles de menthe poi-vrée dedans, tu prendras ce linge et tu le frictionneras de la tête aux pieds. Il faut le réveiller, ce Blanc. Bako, file chercher l'ombiasy. Il faut le soigner. Trouver le remède. Le remède. Le…

Le vieillard, secoué par ce trop-plein d'émotion, dégringola doucement sur un tabouret.

Joro lâcha le géant pour Tahiry, le rassura en lui expliquant qu'il prenait désormais les choses en main et l'accompagna vers le hamac qui se reposait à l'ombre d'un manguier.

Miangaly, de retour à l'épicerie, se retrouva seule face à l'étranger à moitié dénudé. Elle se dépêcha de préparer la potion et s'approcha du corps endormi. À genoux, les mains hésitantes, la femme ébène commença à frotter l'homme qu'elle devait ressusciter. Gênée et empotée, elle ne parvenait pas à s'éloigner de ses pieds. Elle massait ses orteils, ses talons, ses chevilles et, une fois au niveau des mollets, redescendait et reprenait là où elle avait commencé. Elle n'osait pas remonter et s'aventurer sur ces dunes immobiles et laiteuses. Elle n'en avait pas la force. Elle prit alors une grande inspiration et se mit à fredonner. Ses doigts commencèrent à se détendre et sa gorge finit par se dénouer. Réconfortée par cette vibration musicale, la belle se mit à chanter pour l'homme qu'elle ranimait. Et ses mains violèrent les frontières qu'elles s'étaient fixées. Lorsque Bako arriva avec l'ombiasy, le vazaha était assis sur son lit de fortune. Massif et luisant, il fixait celle qui venait de le caresser de la tête aux pieds. Miangaly, toujours agenouillée, se rafraîchissait avec ce qui restait de potion. Bako la dévisagea. L'ombiasy s'approcha, sans remarquer le drapé insolent qui trônait entre les jambes du malade.

— Tout le monde dehors, ordonna-t-il. Cet homme a besoin de repos.

Miangaly se releva et sortit le regard baissé, rêvant de lèvres claires et de baisers cuivrés. Bako, l'air méprisant, passa devant elle sans un mot et s'en alla à la pêche pour calmer ses tourments.

2

Eva le vit pour la première fois. Rapidement. Elle souhaitait fêter son premier jour de fac avec Olenka. Il partait, elle arrivait. Sur le pas de la porte, ils se croisèrent. C'était un petit gars trapu, coiffé d'une casquette rouge et chaussé de santiags ringardes. Il avait l'air vieux mais ne l'était pas. C'était son nez cabossé ou peut-être son accoutrement démodé qui le vieillissait prématurément. Il ne portait pas de lunettes et ses grands yeux noirs dévisageaient quiconque s'aventurait dans son regard charbonneux. Eva, sentant ses pupilles sombres chercher les siennes, baissa la tête et le salua rapidement. Une fois à l'intérieur, elle souffla, soulagée que cet inconnu quitte sa maison d'adoption. Mais l'angoisse remonta. Implacable. Venimeuse. Une gifle dévastant la joue et démontant le cou. Un choc. Un uppercut. Ce qu'elle voyait était insensé. Insupportable. Olenka pleurait et tentait de cacher ses yeux gonflés de larmes derrière des verres fumés. Mais ses lunettes ridicules ne parvinrent pas à noyer le poisson, au contraire, elles l'appâtèrent.

— Ça va pas ?

Olenka ne répondit pas. Olenka ne sourit pas. Son visage incolore sembla se figer, moulé pour l'éternité dans un plâtre triste et décrépi.

Eva l'avait déjà vue ainsi mais elle n'avait rien osé dire. Elle avait préféré ignorer ses pommettes humides et son nez larmoyant. Elle s'était contentée de venir et de la faire rire pour ne pas laisser le mal se propager. Pour chasser la tristesse. En fait, elle ne voulait pas vraiment savoir ce qui se cachait derrière le sourire estropié de sa reine. La maison d'Olenka était son cocon. Son poumon. Elle ne voulait pas laisser de mauvaises ondes s'infiltrer et tout saccager. Ce n'était qu'un mauvais moment à passer, voilà tout, et bientôt tout redeviendrait comme avant. Et puis, même si la belle Slave oubliait de mettre de la cannelle dans ses spéculos et si ses jupes se portaient maintenant froissées, c'était toujours mieux que dans le reste du monde. Eva savait que tout s'arrangerait dans quelque temps, alors à quoi bon parler de cette mélancolie passagère et gâcher le moment présent. Et puis, il y avait cet homme qu'Olenka avait rencontré et dont elle lui avait vaguement parlé. Quand elle prononçait son prénom, ses yeux brillaient. C'était peut-être cela tout simplement. La maladie d'amour. Peut-être. Peut-être pas. Ou pire que ça.

Olenka réajusta ses lunettes et vida son trop-plein de tristesse dans un mouchoir en dentelle. Elle fourra ensuite le bout de tissu dans sa manche, passa la main dans ses cheveux pour faire semblant de les coiffer, arpenta quelques mètres carrés de moquette à la recherche d'un nœud pour les attacher, n'en trouva aucun et s'immobilisa finalement dans la cuisine. Eva, muette, la suivit. Devant la gazinière, les deux femmes se tenaient côte à côte. Sweat-shirt vert contre tunique rouge. Eva tira quelques minutes sur son pull kaki, pour faire un truc en attendant de retrouver sa langue qui s'était enfouie dans le fond de sa gorge et obstruait sa trachée. Sa langue qui supportait tant de questions affolées qu'elle avait préféré disparaître dans les méandres impénétrables de son gosier stressé. Eva hésita donc un moment, luttant contre cette glotte asphyxiante. Elle voulut se taire comme d'habitude, ne pas savoir et faire comme si, mais elle finit par demander :

— C'est lui qui t'a fait pleurer ?

— Pierrrot ? Mais non ! C'est mon ami.

— Alors, qu'est-ce qui va pas ? Ça fait des semaines que t'es bizarre.

— Mais non. Allez, parlons de ta rrrentrée.

Une fois dans le salon, au milieu des tapis et des coussins brillants, Eva, qui avait réussi à dénouer les nœuds qui la bâillonnaient, reprit son interrogatoire. Olenka, à bout de force, finit par s'énerver. Elle se leva d'un bond, attrapa une pile de vieux magazines et fit mine de les trier. Les feuilles volaient, Olenka s'agitait et Eva refusait de lâcher.

— C'est lui ! J'suis sûre que c'est lui ! T'es jamais comme ça d'habitude.

— Ça suffit, Eva ! C'est ma cousine ! Ça fait des mois qu'elle est malade et samedi, elle est morrrte ! Voilà ! T'es contente ! Rrrentrrre chez toi maintenant ! S'il te plaît.

Les jours passèrent mais le malaise s'installa. Eva n'osait plus retourner chez Olenka. Elle rentrait tard de l'université et s'enfermait directement dans sa chambre pour éviter les repas de famille abrutissants et les nouvelles du jour qui la minait tout autant. Un pétard et au lit, rien de tel pour ne plus se faire de souci. Au bout d'une semaine, Eva se décida à retourner chez son amie. Pierrot était encore là mais ne semblait pas vouloir partir cette fois-là. Olenka s'excusa et l'invita à boire un coup. Eva accepta, même si elle ne croyait pas un mot de cette histoire de cousine et se méfiait toujours du courtisan aux bottes de serpent.

Les semaines s'enchaînèrent à une vitesse folle mais chez la Polonaise tout s'était figé. Dans la maison colorée, tout semblait s'être arrêté. Olenka ne cuisinait plus. Olenka ne dansait plus. Olenka n'était plus qu'une triste quinquagénaire qui ne colorait plus ses cheveux d'or, ne riait plus aux éclats et se laissait porter par un homme trop gras. Pierrot vivait maintenant chez Olenka et ouvrait des boîtes de cassoulet pour les repas. Eva essaya à plusieurs reprises de faire parler sa poupée slave et la harcela de questions qui restèrent sans réponse. Sauf la dernière qui trouva finalement un écho. Dévastateur.

— Ça suffit ! Je l'aime et puis c'est tout.

Eva avait dû quitter la maison trop abasourdie par ce qu'elle venait d'entendre. Trop perturbée par ce qu'elle n'arrivait pas à comprendre.

De retour chez elle, Eva trouva toute sa petite famille réunie devant le journal du soir. La marche blanche occupait la scène cathodique dénonçant les horreurs de Marc Dutroux. Des centaines de milliers de personnes défilaient en silence à Bruxelles afin d'exorciser ce drame monstrueux. Rappel des faits, photos des victimes, description de la geôle, images de la maison de l'épouvante, gros plan sur la moustache du pédophile.

— C'est quoi un pédophile ? demanda Sue Ellen qui à quatorze ans ne connaissait rien des choses de la vie. C'est un pédé ?

— Mais non Sue, répondit Jacques, prêt à l'explication pédagogique, c'est un homme qui, à la suite d'un dérèglement psycholo...

— C'est un porc qui a besoin du cul des petits enfants pour bander. C'est un mec à qui il faudrait couper la queue. C'est...

— Eva ! Tu... Tu... File dans ta chambre ! hurla le père de famille aux biceps proéminents.

Sylvie se leva finalement et, sans sourciller, gifla sa fille. En furie, remplie de haine et de dégoût pour cette vie qui petit à petit se disloquait, Eva claqua la porte sans un mot de plus. Elle partit rejoindre son dealer et ses promesses de vie en rose colorée de pigments artificiels. Il lui fallait des rêves. Il lui fallait des fous rires. Il lui fallait du plaisir. Même si demain serait le même jour en pire.

3

— L'homme blanc était mort. Miangaly l'a ressuscité.

— Le géant est un ange.

— Ses cheveux sont couverts d'or.

Le téléphone arabe fonctionna à merveille et, à la fin du jour, tout le monde croyait au miracle. Autour de l'épicerie, les badauds rôdaient à l'affût du moindre mouvement. L'échoppe ne désemplissait pas et chacun trouvait une bricole à acheter pour tenter d'apercevoir le colosse opalescent. Une cigarette, cinq allumettes, un verre de riz, trois morceaux de sucre… puisque ici tout se vendait à l'unité. Tous se penchaient et se tortillaient pour voir qui se cachait derrière le rideau crasseux. Mais les curieux repartaient bredouilles et laissaient la place aux suivants qui n'avaient de toute façon rien de plus important à faire.

Tahiry finit par appeler Clémence mais à Clémence, le Blanc ne parla pas non plus. Il se contenta de la suivre jusqu'à sa maison, soutenu par deux jeunes du village. Pascaline et Pierre-Louis, furieux d'avoir dû libérer leur chambre pour cet inconnu, firent mine de se chamailler près de lui, histoire de le bousculer un peu. Mais l'étranger ne broncha pas et les deux gamins dépités s'en allèrent éclater des mangues sur les microcèbes[1] moqueurs.

— Tenez, avalez ça, c'est un antibio à spectre large. Vu votre mine, ça ne pourra pas vous faire de mal ! L'ombiasy pense que vous avez fait une crise de palu.

L'homme épuisé s'allongea. Il dormit vingt-deux heures. À son réveil, près de sa couche, une jeune femme le veillait tout en triant les grains de riz. Minutieusement, elle auscultait son tamis afin d'y dénicher les petits cailloux qu'elle jetait un par un. Lorsqu'elle releva la tête, il la reconnut.

— C'est vous, murmura-t-il.

— Mais… Vous… Parle… Il parle !

Effrayée par ce Blanc causant, Miangaly se releva d'un bond, balança sa gamelle sur le sol et courut chercher Mme Lebrun.

L'homme paraissait avoir récupéré. Ses joues avaient rosi, ses yeux n'étaient plus vitreux et dévoilaient tout l'éclat de leur bleu, ses mains avaient cessé de trembler et les cases de son cerveau semblaient être à la bonne place. Il raconta à Clémence ses mésaventures et la pria de le laisser repartir au plus vite. Elle apprit ainsi qu'il était en prospection dans la région d'Anandrivola lorsqu'une crise terrible le cloua à terre en pleine forêt. Vraisemblablement la malaria. Des heures et des heures de supplice puis une sorte de délire fiévreux au cours duquel il se remit en marche. Désorienté dans sa tête, il se perdit dans la jungle et

_____

1. *Microcebus myoxinus :* lémurien et plus petit primate au monde.

erra plusieurs jours sans boire ni manger, complètement sonné par ce mal qui l'aliénait. Sa dernière image : l'épicerie de Tahiry où il s'effondra.

— Bon, maintenant, je dois partir. Stéphane doit être fou d'inquiétude.

— Partir ? Stéphane ? Mais vous tenez à peine sur vos jambes.

— Merci pour tout. Vous remercierez le vieux pour moi. Et la jeune femme qui était près de mon lit aussi.

— Mais vous vous êtes regardé ? Il est hors de question que je vous laisse repartir ainsi. C'est de la non-assistance à personne en danger. Vous êtes encore en plein délire. Allez, recouchez-vous !

— Non merci, je vais y…

— Vous allez nulle part ! Mathieu ! appela-t-elle. Mathieu ! Je vous préviens, mon mari était champion de lutte gréco-romaine au lycée, si vous passez cette porte, il vous pulvérise. Est-ce que c'est clair ?

M. Lebrun, petit barbu sec et plutôt chétif, entra dans la chambre du géant.

— Qu'est-ce qu'y a mon canari ? demanda-t-il de sa voix de crécelle.

— Ce soir, tu veilles l'étranger. S'il passe la porte, tu le mets à terre.

— … ?

Le malade coupa la parole à son gardien muet.

— Premièrement, je ne suis pas un étranger. Je suis un zanatany[1]. Deuxièmement, votre molosse de mari peut retourner se coucher, je ne m'enfuirai pas ce soir. Par contre, demain à la première heure, rien ni personne ne m'en empêchera.

---

1. « Fils de la terre » : vazaha né sur la grande île.

Le lendemain, une pluie torrentielle réveilla le village. Le vazaha sursauta, dégoulinant de sueur et suffocant. D'un bond, il se redressa. Face à lui Miangaly, debout et immobile, une noix de coco dans la main.

— C'est pour vous.

Elle s'approcha pour lui donner le fruit. Il s'approcha pour attraper ce fruit. Elle ne le toucha pas et pourtant. Pourtant l'extrémité de sa main tendue se mit à frémir. Il ne la toucha pas et pourtant. Pourtant tout son corps vibra.

Par contre demain à la première heure...

La pluie lourde l'encerclait. La belle qui l'avait ranimé l'observait.

... rien ni personne ne m'en empêchera.

— Je m'appelle... Je... Miangaly. Et vous ? s'emmêla la jeune femme.

— Diego.

— Diego, fredonna Miangaly. Diego.

— Je dois y...

La belle Malgache ne lui laissa pas le temps de finir. Ni le temps de s'enfuir. Cette vibration. Ce géant. Ce prénom. Son ventre chaud se mit à souffler un air venu du plus profond de l'âme. Un chant puissant et indomptable qui se propageait à l'infini.

Diego, libre dans sa tête
Derrière sa fenêtre
S'endort peut-être...

Et moi qui danse ma vie

284

Qui chante et qui rit
Je pense à lui[1]...

Diego perdit l'équilibre. Désorienté, il s'accrocha à une poutre bancale qui acheva de le faire tomber. Il s'écroula de tout son poids sur le lit de fortune des gamins. Tout explosa. Le sommier mal fichu. Elle. Lui. En quelques secondes, toute la magie s'envola et le chaos s'installa. Miangaly s'était tue. Elle jeta un dernier regard à ce Blanc maladroit puis sans un mot de plus partit vers la sortie. Diego, déboussolé par cette aria extraordinaire, mit plusieurs minutes à réaliser ce qui venait de se passer. Lorsqu'il émergea, les gouttes d'eau ne tapaient plus contre la tôle et le taxi-brousse prêt au départ klaxonnait. Diego secoua la tête, attrapa le tee-shirt que Clémence lui avait donné et courut jusqu'au véhicule déjà bondé. Juste avant d'embarquer, il bouscula une jeune femme du village. Fitia commença à l'insulter quand elle réalisa que son agresseur était grand, blanc et blond. Le zanatany essoufflé se retourna et s'excusa.

— Pardon. Excusez...

Le chauffeur fit ronfler le moteur plusieurs fois, signe de départ imminent. Diego sauta dans la voiture et se dépêcha de demander :

— Mademoiselle, si vous voyez une femme qui s'appelle Miangaly, dites...

Le moteur se mit à pétarader. Bruyamment.

— Dites-lui que je...

Exagérément.

---

1. *Diego, libre dans sa tête*. Paroles et musique : Michel Berger ; interprète : Johnny Hallyday.

— Je suis Dieg…

Le bâché[1] se mit à rouler inondant de son vacarme les alentours. L'étranger essaya de crier plus fort mais l'ouïe paresseuse de Fitia ne déchiffra pas tous les mots.

— Je… rabe… zob.

Le véhicule s'éloigna. Le calme revint. Et Fitia cracha :

— Espèce de gros dégueulasse !

Fitia chercha Miangaly toute la journée et la trouva au début de la nuit. Au pied du grand baobab, la cousine maladroite rompit le charme.

— Ce vazaha, c'est un porc comme les autres. Il m'a dit que tu voulais du rabe de zob.

---

1. Pick-up 404 Peugeot.

4

Eva, au volant de la voiture de son père, roulait au pas. Elle avait mis une vieille cassette dans le poste qui n'arrêtait pas de dérailler et cherchait absolument à la rembobiner afin de la dompter. Elle avait un foulard un peu crasseux entortillé autour du cou et s'était fait une queue-de-cheval avec un élastique de bureau. Un bout de caoutchouc marron qui emmêlait parfaitement les fils de sa chevelure. C'était ce qu'elle faisait quand elle avait les cheveux trop gras, la faute à ses inquiétudes et à ses gènes détraqués.

En haut de la rue, comme d'habitude, Eva voulut éviter le regard de M. Vivier et se pencha un peu plus sur la radiocassette. Mais le bonhomme n'était pas là et son absence l'interpella. Elle se retourna. Personne. Personne sur le sofa poisseux. Le canapé gris était vide. Les coussins déformés gisaient seuls sur la structure abattue. Eva eut un frisson d'inquiétude. Mais le spectacle qu'offrait la maison voisine fit rapidement diversion. Tous les félins étaient regroupés sur la partie gauche du toit. La face à l'ombre. Le côté glacial. Eux qui raffolaient tant des rayons du soleil. Vingt-huit chats du mauvais côté, blottis et transis. Les miaulements des matous se transformaient en gémissements et leurs ronrons se perdaient dans leurs tremblements. Eva, bouche bée, continuait d'avancer dans cette allée qui délirait. Chez les Unal, la folie continuait. La voiture était sale. Sale, rime incompatible avec Unal. Où étaient passés les maniaques et leur éponge intraitable ? Quelle était cette nouvelle lubie féline ? Le gras du bide s'était-il étouffé avec ses chips ? Tout était sens dessus dessous. Quelque chose ne tournait pas rond. Eva sentit sa gorge se nouer. Quelque chose de grave était en train de se passer. Des camions. Deux gros engins étaient garés chez Olenka et des costauds charriaient les meubles colorés de la belle Slave. Eva stoppa le moteur au milieu de la rue, sortit précipitamment de la Renault et se dépêcha d'intercepter les voleurs. Mais elle n'eut pas le temps d'alerter tout le voisinage. Le chef de la bande la stoppa net.

— Doucement, ma p'tite dame. Nous sommes les déménageurs de Mme Gniewek.

— Olenka ?

— Oui, Mme Olenka Gniewek. Allez, rentrez chez vous maintenant. On a du boulot et on doit s'taper toute la route jusqu'en Pologne.

— En Pologne ? répéta Eva, dépassée par ce tremblement de terre. Olenka. Olenka ! Olenka !

Le déménageur, agacé par cette névrosée au disque rayé, l'attrapa par les hanches et la déplaça de quelques mètres sur le côté. Indifférente à cette migration sauvage, figée par la peur, Eva reprit son cri de détresse.

Olenka sortit enfin. Les yeux baissés, elle s'approcha de sa protégée et la prit dans ses bras. Au creux de son oreille, elle murmura :

— Ne m'en veux pas, ma belle. Ne m'en veux pas.

Puis tout alla très vite. Les cartons s'empilèrent et la maison se vida. De ses meubles, de ses senteurs, de sa joie. À la fin de la journée, il ne resta plus qu'une caisse posée au milieu du jardin.

— C'est pourrr toi.

Une photo noir et blanc, un sachet de thé blanc, une bouteille de Zubrowka, un châle parfumé, une pile de disques. Des petits bouts d'Olenka pour Eva. L'étudiante demanda pourquoi.

— Mon pays m'appelle à lui. Mes rrracines sont là-bas. Même si c'est beau la vie avec toi, je dois rrrentrrrer pour m'occuper de ma famille. Mais je ne t'oublie pas, ce qu'on a vécu ne nous quitterrra pas. Nous deux, c'est pourr la vie, ma belle. T'inquiète pas. Toi et moi, c'est indélébile.

Eva n'avait pu s'empêcher de demander :

— C'est à cause de lui ?

— Non.

— Mais alors, pourquoi es-tu si triste ?

— Je ne suis pas trrriste. Dans la vie, tout ne se passe pas comme on veut. On doit plier et c'est comme ça. Je plie.

— Tu n'es pas obligée de partir. Tu n'as pas le droit de me laisser là.

— Si, je parrrs.

Du jour au lendemain, le monde s'écroula. Le monde d'Eva. Tout disparut. Les cartons, les camions et, avec eux, Olenka et ses mystères. Et avec elle, Eva, privée de sa bouteille d'oxygène.

Un sac à dos, quelques vêtements, une brosse à dents. Eva, épuisée de chercher de l'air et des réponses à ce cataclysme, se réfugia chez un ami. Une connaissance. Un dealer.

L'appartement de Luc, un squat sombre et insalubre tapissé de matelas et de poufs, où toute la faune environnante venait se défoncer. Poppers, marijuana, cocaïne, cocktail TGV (tequila, gin, vodka), ici tout était possible. Le paradis de l'ivresse.

— T'as pas de la Zub ?
— De la quoi ?
— Laisse tomber.

Avec ses cheveux frisés et son air branché, Luc était un pantin qui s'adaptait aux codes de ses pairs pour paraître dans le coup. Il se faisait passer pour un mec cool, à la culture musicale irréprochable et au discours antisocial. Mais en réalité, c'était un garçon coincé et sans goût particulier qui était incapable d'aligner plus de trois mots d'affilée. Mais grâce au THC et autres dérivés, le petit gars se transformait et se prenait pour le chef de gang. Le killer. En fait, si tout le monde se retrouvait chez lui, c'était plutôt pour la taille de son frigidaire et de son appartement. Mais Luc ne le voyait pas ou peut-être qu'il s'en moquait. Ses œillères lui permettaient de rouler quelques pelles et de jouer à *Mortal Kombat* avec ses amis factices, alors pourquoi s'en passer ?

Chez Luc, les journées se ressemblaient et lobotomisaient toute personne normalement constituée : musique omniprésente, séchage de fac, marmite de bolognaise, Kro à gogo, et vidéo. *C'est arrivé près de chez vous*, *Reservoir Dogs*, *Trainspotting* et *Bernie* faisaient partie des films cultes qui passaient en boucle. Scotchée par les pétards, Eva s'affalait dans un coin de la pièce et s'endormait toujours avant la fin. Quand tout le monde partait, Luc venait se frotter et Eva le caressait vite fait pour se débarrasser. Un jour plus trouble que les autres, elle accepta de coucher. Sa première fois. Très mécanique. Pas de désir. Pas de plaisir. Un qui nique et l'autre qui soupire.

Et puis un soir, sur le petit écran, le film de Danny Boyle passa pour la dixième fois. Étrangement, Eva ne dormait pas et ses paupières résistaient à demi closes. Absorbée par ces images violentes et par ces destins camés, la jeune femme se réveilla. Ses yeux clignotèrent et des larmes coulèrent. Tout ce qu'elle voyait lui donnait envie de vomir. Tout ce qu'elle voyait était ce qu'elle était. Elle se dégoûtait. Ses mains commencèrent à trembler. Ses dents à claquer. Comment avait-elle pu en arriver là ? Elle dormait à moitié nue dans des draps dégueulasses imbibés de sang, de sperme, de bière et de frites grasses. Elle supportait des mecs complètement stones baragouinant leur théorie fumeuse sur la couche d'ozone. Elle bouffait des restes de pâtes figées dans leur gamelle après une cuite à la tequila, roulait des joints avec du papier chiotte les jours de pénurie d'OCB[1], méprisait le reste du monde et croyait que pisser dans des chiottes crépies de merde, c'était enculer la société. Eva eut un haut-le-cœur. Elle sentit sa tête lui tourner. Toutes ces visions d'horreur qui tourbillonnaient et tapaient

---

1. Acronyme de Odet-Cascadec-Bolloré, est une marque française de papier à rouler (ou papier à cigarette) fondée en 1918.

contre son crâne l'oppressaient de plus en plus. Tout ça, elle l'avait fait. Elle l'avait pensé. Elle l'avait aimé. Ou peut-être que non. Peut-être qu'il s'agissait d'un suicide. D'une mort lente. Elle pensait qu'engloutie par toute cette merde et ces poubelles elle pourrait disparaître et ne plus avoir à affronter les fantômes qui la bouffaient. Mourir.

Atomic vint rompre le malaise. La chanson de Blondie reprise par le groupe Sleeper vint tout fracasser. Cette mélodie. Ces flashs. Une réalité qui arrache. Une déflagration visuelle et sonore qui transforma Eva. L'électrocuta. Son cœur se mit à bondir et *l'électrochoqua*. Réanimation. Explosion. Eva, dynamitée, se leva et saccagea tout sur son passage. Les coussins pourris finirent éventrés, les cendriers débordant de mégots vidés sur le tapis mité, la vaisselle moisie de l'évier fracassée sur le sol collant et le tas de fringues pestilentiel par la fenêtre.

— Eva ! Tu t'calmes maint'nant !

— *Tonight... Atomic ! Oh... Atomic !* chantait Eva complètement possédée.

— Eva ! Tu t'calmes !

— *Tonight... Oh... Your hair is beautiful !* se moquait la belle qui s'envolait.

— Tu fous le camp ! Tu t'casses maintenant ! Dehors !

La porte claqua. Le froid la figea. Glacée par la nuit et par la peur, Eva se mit à courir. Elle cavala sans réfléchir dans les rues sinistres. Son corps ressuscité la transportait sans la consulter. Somnambule, Eva se laissa conduire jusqu'à la demeure familiale. À côté, devant la maison voisine, une voiture était garée. Par la fenêtre, on pouvait voir un père et ses enfants attablés. La mère s'affairait dans la cuisine. Eva resta un moment ainsi à contempler ce cocon qui n'existait plus. À chercher celle qui avait disparu. Mais il n'y eut aucun salut. Ce n'était donc pas qu'un mauvais rêve. Olenka n'était plus.

5

Du rabe de zob. Miangaly n'arrivait pas à se sortir cette phrase de la tête. C'était vraiment n'importe quoi.

— T'as dû mal comprendre, c'était...

— J'ai très bien compris, s'énerva Fitia. Et puis t'as bien dû te frotter un peu pour qu'il...

— Bon, tais-toi ! On n'en parle plus ! On ne parle plus de cette histoire.

Les filles tinrent leur promesse. Plus aucune allusion au géant blanc. Mais inconsciemment, Miangaly avait fait une grande place à l'étranger dans un coin de sa tête. Et les tentatives de Bako pour approcher sa fiancée restaient vaines.

— Qu'est-ce que t'as ? Pourquoi tu veux pas ?

— J'ai mes règles.

Après voir usé de l'excuse universelle des femmes repoussant l'acte sexuel, Miangaly s'était rendue chez Tahiry pour causer un peu.

— Ça va ?

— Ça va, répondit l'épicier.

— Fait beau aujourd'hui.

— Ouais.

— Fait chaud.

— …

— J'pense qu'il va pas tarder à pleuvoir.

— Qu'est-ce qu'il y a ? demanda le vieux.

— Mais rien, je…

— Bon Miangaly ! Arrête de tourner autour du pot. Si tu me parles de la pluie et du beau temps, c'est que tu as un truc à me demander. Alors vas-y !

— Le Blanc qui était chez toi et que j'ai arrosé et qu'on a mis dans ton lit et que j'ai massé et que Mme Clémence à…

— Oui, oui, j'ai compris ! Eh bien quoi ?

— Qu'est-ce qu'il t'a dit ?

— Rien.

— …

— Mais fais pas cette tête, s'amusa le vieillard. Il ne m'a rien dit, par contre c'est Bary qui conduisait la Peugeot. À lui, il a peut-être…

Tahiry n'eut pas le temps de finir sa phrase. Miangaly n'était déjà plus là.

Pour trouver Bary, rien de plus simple. Il était généralement à l'entrée du village. Dans sa voiture, prêt au départ, sous sa voiture pour réparer les multiples pannes ou sur sa voiture à ficeler les bêtes prisonnières et contrariées. Mais lorsque Miangaly arriva, le véhicule n'était plus là.

— Il est parti d'urgence amener Ony au dispensaire. Il ne devrait pas tarder à rentrer.

Mais Bary prit son temps. Miangaly passa l'après-midi à attendre sur les caisses en partance. Elle compta et recompta les paquets qui bientôt s'en iraient, chanta des berceuses aux poules effrayées qui se débattaient dans leurs filets, fit une partie de dames avec des cailloux multicolores, somnola un temps. Puis le bâché arriva enfin. Son moteur encombré toussait et sa carlingue vibrait. La jeune femme se releva d'un bond. Elle s'apprêtait à sauter sur le chauffeur et à lui faire cracher tout ce qu'il savait mais elle s'arrêta. Stoppée net.

— Bonjour, Miangaly.

— …

Comme le gros lapin blanc tiré par magie du chapeau noir, le grand vazaha était sorti du break brûlant. Il était là devant elle avec son petit sac au bout du bras.

Diego remercia celle qui s'était occupée de lui et ils s'arrêtèrent là. Il n'y eut pas un mot de plus concernant leur première rencontre. Tout sembla reprendre de zéro.

— Je m'appelle Diego. Je viens d'Antsirabe. Je suis ici pour présenter à ton village le projet de mon ami Stéphane. Il y a quelques mois, il a créé la ZOB[1], la Zébu Overseas Bank. C'est…

Miangaly éclata de rire avant qu'il ne finisse. Elle ne pouvait s'empêcher de repenser à la tête de Fitia et du rabe de zob. Maintenant, tout était clair : rabe d'Antsirabe et zob de ZOB. Miangaly, amusée et soulagée, se calma finalement et invita Diego à continuer. Il lui expliqua que ce projet permettait à des Malgaches de posséder un zébu grâce à un prêt parrainé par un Français. Enchantée par cette idée, Miangaly invita le Blanc à exposer le projet à son père. Diego

---

1. Plus d'informations sur : <http://www.zob-madagascar.org/>.

rencontra Joro. Il lui présenta donc la ZOB et son PEZ (Plan épargne zébu ou zolidarité).

— Je ne veux pas de votre pitié, avait tout de suite répondu le Malgache, méfiant.

— Mais non, monsieur. Il ne s'agit pas de cela. Votre zébu, vous allez le payer mais à votre rythme, grâce à l'argent qu'il vous permettra d'engendrer.

Encore un peu sur ses gardes, Joro posa encore une série de questions :

— Et le gouvernement, qu'est-ce qu'il en pense de votre affaire ?

— En ce moment, c'est compliqué. Depuis la démission du président Zafy, tout est embrouillé. Mais nous avons eu les accords préalables et tout est en règle.

Joro avait finalement accepté la proposition de l'étranger et l'avait invité à partager leur gamelle de riz agrémentée, pour fêter l'événement, de minuscules bouts de poulet et de clous de girofle. Au lever de lune, tout le monde s'était couché, excepté Miangaly et Diego, qui, assis sur un bout de sable près de la rivière, parlaient de leurs étoiles et de leurs illusions.

Diego était un enfant de Madagascar né de parents français. Il avait vécu à Antananarivo jusqu'à son dixième anniversaire puis était rentré en France. Il lui expliqua sa vie entre les deux mondes et le malaise qui ne voulait plus le quitter.

— Quand je suis là-bas, je rêve d'être ici. Et quand je suis ici, je pense à là-bas.

Miangaly lui avait parlé de ses livres de chevet et de sa radio préférée. Elle n'avait pas l'habitude de converser avec les garçons. Avec Bako, ils ne parlaient pas, seuls leurs corps se répondaient. Mais là, c'était différent, il y avait un véritable échange. Il se passait un… Il se rapprocha. Il se passait quelque chose de… Il se rapprocha encore plus près. De plus… Tout près. Collés. Serrés. Baiser. Baisers…

6

Retour à la case départ, la maison des parents. Finalement moins pire que l'appartement lugubre qui la grignotait. Moins pire. Le premier jour en tout cas où tout ce qu'Eva voyait la réconfortait. Ici, il y avait un lave-vaisselle et des plastiques dans les poubelles. Il y avait du linge parfumé sur la table à repasser. Il y avait des légumes colorés dans le frigidaire impeccable. Ici, tout était *clean* et sans vermine. Quoique, après quelques heures, rien n'était plus pareil. Ou plutôt tout redevenait comme avant. En pire. Son père, elle ne le reconnut pas tout de suite. Il était passé de l'homme invisible à Musclor. Il s'était perdu dans ses tee-shirts moulants taille XXL et dans sa quête du paraître. Il était imposant, certes, et ne passait plus inaperçu mais pour Eva, son père s'était trompé. De lutte et de but. Il avait en fait sculpté sa souffrance et l'avait rendue plus forte et coriace. Et elle était toujours là, palpable sous les biceps, tapie dans la chair gonflée et les pectoraux musclés, même si Jacques semblait se plaire dans ce corps artificiel et ne plus subir les fantômes et leur voile de misère. À ses côtés, Sylvie avait elle aussi transcendé le malheur et exposait ses dents blanches au monde entier. En fait, si Sylvie Hubert n'arrêtait pas de sourire, c'était parce qu'elle était ivre. L'iceberg était devenu une vodka givrée et son mari faisait comme si de rien n'était. Ses rires décuplés étaient pour lui un progrès et ses nouvelles manières plutôt déjantées semblaient le satisfaire le peu de temps où il se trouvait à proximité. Mais Eva comprit tout de suite que sa mère avait mal tourné. Elle était passée d'un extrême à l'autre. Elle défiait le drame et les crises de larmes avec des verres imbibés d'alcool. Elle commençait dès le réveil pour ne pas laisser aux démons le temps d'armer leurs tisons puis berçait le reste de sa journée de Zubrowka frappée. Certains soirs, il lui arrivait de se coucher vers dix-neuf heures sans dîner, sans un mot, sans un cri. Sylvie n'était pas guérie. Ne serait jamais guérie. Elle était condamnée pour l'éternité à étrangler son cœur, lapider son âme, mitrailler son crâne. La vie sans lui, sans Léo, son fils, ne lui laisserait aucun répit. Les poisons se succéderaient au fil des années sans antidote pour épargner la mère endeuillée et ceux qui l'entouraient. Des venins dévastateurs qu'Eva savait indestructibles. Pour l'instant, il lui fallait se rendre à l'évidence, le verdict était sans appel : sa mère était devenue alcoolique. Jacques le niait et Eva avait rapidement dû se résigner. Son père ne voulait rien comprendre et préférait dédramatiser, elle ne pouvait donc rien attendre de lui. Ni de sa sœur Sue Ellen, qui, avec l'arrivée d'Internet avait…

— Pété un câble ! T'as pété un câble ! avait fini par s'énerver Eva. Tout part en vrille dans cette maison ! Non mais regarde-toi ! T'as les yeux sortis des orbites, t'as les mains qui tremblent dès que tu t'sépares de ton ordi plus de dix minutes, et tu vois même pas que tes parents sont en train de partir en couille !

— Mais... Je... Couille ?

— Parlons-en des couilles, tiens ! Tu ferais bien de sortir un peu de ta chambre pour voir à quoi ça ressemble. Et puis merde ! abandonna Eva qui voyait bien que ses interlocuteurs ne parlaient plus la même langue.

Eva retrouva sa chambre bleue qui avait été transformée en bureau. Ils y avaient installé un canapé-lit pour les invités qu'ils n'invitaient jamais. Eva déplia le clic-clac, l'habilla de draps parfum lavande et vida son sac froissé. Elle s'installa de nouveau dans la maison en se promettant d'en partir au plus vite. Il lui fallait trouver un emploi, ramasser un peu d'argent et se trouver un studio. Vite. Très vite. Allongée sur le matelas couinant le neuf, Eva, les yeux fermés, tentait de remettre un peu d'ordre dans tout ce bazar. Mais il n'y avait rien à faire. Tout était sens dessus dessous. Tout avait changé de place et tout se disloquait. La jeune femme rouvrait alors les paupières pour ne pas sombrer mais le décor autour finissait de l'achever. Sur les étagères, bien rangés en rang d'oignons, des réveils et des gadgets inutiles que sa mère avait gagnés grâce à ses points et à ses multiples commandes dans les catalogues. Eva découvrait petit à petit que la maison de son enfance était devenue un musée à breloques. Le parapluie 3 Suisses, les casseroles de la Camif, le plaid Damart, la loupe de lecture France Loisirs, la casquette Télé 7 jours. Sa mère conservait tout et n'importe quoi. Elle gagnait, elle gardait. Eva déserta rapidement cette caverne d'Ali

Baba et des quarante horreurs. Elle ne rentrait chez elle que pour dormir et passait le plus clair de son temps à la médiathèque de l'université où elle squattait les salles réservées aux étudiants en musicologie. Là, elle enfilait un casque et partait à la rencontre de la musique. Tim Buckley lui parlait du chant de la sirène. Olenka adorait Tim. Eva l'écoutait inlassablement. En boucle. Encore. Pour oublier sa peine. Pour oublier sa came. Pour oublier ceux qu'elle ne reverrait plus. *Song to the Siren.*

Entre deux shoots musicaux, c'était la même routine : quelques cours pour faire illusion, des plateaux au resto U pour tenir le coup, des discussions sans intérêt avec des filles de la fac pour garder les pieds sur terre et quelques rires mal placés pour croire qu'on peut encore se dérider.

— Alors, vous êtes prêtes ! Qu'est-ce que la cuniculture ?

— La quoi ?

— Cunni… Ben oui. Cunnilingus.

— L'art du cunnilingus !

— L'apprentissage du cunnilingus !

— Le cunni… quoi ?

— Tu sais pas c'que c'est, le cunnilin…

— On chauffe ou pas ?

— Non.

— Mais c'est quoi le cu…

— Le cunnilingus, c'est quand un mec, il s'occupe de ton…

— Comment ça, non ?

— … clitoris.

— Non, ça n'a rien à voir avec le cunnilingus.

— Bon ben, j'donne ma langue au chat.

— Mauvaises joueuses ! Bon. Ouvrez bien grand vos oreilles. La cuniculture, c'est l'élevage des lapins.

— Tout ça pour ça. C'est nul, ton truc.

— Quoi ? Le cunnilingus, c'est nul ?

— Toi ! Laisse tomber !

Eva tentait de ne pas s'effondrer. Elle survivait grâce à cette roucoulade qui chantait dans ses oreilles. Grâce à ses souvenirs moelleux qui sentaient bon les biscuits et le chocolat chaud. Mais entre deux battements de cils, la mélancolie revenait à la charge et lui martelait le crâne avec ses mots d'absence. Tout ce qui était parti ne reviendrait plus. Tous ceux qui l'avaient quittée. Olenka apparaissait parfois au détour d'un rêve. Dans sa robe à pois, avec ses rubans bleus et ses souliers carmin. Avec ses chemises bariolées et ses frous-frous dorés. Avec ses boucles d'or et ses bourrelets gourmands. Mais chaque fois, Eva la chassait. Ça faisait trop mal. Ça brûlait.

Un jour de printemps, sur un ordinateur de l'université, une dépêche perdue sur Google. Un clic : mort de Jeff Buckley, fils de Tim Buckley. Dans un fleuve proche du Mississippi, le chanteur s'était noyé. L'appel des sirènes ?

7
1996-1999
Love story franco-malgache sur l'île rouge

Diego, arrivé en rampant, s'était petit à petit relevé pour atteindre les lèvres de sa belle Malgache. Il avait suffi d'un baiser pour tout emporter. Et depuis, plus rien ne pouvait les détacher. Le zanatany partait quelques jours par semaine arpenter la brousse pour présenter la ZOB aux paysans et se dépêchait de rentrer pour retrouver Miangaly. Joro, en père protecteur et un peu vieux jeu, les avait obligés à faire chambre à part la première année. Mais les coins de forêt ne manquaient pas. À l'abri des regards indiscrets, la peau noire retrouvait sa moitié blanche et s'unissait à elle jusqu'à ce que leurs sueurs se mélangent. Autour, il y eut quelques regards méfiants qui ne croyaient pas à l'amour bicolore et qui pensaient que dans quelques mois le vazaha repartirait en laissant la belle Miangaly dans sa cabane de fortune. Mais Diego resta et s'intégra. Au plus grand malheur de Bako qui avait troqué son short contre un jean pour faire plus Européen. Mais Miangaly, malgré toute l'affection qu'elle lui portait, ne voyait plus en lui l'amant qu'elle avait désiré si souvent. Il était redevenu son grand frère, celui qu'elle charriait pour s'amuser. Quand Diego n'était pas là, Miangaly et Fitia passaient du temps ensemble, mais, dès que l'amoureux revenait, Miangaly oubliait vite sa cousine et se réfugiait dans les bras de son bonhomme de neige.

Au village d'Anandrivola, les zébus se multipliaient. De PEZ en saillies, il y avait des bébés zébus qui couraient un peu partout. Même Tahiry en avait un. Lui qui avait toujours clamé son indépendance possédait le zébu le plus célèbre de la région. Il avait été financé par un homme politique français, un certain M. Strauss-Kahn, nom que Tahiry ne parvenait jamais à prononcer. Il parlait donc du ministre Dominique lorsqu'il voulait citer son bienfaiteur dont il n'était pas peu fier.

L'épicier, qui n'avait jamais vécu à deux, eut un peu de mal au début. On l'entendait crier sur la pauvre bête à longueur de journée. Puis, petit à petit, le ton s'apaisa et il l'apprivoisa. On racontait même qu'il lui avait trouvé un petit nom.

— Il l'appelle Queen, murmura Miangaly à Fitia.

— Couine ? Quel drôle de nom pour un zébu.

— C'est le nom d'un groupe américain qui passe souvent sur les ondes.

Pendant ce temps, Diego dorlotait sa fiancée et faisait tout pour voir son visage s'irradier. Il avait trafiqué la radio. Grâce au lecteur cassette qu'il y avait greffé, Miangaly pouvait désormais écouter, rembobiner, réécouter à loisir ses titres préférés. Dans une grande valise, des centaines de boîtiers attendaient collés serrés. Il ne lui restait plus qu'à choisir ses chansons parmi plus d'un millier de titres. Passionnée, elle passait plus de six heures par jour scotchée à son nouveau jouet. Elle occupait le reste de ses journées sans Diego dans les rizières les pieds dans l'eau ou près des gamelles et du pilon. Par obligation. Parce que ici, la vie, c'était ça. Parce qu'elle n'était pas encore là-bas.

Diego – Miangaly

— C'est quand qu'on part ? lui demandait-elle souvent.

— Qu'on part où ? répondait-il innocemment.

— Ben chez toi. En France.

— On n'est pas bien là ? Que veux-tu de mieux ?

— La France. Je veux connaître la France. Je veux partir et découvrir ton pays.

— Ce n'est pas mon pays. Mon pays, c'est ici. J'ai choisi, tu comprends. Entre ici et là-bas, j'ai choisi et c'est ici que je veux vivre. Crois-moi, c'est sur notre île qu'il faut s'aimer.

Miangaly se taisait quelques jours et revenait à la charge.

— C'est quand qu'on part ?

Elle posa cette question quatre fois par semaine durant plusieurs années. Diego résista puis craqua. La troisième année, il céda.

— Nous partons dans six mois. Le temps de tout organiser, de faire les papiers, de se préparer.

Fitia – Miangaly

— Nous partons pour la France.

— Quoi ! Mais… Mais qu'est-ce ? Tu peux… Qu'est-ce que tu racontes ? Tu vas… Tu vas pas me laisser là ? bégaya Fitia.

— Je suis désolée mais je ne peux pas rester.

— Mais. Mais bien sûr que si que tu peux rester ! T'as qu'à lui dire à Diego que tu…

— C'est moi qui veux partir. Lui, il veut rester. S'il part, c'est pour moi.

— …

— Ne pleure pas.

— Je ne pleure pas, sanglota Fitia. Je suis en colère. Contre toi. Tu… Tu n'as pas le droit de… de tous nous… de me laisser là ! Et ton père ? Tu y as pensé ?

— Il comprendra.

Joro – Miangaly

— Je ne comprends pas, marmonna Joro. Tu n'es pas heureuse ici ? Vous êtes bien dans votre nouvelle cabane. Vous avez même un lit maintenant. Qu'est-ce que tu penses trouver là-bas ?

— Je vais me trouver moi. Je sais ce que je veux papa, au plus profond de moi. Je veux devenir chanteuse.

— Mais qui t'en empêche ici ? Personne. Tu peux très bien…

— Ici, je ne peux rien du tout. Là-bas, je peux tout.

— Là-bas ! Ici ! commença à s'énerver son père. Mais qu'est-ce que tu crois ? Tu rêves, ma fille ! Tu rêves ! Et ce n'est pas en France que tu trouveras ce que tu cherches.

— Je veux quand même chercher, si tu le permets.

— …

— Je t'aime papa mais je dois partir.

8
1996-1999
Métro-boulot-dodo

Eva avait fini par quitter sa maison, sa famille, sa ville.

— À Paris ? Mais qu'est-ce que tu vas faire à Paris ? T'as même pas de diplôme ! s'était moquée sa mère.

— J'vais faire comme toi, maman, répondit Eva à bout de nerfs. J'vais m'trouver un gentil mari puis j'vais lui faire des enfants et ensuite, j'emballerai tout ça dans des sacs de congélation.

— …

— Quand tout sera bien givré, j'ouvrirai une bonne bouteille de vodka avec laquelle j'arroserai mes petits glaçons ! Un bon remontant, y a que ça de vrai !

— Va-t'en, je ne veux plus te voir !

Ce fut la dernière conversation entre Eva et Sylvie avant le grand départ. Avec Jacques, ce fut plus tendre. Presque triste. Il lâcha ses haltères sur le parquet lustré, ses muscles se mirent à trembler, puis sa mâchoire, puis ses paupières. Il faillit même pleurer. Gêné par son nouveau corps protéiné, il tenta une embrassade qui se transforma rapidement en simple accolade. Une petite tape dans le dos pour lui signifier sa peine et ses encouragements. Il aurait aimé lui parler de ses regrets, des sourires qu'il aurait tant voulu lui offrir, de sa douleur qui lui handicapait le cœur, de ses yeux qui étaient à court d'étoiles, des milliers de câlins qui étaient restés figés dans le creux de ses mains, de Sylvie avant sa petite mort, des rêves qu'il avait cachés au fin fond de ses entrailles. Mais rien ne vint. Juste le silence pour sceller cette dernière danse. Jacques relâcha son étreinte minuscule, fit demi-tour, piocha dans sa sacoche et en tira une liasse de billets. Il les tendit à sa fille et aligna deux mots :

— Pour démarrer.

Sue Ellen apprenant le départ de sa grande sœur s'était dépêchée de lui créer une adresse mail.

— C'est pas la peine Sue, j'y comprends rien à tes trucs.

— Si, si. C'est facile. Et avec MSN, on pourra même s'écrire en simultané ! s'emballa la cadette.

— Mais pour se dire quoi ?

Sue Ellen retrouva son clavier, Sylvie sa bouteille et Jacques ses pompes. Eva jeta un dernier coup d'œil à la maison de son enfance, à la photo de Léo sur la cheminée, à la tapisserie de sa chambre puis partit avec dans sa valise un châle parfumé.

À Paris, Eva trouva une petite chambre sous les toits au loyer dérisoire et un mi-temps au Mac Donald du coin pour commencer. Elle ne s'en faisait pas et se sentait déjà mieux. Hormis la casquette ridicule du fast-food et l'odeur écœurante des burgers, tout se passait mieux depuis qu'elle ne voyait plus la maison d'Olenka occupée par des inconnus et qu'elle ne subissait plus la déchéance de sa mère et les excroissances de son père. Au début, elle préféra couper les ponts. Ni lettre, ni coup de fil à sa famille. Il lui fallait un break pour se retrouver et commencer sa vie à elle. Elle devait se laver de toute cette folie et exorciser la tragédie. Cette souffrance n'était pas la sienne et leur présence l'empêchait de s'en défaire. Il était temps pour elle d'ignorer leurs plaintes, d'écouter ses propres désirs et d'entendre à nouveau l'écho de son rire chatouiller ses oreilles.

Après le travail, elle grimpait les centaines de marches grinçantes qui s'entortillaient jusqu'au dernier étage de l'immeuble, se posait sur son lit et s'endormait jusqu'au lendemain. Elle ne mangeait jamais chez elle. Pas de cuisine, pas de frigidaire, pas d'argent. Ses repas, c'était Mister Donald qui les lui fournissait.

Les mois passèrent, les jobs s'enchaînèrent. Le Mac Do se transforma en Quick. Le Quick en Fnac. La Fnac en Pier Import. Eva était maintenant une intérimaire expérimentée qui pouvait se payer un loyer. Elle dénicha un petit studio pas cher à Barbès et y posa sa valise. Un petit paradis parfumé de quinze mètres carrés qui sentait bon la harissa et le poulet yassa. Au-dessus, la famille Gadjigo et en dessous, la famille Hachim. De la couleur, du bruit, de la chaleur, des odeurs. Eva fut séduite par ce brouhaha multicolore. Quel bonheur, cette ronde bruyante et pleine de vie ! Ici, les cris remplaçaient les sourires hypocrites. Les salutations ne se contentaient pas d'un hochement de tête discret mais se déclinaient et raffolaient des rallonges. Les femmes portaient leurs rondeurs avec des bourrelets jusque dans le cœur. Il y avait des poubelles dans les escaliers mais des poignées de main à chaque palier. Il y avait des carreaux sales, des fuites aux éviers, des ampoules qui n'arrêtaient pas de griller, des portes qui grinçaient, le chauffe-eau qui débloquait, la concierge qui ronflait, les gamins qui crachaient, et pourtant… Eva savourait cette nouvelle vie qui l'emportait. Au détour d'un rire ou à la faveur d'une épice, Eva retrouvait des petits bouts d'Olenka. De minuscules bouchées sucrées pour quelques secondes de bonheur entier.

Eva passa plusieurs années en cabine d'essayage. Elle essaya tout et n'importe quoi. Les jobs, les mecs, les sports, les bars. Entre deux histoires, elle donna finalement quelques nouvelles à ses parents. Ils ne répondirent pas tout de suite. Vexés ou tout simplement plus occupés.

Je suis à Paris, avait-elle écrit.

Es-tu montée sur la tour Eiffel ? avait été leur première question.

Eva n'était pas montée à la tour Eiffel et n'avait pas répondu à leur stupide question.

Un matin, face à son miroir, Eva observa ce mélange de père et de mère. Il y avait plus de Sylvie que de Jacques et ça commençait à devenir insupportable. Indisposée par cette vision maternelle, Eva attrapa son sac et courut chez le coiffeur. Une couleur, du roux. Une frange droite et épaisse. Elle consulta à nouveau son reflet. Ni rondeur, ni maigreur. Aucun signe extérieur de déesse. Une nana taille M et bonnet B avec une nouvelle perruque. Un standard. Passe-partout. Qui s'éloignait des icebergs pour se rapprocher des îles.

9

La Peugeot de Bary s'impatientait. Son moteur
toussait tandis qu'autour tout le monde pleurait.
Diego était déjà dans la voiture mais Miangaly n'arrivait pas à y entrer. Un coup, c'était Fitia qui la retenait, un coup, c'était elle qui se retournait. Elles se
promettaient de proches retrouvailles, mais pour
l'une comme l'autre, tout cela n'était que des paroles
en l'air. Miangaly savait très bien que Fitia ne viendrait jamais en France car rien ni personne ne pourrait
lui faire quitter son île et Fitia réalisait douloureusement que pour Miangaly il s'agissait d'un départ
sans retour. Miangaly nageait au milieu de ce bain
familier qui la retenait. Elle tentait minutieusement
de capter chaque regard, d'emprisonner les centaines
d'odeurs d'ici pour les emporter là-bas, de mémoriser
l'arc-en-ciel de couleurs qui peignait cette incroyable
journée. Elle touchait, palpait, agrippait tous ceux
qu'elle aimait comme si elle voulait en arracher un
morceau et le garder avec elle. Tout contre elle. Sa
tête contre la nuque de son père. Ce parfum. Ses bras
autour de Bako. Cette respiration. Les mains de Tiana
caressant ses joues. Cette douceur. Son visage face

à celui de Tahiry. Ce sourire. Pas d'appareil photo pour immortaliser tout cela. Miangaly devait imprimer dans sa mémoire tous ces merveilleux contours qui dessinaient sa vie d'ici. Au revoir Madagascar.

Un nuage de poussière fit disparaître le bâché en quelques secondes. Miangaly, prise d'un sursaut, se retourna. Derrière elle, un brouillard sablonneux comme ultime adieu. Miangaly baissa les yeux et abandonna ses paupières à la peine. Sans bruit, elle pleura. Juste des larmes le long de ses pommettes sans plainte ni sanglot. Elle aurait voulu chanter pour dire au revoir à ceux qu'elle quittait mais rien ne vint. Pas un mot. Pas un murmure. Diego mit sa main dans la sienne et la serra fort. Sur la piste chaotique, une page se tournait en silence avec pour seule mélodie, le vrombissement de la Peugeot malmenée par les nids-de-poule, par les ponts rafistolés, par les flaques devenues lacs, par les arbres faisant obstacles, par la nationale 5 qui n'avait rien d'une nationale.

Toamasina. La grande ville portuaire. Escale avant la capitale. Ses larges avenues et grands boulevards bordés de flamboyants et de cocotiers. Ses vazahas aux regards louches et aux bistrots malfamés. Ses pousse-pousse tirés par des hommes aux pieds nus et à la carcasse solide. Le tee-shirt troué, le pantalon déchiqueté, le crâne luisant et les mains calleuses, ils arpentaient les rues immenses à la recherche du client qui les épuiserait un peu plus. Miangaly avait refusé de se faire escorter par un de ces esclaves et avait préféré un taxi pour se rendre à l'hôtel. Cinq mille francs malgaches la course que le chauffeur avait tout de suite mis dans le réservoir de son tacot, le prix de la location du véhicule ne lui permettant pas d'avoir de l'avance de carburant. Il remplissait donc au compte-gouttes sa réserve en fonction du kilométrage à faire.

— *Veloma*[1] ! avait-il lancé en claquant le coffre esquinté.

Il n'eut aucune réponse. Devant l'hôtel décrépi, Miangaly observa longuement la grande baraque qui l'accueillait pour sa dernière nuit malgache. Le couple mixte se dirigea vers le hall, la mâchoire serrée et le cœur lourd. Puis, il y eut un moment de répit. Dans cette chambre moderne aux normes européennes, Miangaly, les yeux écarquillés, s'extasiait devant tout ce qu'elle voyait. Un lit géant avec un matelas moelleux, une salle de bains carrelée équipée d'un lavabo et d'une douche avec de l'eau courante, un W-C séparé, une petite lampe branchée à une prise qui s'allumait et s'éteignait comme bon lui semblait, un téléphone rouge et un frigidaire rempli de boissons fraîches. Pour Diego, il s'agissait juste d'une chambre pourrie, infestée de cafards et de moisissures, qui puait l'humidité et le renfermé.

— Ça vaut pas notre cabane, souffla Diego.

Mais il n'insista pas, heureux de voir sa belle se détendre un peu.

Miangaly passa la nuit par terre, trop indisposée par le confort de ce lit haut de gamme. Diego ne dormit

---

1. « Adieu » : « au revoir », en malgache.

pas du tout, persécuté par le pourquoi du comment de cette situation. Comment Miangaly avait-elle réussi à le faire rentrer en France ? Pourquoi avait-il accepté ce pari insensé ? Mais lorsqu'il la regardait, étendue sur le sol, le souffle léger, tout s'apaisait.

Le lendemain, dans le taxi-be[1] qui les menait à Antananarivo, l'angoisse avait repris le dessus. Diego scrutait le paysage cherchant une branche à laquelle s'accrocher. Mais tout allait si vite... Un tourbillon absurde qui lui donnait le vertige. Miangaly complètement paniquée ne pouvait plus s'arrêter de manger. Elle décortiqua un panier de litchis, dévora deux cornets de cacahuètes grillées et entama un régime de bananes. Au troisième fruit, elle fit stopper le véhicule.

— Stooooop !

Installée au fond de la voiture, elle enjamba les différentes rangées bondées de bambins, de gallinacés, de vieilles dames et de travailleurs. Une fois dehors, elle se pencha et expulsa la totalité de son gavage. Une jeune femme lui tendit un mouchoir, une autre lui offrit une gorgée d'eau, et le chauffeur l'invita à se mettre devant au cas où il y aurait une deuxième fois. Normalement, il fallait payer plus cher pour avoir la place de luxe située à la droite du conducteur mais ce dernier préférait la lui brader et éviter ainsi un crépi malodorant sur ses sièges de velours.

À la gare routière de la capitale, perdue au milieu des 4 L et autres taxis-brousse, Miangaly se réfugia

---

1. Grand taxi, break.

dans un numéro de *Rock and Folk*. Tout ça, c'était trop. Trop de changements d'un coup. Trop de nouveautés, de monde, de bruit et d'odeurs.

— On n'est pas obligés tu sais, murmura Diego dans l'espoir de la faire changer d'avis. On peut...

— On peut y aller, coupa Miangaly. Allez ! À l'aéroport !

Ivato. Son terminal et ses douaniers corrompus.

— Qu'est-ce que c'est ?

— De la terre.

— De la terre dans une bouteille ?

— Pas n'importe quelle terre, monsieur, de la terre de Madagascar.

— C'est interdit de sortir ça du pays. Je la garde.

— Interdit ? s'indigna Miangaly. Alors moi, je peux partir mais pas elle ? Comment voulez-vous que je fasse là-bas sans avoir un peu de poussière d'ici ?

— ... ?

— Il faut que je puisse la toucher, la sentir, j'en aurai besoin. Vous comprenez ?

— ... ?

— Tenez ! intervint Diego, qui connaissait bien la musique.

Trois billets chiffonnés discrètement passés d'une main blanche à une main noire. Un peu de monnaie pour tout arranger.

La bouteille contre sa poitrine réconfortant les sursauts de son cœur, Miangaly avança vers la passerelle qui la conduisait à la machine volante. Assise dans son fauteuil, la ceinture serrée et l'appui-tête relevé, la Malgache en fuite auscultait l'avion de fond en comble. Les compartiments à bagages, les consignes de sécurité en images, les toilettes clignotantes, les hôtesses et leur costume haute-couture, les portes de secours, les vazahas rouges et bruyants, l'écran géant, les tablettes amovibles, les hublots minuscules.

— Mademoiselle, je vais vous demander de bien vouloir mettre votre bouteille dans le coffre prévu à cet effet. Nous allons décoller et...

— Vous voulez que mon cœur s'arrête ?

— Pardon ?

— Vous voulez que mon cœur s'arrête ?

L'hôtesse capitula et passa son chemin.

Une voix dans le haut-parleur. Miangaly se tut. Les lumières s'éteignirent. Les réacteurs à plein régime. Sur le tarmac, les roues à pleine vitesse. Les mains crispées. Le souffle inquiet. Le ventre à l'envers. Les cinq sens affolés.

L'avion décolla. Miangaly s'envola.

Ville de départ
Antananarivo, Ivato (TNR)

Ville d'arrivée
Paris, Orly (ORY)

Compagnie
Corsair

N° vol
872

Départ le
4/11/1999 à 19 h 10

320

Arrivée le
5/11/1999 à 9 h 50

Durée
12 h 40

Veloma...

10

Eva, le nez dans son écharpe, traînait ses sacs Lidl sur le trottoir. C'était le jour des bouteilles de lait. Les plastiques distendus pesaient lourd et les anses coupantes lui tailladaient les paumes. Une pluie fine et glaciale piquait le ciel de Paris. Les gens couraient pour éviter les gouttes et fuir le froid de novembre. Eva avançait d'un pas lent et ne se préoccupait ni des sanglots de l'hiver ni de l'air gelé qu'elle inspirait car ce soir, elle était invitée chez les Hachim pour un tajine d'agneau et rien que cette idée-là lui réchauffait le cœur. Latifa Hachim, la grosse dame tatouée au henné qui habitait juste en dessous, prenait bien soin d'elle. Elle avait toujours la fenêtre ouverte, celle qui donnait sur la cour intérieure, et venait souvent aux nouvelles.

— Comment va m'zelle Iva jourd'hui ?

— Y a mon piti Rachid qui vous a fait un beau dissin.

— Ji vais au marché di quartier. Vous voulez un piti bouquet di coriandre fraîche ?

La généreuse mama raffolait de l'adjectif « petit » qui, avec son accent tout chaud, se colorait de i. Eva aimait toutes ces petites attentions qui lui rappelaient quelqu'un. Mais ne souhaitant plus s'attacher, elle tentait de faire court et répondait toujours en quelques mots.

Eva, qui ne voulait pas poser ses paquets sur le sol trempé, poussa la porte avec ses fesses. Lorsque cette dernière se referma, tout dégringola. Un sac se perça par le fond, un autre explosa au niveau des poignées, les conserves et les bouteilles roulèrent sur le sol de l'entrée. Eva marcha sur une boîte de raviolis et s'effondra. Le cul par terre et le bonnet à l'envers, elle se mit à jurer de toutes ses forces. Depuis le matin, tout allait de travers et elle commençait à se demander quand est-ce que cela allait s'arrêter. Mais cette journée boiteuse ne faisait que commencer... Dans la fente de la boîte aux lettres, une enveloppe à moitié déchirée.

— Putain, mais c'est ma journée ! On fouille dans mon courrier !

Eva s'arrêta net. Les timbres. L'affranchissement. Pologne. La lettre venait de Pologne. Olenka. Ça faisait si longtemps. Trois. Quatre ans. Eva laissa tout en plan au milieu du hall. Les sachets éventrés s'éparpillèrent sur le sol en béton et la porte soufflée par le vent claqua. Eva plaqua cet incroyable trésor contre son cœur, grimpa à toute vitesse jusqu'à son studio, se jeta sur son lit et s'arrêta. Elle avait du mal à croire que ses prières avaient été écoutées. Olenka revenait enfin vers elle avec ses jolies pommettes et son parfum de cannelle. Peut-être qu'elle allait rentrer en France ou lui proposer de la rejoindre en Pologne. Eva sentait ses lèvres s'étirer inexorablement. Un sourire enfin.

Son corps entier rayonnait, réveillé par cet appel du bout du monde. Eva ne lui en voudrait pas pour son absence non justifiée, pour ses silences, pour toute cette distance. Eva était prête à pardonner et à tout accepter, une seule chose lui importait : retrouver Olenka. Elle avait besoin de sa peau transpirante et de son regard rempli de pépites. Elle voulait enfouir sa tête entre ses seins et se laisser porter par tout ce qui déborderait. Elle voulait la revoir. Elle allait la revoir. Eva contempla le paquet, vérifia que le trou n'avait rien endommagé puis déchira délicatement le papier. À l'intérieur, un premier mot puis une autre enveloppe.

« *Eva,*
S'est Pierrot, l'ami d'Olenka. Je vais faire cour car écrire s'est pas tro mon truc. Voila, quant Olenka est parti s'était pas pour sa cousine. En fait elle avait des souci. Mais tout était trot lourt. Elle pouvait pas vous en parlé. Elle voulait pas. Pour elle ca servait a rien. Elle a préféré partir pour... En fait, Olenka été tré malade. Je l'ai rencontré au service oncologie de l'hopital Mermoz. Nous étions tout les deux dans la salle d'attente. Je venai pour un controle, elle venait d'apprendre qu'elle été malade. Cancer du foi, stade 4. Incurable. Je lui est prété un mouchoir puis je ne l'ai plus quitté. Ils lui avait donné 6 mois, elle a tenu 4 ans. Une force de la nature mon Olenka. Jusqu'a maintenant. Voila. Olenka vient de mourir.

Eva arrêta sa lecture, puis la reprit.
Voila. Olenka vient de mourir.
Eva arrêta sa lecture, puis la reprit.

Voila. Olenka vient de mourir. Ne lui en voulait pas. Elle a fait tout ça par amour pour vous. Et parce qu'elle pensait que tout irait tré vite. Elle a failli vous apelé quelque fois mais a chaque fois elle s'arrêter en se disant que ca ne servait a rien que de toutes façon elle allait partir bientôt et qu'il valait mieux que vous n'entendiez pas sa voie malade. Elle ne voulait que de beau souvenir avec vous. Elle a écri cette lettre pour vous. Voila, au revoir. Une derniere chose, elle a été incinéré comme elle le souhaitait. J'ai mi ses cendres dans un beau pré rempli de coquelicot comme elle le voulait. Voila, au revoir.

Pierrot »

Eva lâcha la feuille trempée de larmes. Le regard perdu, elle tentait de comprendre ce qu'elle venait de lire. Les mots tourbillonnaient, s'embrouillaient, puis s'ordonnaient, implacables. Olenka vient de mourir. Une vérité crue. Violente. Eva, complètement anéantie par cette terrible nouvelle, se mit à trembler. Tout son corps fut secoué de soubresauts qu'elle n'essayait même pas de maîtriser. Eva se décomposait sans résister. Elle resta quelques minutes ainsi. Assise et vacillante. Puis d'un coup, elle se baissa et attrapa ce maudit papier qu'elle déchira sauvagement. Elle balança les minuscules particules dans les quatre coins de la pièce puis se mit à crier sa colère. Elle appelait Olenka qui ne viendrait pas. Elle tournait. Soufflait. Suffoquait. Elle ouvrit grand les fenêtres pour respirer un peu mieux et tenter de retrouver ses esprits mais des flashs abominables n'avaient de cesse de mitrailler son crâne. L'air froid n'y changerait rien. Il ne la réveillerait pas. L'angoisse s'était installée dans tous les pores de sa peau et ne lui laissait plus aucun repos. Elle la rongeait de toutes parts et détruisait tous ses remparts. Eva finit par s'accroupir, la tête contre ses genoux. Elle hésita un long moment. Laissa passer les minutes. Espéra voir se dissiper l'orage. Appréhenda la foudre. Puis finalement, dans un sursaut d'amour, elle se décida. La lettre d'Olenka l'attendait sur la table basse qui jouxtait le sommier. Elle inspira profondément puis s'avança doucement vers l'enveloppe parfumée. Cette odeur de pain d'épice. Une caresse avant le supplice. Olenka parla. Eva l'écouta.

« Ma belle Eva,

La vie sans toi n'a pas le même goût qu'avant.

Tout est tellement absurde. Cette maladie m'a anéantie. Je suis partie si vite parce que tout était trop compliqué si je restais ici. L'hôpital, les traitements, la maison à s'occuper, et puis toi... Surtout toi... Que je ne voulais pas voir pleurer. Tu es si belle quand tu souris. Je m'excuse pour mon départ précipité. Je n'ai pas pu faire autrement. Cette saloperie, ce cancer. Je ne voulais pas partager ça avec toi. Avec toi, je ne voulais que des rires, des bons moments, des beaux secrets. Et puis ça n'aurait servi à rien. Juste à faire oublier les merveilleux souvenirs.

Avant de partir, j'aimerais partager avec toi cette dernière prière : je te souhaite de trouver au fond de toi l'étincelle qui illuminera ta vie. Je sais qu'elle est en toi, je l'ai vue briller plus d'une fois. Ne baisse pas les bras, ma belle, tu la trouveras.

Je m'en vais, Eva. Cette fois, c'est pour toujours.
Jamais je ne reviendrai. Mais jamais je ne t'oublie-
rai. Merci. Merci pour tout. Na zdrowie.

Olenka »

Eva relut la lettre une fois, deux fois, trois fois. Elle était trop courte. Elle allait trop vite. Et puis où étaient passés les r qui roulaient, qui chantaient, qui respiraient ? Eva les cherchait tout en essayant de donner du sens à tous ces mots. Elle voulait trouver la faille qui la mènerait jusqu'à elle. Il devait y avoir un code caché qui pourrait la guider. Cette encre sur ce papier ne lui suffisait pas. Où était Olenka ? Eva voulait la toucher, la sentir, l'embrasser. Elle reprit l'enveloppe et l'ausculta à la recherche de cette chose qu'elle ne trouvait pas. Elle s'agita un moment ainsi. Puis, au bout de longues minutes, elle s'effondra finalement sur le sol. La vérité venait de lui claquer au visage. Irrévocable. Jamais elle ne la reverrait.

Le soir chez les Hachim, toute la famille avait attendu Eva autour du tajine. Rachid était finalement monté pour voir ce qu'il se passait.

— Eva, c'est Rachid. Y a maman qui s'inquiète en bas et le tajine qui refroidit, tu vas...

— Bien, finit par répondre Eva de l'autre côté de la porte. Je vais bien, Rachid. Remercie ta mère et dis-lui que je suis allongée à cause d'une migraine.

Latifa, à l'écoute de cette mauvaise nouvelle, se précipita sur ses pots remplis d'herbes folles pour préparer un breuvage à sa protégée.

— Maman, elle ne veut rien. Elle a dit qu'elle voulait pas qu'on la dérange. Assieds-toi et mange ton couscous.

— C'est pas di couscous, c'est di tajine ! s'énerva Latifa, inquiète et impuissante.

L'appartement du dessus pleurait en silence. La fenêtre claquait contre le mur tapissé de fleurs. Le vent glacial faisait danser les rideaux épais. Dans le studio gelé, Eva était étendue en travers du lit. Paralysée. Serrés dans le creux de sa main, les derniers mots d'Olenka. Des mots sans accent et des lettres sans rondeur. Eva passa la nuit à suffoquer. Elle transpirait alors que l'air transi avait frigorifié les moindres recoins de l'appartement. Il y avait même du givre sur les vitres. Mais Eva suait, possédée par une fièvre démente. Sa peau évacuait les brûlures infligées à son âme et ses entrailles torturées n'en finissaient pas de hurler leur douleur. Des spasmes violents secouaient son corps chargé de terreur et la réveillaient en sursaut à intervalles réguliers. Là, elle serrait les dents et plissait les paupières pour tenter d'échapper aux songes morbides qui hantaient cette funeste nuit. Elle luttait contre ses membres tétanisés de peur et se recroquevillait un peu plus afin de se protéger de toute cette noirceur. Lovée dans son fœtus, réchauffée par ses propres démons, Eva finit par s'endormir au petit matin, bercée par le roucoulement de son ange gardien.

11
Tratry ny taona[1]
An 2000

Emmitouflée dans son anorak fourré, Miangaly observait le tambour qui tournait. Assise sur le banc en plastique de la laverie, elle admirait le bal des machines à laver. Il y en avait six petites, trois grandes et deux sèche-linge.

Miangaly était en France depuis deux mois maintenant. Elle et Diego vivaient dans l'appartement de grand-mère Cornélia. Elle était malade et avait été placée en maison médicalisée par les parents du zana-tany. Miangaly avait proposé à Diego de la laisser reprendre sa chambre et qu'ils dormiraient dans le canapé. Mais il avait répondu que ce n'était pas si simple. Miangaly n'avait pas tout compris.

De toute façon, en France, tout était toujours compliqué. Chaque fois que Miangaly prenait une initiative ou lançait une idée, c'était la même réponse. Les principes qui régissaient la communauté étaient tellement coincés.

---

1. « Bonne année », en malgache.

— Je pensais m'installer sur la petite place du marché pour chanter quelques chansons.

— Attends, pas si vite, avant il faut des autorisations.

— Demain, je demanderai à la voisine de me prêter son téléphone pour...

— Vaut mieux aller à la cabine en haut de la rue. C'est plus simple.

— Y a plus de beurre, je vais voir chez la gardienne si...

— Attends ! T'as vu l'heure, il est pratiquement minuit. On sonne pas chez les gens à cette heure.

Dans la laverie, le linge s'habillait de mousse. Miangaly mettait toujours trop de poudre. Elle n'avait pas l'habitude. Pour elle, plus ça moussait, plus ça lavait. Les sièges autour d'elle se garnissaient puis se vidaient. Pour certains, la ronde des vêtements sales se terminait tandis que pour d'autres elle démarrait. Il y avait ici autant de grises mines que de linge crasseux. Chacun se recroquevillait dans son fauteuil et tout le monde semblait triste. Une profonde solitude minait ces lavandières modernes. Les hommes et les femmes réunis ici semblaient ne jamais avoir rencontré le soleil. Face à leur appareil automatique, tous semblaient hypnotisés et incapables de parler aux êtres de chair et d'os qui patientaient à leurs côtés. Peut-être étaient-ils anéantis par une dispute, un mort ou un chagrin d'amour ? Pour Miangaly, c'était chaque fois la même rengaine. Ces visages pâles et sans sourire l'amenaient toujours à fredonner le même air. Une mélodie légère avec des mots amers. Une ritournelle qu'elle savourait dans sa tête :

Le rouge pour faire tomber la misère
De nos gentils petits grands-pères,
Noires, les mains dans les boucles blondes
Tout autour du monde.

Passez notre amour à la machine.
Faites-le bouillir
Pour voir si les couleurs d'origine
Peuvent revenir.
Est-ce qu'on peut ravoir à l'eau de Javel
Des sentiments,
La blancheur qu'on croyait éternelle,
Avant[1] *?*

Miangaly avait pris l'habitude de traîner un peu dans ce local parfumé de Soupline. Elle n'était pas pressée et la valse redondante des lave-linge la rassurait. Un petit tour dans un sens. Puis dans l'autre. Dans un sens. Puis dans l'autre. Jusqu'au bouquet final qui faisait vibrer la machine et les faïences mal collées. Ce ballet prévisible lui permettait de ne pas perdre le fil de sa vie. Elle se raccrochait à lui pour retrouver des repères. Aussi vides qu'ils soient… Une structure. Des habitudes. Tout était tellement différent ici. Dès l'entrée dans l'avion, le monde avait changé. De l'autre côté de la mer, c'est une autre terre qu'elle avait trouvée.

Les voitures rutilantes, les mains gantées, les têtes baissées, les bâtiments sculptés, les distributeurs de

---

1. *L'Amour à la machine*. Musique, paroles et interprète : Alain Souchon.

billets, les vitrines étincelantes, la tour Eiffel, les piétons pressés, les épiceries grassement achalandées, les chiens en laisse, les trottoirs balayés, les bus chauffés, la terre emprisonnée dans du bitume, les poubelles bien rangées, la place de l'Étoile, les femmes distinguées, le gel paralysant les mains, les fruits sous cellophane, les quais de Seine, les troupeaux de touristes coincés dans leur K-Way, le marché aux fleurs, l'odeur du croissant chaud, les arbres parqués et taillés, les enfants habillés comme des poupées, les flaques d'eau par milliers, les bateaux-mouches, le ciel gris, le ronron des moteurs pour remplacer les oiseaux siffleurs…

Alors, ces machines qui tournaient inlassablement dans cette laverie, avec cette moiteur qui transportait quelques infimes senteurs exotiques, avec ces gens calmes et patients, avec ces mêmes gestes qui devenaient des automatismes… Alors tout ça lui permettait de souffler un peu. De débrancher son cerveau qui devait à chaque instant affronter, analyser et répondre au monde extérieur. Cette nouvelle terre. Cette France qu'elle avait tant rêvée. Ce…

— Vous avez fini ?

— …

— Vous avez bientôt fini ? insista une dame édentée.

— Non… Non, bafouilla Miangaly qui s'était perdue dans ses pensées.

La vieille était partie plus loin sans un mot de plus. C'était comme ça ici. Les gens vous accostaient sans un bonjour et vous quittaient sans un au revoir. Miangaly n'arrivait pas à s'habituer à cette étrange coutume.

Les grimaces de la mégère lui rappelèrent la soirée de la veille. Il y avait eu beaucoup d'alcool et beaucoup de fumée. Les gens criaient et s'embrassaient. Certains pleuraient et vomissaient. Ils fêtaient la nouvelle année. Miangaly ne connaissait pas cette fête. Enfin, pas comme ça. L'an 2000 ne parlait pas à Miangaly. Pas plus que ses nouvelles copines qui pouffaient tout le temps et se tortillaient gauchement. Aucun sens du rythme, ces poupées blanches. Raides et sans odeur, juste la souplesse de leur chevelure et leur parfum haute couture. Cinq. Quatre. Trois. Deux. Un. Bonne année. Le compte à rebours pouvait commencer. Celui de sa nouvelle vie loin de ses racines et de ses rizières. Que faisait son père à cet instant ? Et Fitia ? Et les autres ? Est-ce que l'indri hurlait ? Les cieux étaient-ils clairs ? La récolte avait-elle été bonne ?

— Excusez-moi, c'est à vous le panier vert ? avait murmuré une belle jeune femme.

— Euh… Non. Non. Moi, j'ai du linge qui sèche dans la B4.

— Le cycle est terminé, l'informa-t-elle.

— Ah. Merci. Bon. Belle journée.

12
Bonne année
An 2000

Eva venait de passer la nuit sur la cuvette. Du moins le reste de la nuit. Rentrée à quatre heures du matin, elle s'était écroulée sur son lit sans même refermer la porte de sa piaule. Dans sa tête, il y avait trop de brouillard pour penser à ce genre de détail. Elle avait bu tous les verres qu'on lui avait offerts, toutes les coupes qui s'étaient présentées, toutes les bouteilles qui traînaient. Elle avait bu en silence, sans un mot pour les gens autour qui festoyaient comme si rien ne s'était passé. Comme si Olenka vivait. Alors que non, elle n'était plus. Olenka était morte. Cela faisait plus d'un mois qu'Eva ressassait sa lettre d'adieu, analysant chacun de ses mots, caressant chaque voyelle, humant le moindre centimètre carré de ce bout de papier parfumé. Froissé. Blessé. Fripé par ces lectures répétées qui le pliaient et le dépliaient. Encore et encore. À la recherche d'un dernier baiser. Olenka était morte. Cela faisait plus d'un mois qu'Eva ne sortait plus. Tapie dans son appartement, elle congédiait ses voisins et se laissait mourir de faim. Rachid arrivait de temps en temps à lui tartiner un bout de pain qu'il trempait dans des mixtures sucrées pour ne pas la laisser s'évaporer. Après trente-six jours de néant, Eva se leva enfin. Rachid lui prit la main et la promena cinq matins dans le square Léon. Au sixième, Eva le congédia et le rassura : elle allait mieux maintenant.

Eva venait de passer la nuit sur la cuvette. Du moins le reste de la nuit. Après une soirée au milieu d'alcooliques débiles célébrant l'année nouvelle et son lot de poubelles. Au début, elle avait fait l'effort d'esquisser quelques sourires mais, très vite, elle avait lâché prise et s'était contentée de tourner le dos à ceux qui tentaient de s'approcher. La fille qui l'avait amenée dans cette soirée huppée l'avait tout de suite snobée, hypnotisée par la richesse des paillettes. Elle lui avait pourtant promis un réveillon inoubliable. Une fête terrible pour faire taire tous ses fantômes. Mensonges. C'était le bal des sourires sous vide, des poules de luxe, des mecs lustrés tortillant du cul, des petits fours aseptisés et des bougies électriques. Ici, tout était factice, même les décolletés avaient besoin d'artifices. Dans cette mare de gens bruyants et sans accent, Eva s'était doucement laissé bercer par les promesses de l'alcool. Un verre de kir pour se décontracter et s'acclimater. Puis trois autres pour confirmer. Un gobelet de vodka-Red Bull pour rester éveillée. Puis un autre pour combattre les mélos du cœur et lui donner plus de vigueur. Une coupe de champagne pour l'ivresse. Puis deux. Puis trois. Finalement la bouteille. Peu importe la couleur du liquide, pourvu que les litres se répandent et contaminent toute cette chair putride infectée par le deuil. De l'acide pour décaper la tristesse. Il faut que ça fasse mal. Il faut que ça guérisse.

— Y a plus. Plus de Rrred Bull, bégaya Eva complètement ivre. Y a plus de r qui rrroule, y a plus que ces ploucs qui dansent. Y a plus qu'une vie de... merde ! Avec des parents à chier qui vivent sur leur banquise à la con. Sans... sans se soucier de leurs bébés qui s'font saigner sur la neige blanche.

— Mademoiselle, vous voulez que...

— Y a plus que des zéros derrière un deux. L'an deux mille ! Mais qu'est-ce qu'j'm'en fous ! Regardez-les, ces pitres qui chantent alors qu'ils vont tous crever !

— Mademoiselle !

— Mais qu'est-ce que tu m'veux, toi ? J't'ai rien demandé ! File-moi plutôt ma bouteille ! J'vais faire comme ma maman pingouin. J'vais boire pour oublier les morts.

Le mec derrière son bar avait tendu le magnum sans un mot de plus. Encore une allumée qu'il ne pourrait pas sauver.

Vers trois heures du matin, la copine d'Eva s'était enfin rappelée son existence et lui avait demandé quelques billets pour s'acheter de la coke.

— Va te faire foutre !

— Non mais... Mais... Tu t'es regardée ? Vautrée sur ce fauteuil. T'es complètement cramée ! Mais qu'est-ce que t'attends pour te tirer ! Qu'est-ce que t'attends, bordel ?

— Le dégel.

Eva était finalement rentrée à pied.

Somnambule imbibée d'alcool avec ou sans bulle, flottant dans son ivresse, Eva laissa ses jambes la guider. Cœur brisé aux pieds nus sur les trottoirs glacés, un pas devant l'autre sans aucune pensée parasite, juste le souffle de plus en plus rapide de sa bouche pâteuse. Âme perdue au regard fou et au sourire déchu, un pied et puis l'autre, sans se tromper pour ne pas s'emmêler. De temps en temps, quelques pertes d'équilibre très vite récupérées par la noctambule funambule. Quelques haut-le-cœur aussi, apaisés par l'air frais ou bâillonnés par la main tremblante. Les yeux roulaient et s'enroulaient autour des ténèbres à la recherche d'un peu de lumière, histoire d'y voir un peu plus clair. Puis ce fut le black-out. Vide et noir. Le goudron disparut, le lino apparut. De la rue au studio minuscule. Un claquement de doigts. Un battement de cils.

Eva venait de passer la nuit sur la cuvette. Du moins le reste de la nuit. Elle s'était pourtant effondrée sur son lit. Mais les draps avaient très vite senti le vomi. La vomissure acide et toxique, celle qui agresse les narines et détruit l'œsophage. Celle qui fait mal et qui empeste. Celle qui fait qu'on se déteste. Eva, toujours inconsciente, avait donc fini par ramper jusqu'aux toilettes et s'y était installée. Les bras autour des waters, la tête contre la lunette, la bouche entrouverte et les cheveux entre les deux.

À son réveil, Eva sursauta.
— Une vodka !
Puis régurgita une dernière fois. Une fois de trop. Dégoûtée par toute cette bile alcoolisée et par sa nuit de biture, Eva se releva tant bien que mal et, sans écouter son corps souffrant, ramassa tout le linge

souillé et le balança dans un grand sac-poubelle. Marche arrière. La porte. Les escaliers. La rue. Bruyante et grouillante. Pas de soleil pour ce lendemain de fête ivre de cocktails. Sur les trottoirs, des êtres de la nuit pris dans les griffes de ce jour gris. Des regards gonflés, des pieds traînés, des voix enrouées. Et puis encore des bouteilles. Vides, dégueulant des containers. Ou toujours pleines, se vidant à même le bec ouvert des noceurs encore joueurs. Eva titubait sur le bitume désert slalomant entre les voitures assassines et les arbres encerclés d'urine. Quelques centaines de mètres seulement qui lui semblaient infiniment plus grands. Un pied devant l'autre jusqu'à la laverie.

À l'intérieur, tout était moite et parfumé. Lavande, lilas, vanille et autres senteurs artificielles se partageaient la vedette. Eva eut un mouvement de recul. Tout ça l'écœurait. Des nausées encore et toujours. Même le propre ne parvenait pas à laver son âme dégoûtée en ce premier jour de nouveau siècle. Eva prit finalement une grande bouffée d'air glacé et s'engouffra dans le local étouffant. Plus de place. Plus de machine. Des têtes baissées et des soupirs. Eva fit deux fois le tour de la pièce et se laissa glisser dans un coin pas trop encombré. Les fesses à terre et la tête de travers, elle se laissa bercer par le ronron des blanchisseuses électriques. Encore soûle, elle fixait l'horizon pour ne pas défaillir. En face d'elle, il y avait une vieille. Une vraie. Avec sa jupe plissée, son jupon, son foulard, sa canne et ses lorgnons. Elle aussi semblait de travers. Effet d'optique ou réelle posture asymétrique ? Eva s'en moquait. Qu'elle soit droite ou un peu de biais, peu importait. Ce qui la gênait, Eva, c'était que l'ancêtre puait. Et cette odeur supplémentaire, de pisse et de vinaigre, amplifiait dangereusement son malaise. Instinctivement, la jeune femme engouffra son nez dans son tas de linge dégueulasse aspirant ainsi à un peu plus de fraîcheur. Mauvaise pioche. Eva rota, sursauta et d'un bond se releva. Il fallait en finir avec cette lessive. Tour d'horizon. Deux machines terminées. Des corbeilles vides. Eva se décida à agir.

— Excusez-moi, c'est à vous le panier vert ?

— Euh… Non. Non. Moi, j'ai du linge qui sèche dans la B4, avait répondu une belle métissée.

— Le cycle est terminé, l'informa Eva.

— Ah. Merci. Bon. Belle journée.

13

Miangaly passa devant puis s'arrêta. Elle marqua un temps et fit demi-tour. Un salon de coiffure rouge et or illuminait la rue. Elle resta un moment ainsi, immobile face à la vitre à observer les sculpteurs de cheveux jouer de leurs ciseaux argentés. Virtuosité. Il y avait là quelque chose d'inexplicable. D'impalpable. Les crinières s'envolaient, les nuques se dégageaient et les femmes se transformaient. Mises en plis, couleurs, brushing, mèches... Dans ce temple capillaire, tout était possible. Miangaly découvrait cet art nouveau et restait fascinée. Inconsciemment, elle triturait les tresses que Fitia lui avait faites juste avant de quitter Madagascar. Elle se rappelait.

C'était la veille du départ. Fitia rôdait autour de sa cousine cherchant désespérément un moyen de la retenir. Elle ne la lâchait pas des yeux, tentant d'immortaliser ces derniers instants. Elle virait, tournait, s'arrêtait, revenait. Miangaly observait son manège sans rien dire. Ne sachant pas non plus comment lui faire ses adieux. Il y avait une certaine tension. Une angoisse tenace qui rendait cette journée triste et pesante. La chanteuse ne pouvait même plus parler tant sa gorge était nouée. Elle entassait tout et n'importe quoi dans la valise d'Hanitra. Elle refermait, puis ouvrait à nouveau pour tout vider. Et recommencer. Jusqu'à ce que ses nattes s'attrapent dans les fermetures et se coincent. Elle hurla, s'énerva et tira. Une dizaine de tresses furent arrachées et le même nombre d'injures proférées. Fitia sauta sur l'occasion.

— Tu bouges pas ! Reste là, je vais te refaire toute ta coiffure avant que tu... Que tu partes.

— Mais. On n'a pas le temps. C'est...

— Dans la vie, y a des priorités, Miangaly. Et tu sais aussi bien que moi que les tresses en font partie.

Miangaly hocha la tête et se résigna. Sachant comme Fitia que la priorité ici était leur amitié qu'il fallait sceller. Fitia défit délicatement la ribambelle de nattes déjà en place puis sortit de son sac en toile les nouvelles qu'elle allait lui fixer. Ses doigts de fée commencèrent leur broderie ancestrale. De petits nœuds en manipulations savantes, la coiffure, petit à petit, prenait forme. Doucement. Tout doucement. Pour savourer ces derniers instants. Pour faire comme avant. Miangaly recevait chaque tresse comme une caresse tandis que Fitia s'appliquait à sculpter le crâne de sa cousine qu'elle voulait faire sien avant qu'il ne parte loin. Discrètement, autour, des ombres et des regards brillants observaient sans mot dire. Chacun fixant cet ultime tableau dans un coin de son cerveau pour que, les jours de grande tristesse, il puisse venir lui réchauffer le cœur et le sauver du vague à l'âme.

— Bonjour, mademoiselle…

Miangaly sursauta.

— Vous avez pris rendez-vous ?

— Pardon ?

— Vous êtes devant la porte depuis une bonne dizaine de minutes. Alors… Vous avez pris rendez-vous pour une coupe, une couleur, un…

— Non, non, je… Pas de rendez-vous. Mais si vous avez une place…

— Quel genre sou…

— Court !

Miangaly s'installa dans le fauteuil zébré face au miroir doré. Lovée dans ce salon de velours à la lumière tamisée et à la musique branchée, Miangaly se laissa relooker. Face à elle, le reflet de l'artiste qui sculptait son œuvre. Une coupe courte pour la p'tite dame. Pour qu'elle oublie l'avant et devienne le maintenant. Pour ne plus regarder en arrière mais s'installer dans le présent.

Miangaly sortit dans la rue la tête haute et le corps léger. Elle sentait l'air frais lui caresser le cou et ça lui plaisait. Elle se cherchait du regard dans chaque vitrine et, satisfaite par ce nouvel éclat, accélérait le pas comme si cette vision la rendait plus forte. Est-ce que Diego allait aimer ? Elle s'en moquait.

Une Malgache dans Paris. Une Black aux cheveux courts. Sous ses pas, les trottoirs maculés claquaient. Un rythme binaire pour accompagner sa marche gracieuse. Beaubourg, les Halles, la Bourse, l'Opéra, le Sacré-Cœur. Déambulant dans cette carte postale grandeur nature, Miangaly ne savait plus où donner de la tête. Des bâtiments ornés, tous plus beaux les uns que les autres, des boutiques coquettes et luxueuses, des voitures bruyantes et rutilantes, des femmes chapeautées, des fillettes décorées, des fleurs alignées, des parcs rasés de près, le Moulin Rouge, des escaliers immenses, une vue… incroyable. Au pied de la basilique, Miangaly s'était arrêtée. Hypnotisée. Paris étendue à ses pieds.

— Oui, souffla l'étrangère.

Oui, c'était pour cela qu'elle était venue. Pour cette beauté. Pour cette terre promise où tout était possible. Pour ce monde moderne qui savait sauver les bébés. Pour cette scène gigantesque où elle pourrait chanter. Enivrée et subjuguée, Miangaly commença à fredonner un air qui tournait dans sa tête. Sur les marches grouillantes, face à la Ville lumière, sa voix ne put se contenter de murmurer. Il lui fallait crier tout ce bonheur qui l'emportait. Il lui fallait crier cet amour qui l'habitait.

Les passants passaient.
Miangaly chanta.
Les passants ne passèrent plus.

Cet air qui m'obsède jour et nuit
Cet air n'est pas né d'aujourd'hui
Il vient d'aussi loin que je viens
Traîné par cent mille musiciens
Un jour cet air me rendra folle
Cent fois j'ai voulu dire pourquoi
Mais il m'a coupé la parole
Il parle toujours avant moi
Et sa voix couvre ma voix

Padam... padam... padam...
Il arrive en courant derrière moi
Padam... padam... padam[1]...

Miangaly, portée par la foule et ses applaudissements, enchaîna les chansons. Après plus d'une heure de concert effréné, elle s'arrêta, épuisée et vidée. Les badauds reprirent leur lente déambulation et la chanteuse se posa sur une marche, essoufflée. À ses pieds, des dizaines de pièces éparpillées. Miangaly eut comme une absence. Un...

— Bravo !

... la réveilla. Superstitieuse, elle passa la main dans ce qui lui restait de chevelure comme pour la remercier de ce miracle. Minutieusement, elle rassembla son trésor et le compta. Deux cent soixante-deux francs et quarante centimes. Elle recompta trois fois tant cette somme lui paraissait énorme. Oncle Hery avait donc dit vrai. L'eldorado existait et elle s'y trouvait. Elle aurait tant aimé avoir Fitia à ses côtés. Les pièces gonflant ses poches, la belle étrangère décida de fêter ça dans un petit restaurant de Montmartre. Autour, les touristes se photographiaient et trinquaient. De ce brouhaha, Miangaly se moquait. Seule comptait sa nouvelle vie qui commençait et ses rêves qui...

— Ça fera cent cinq francs, mademoiselle, l'interrompit le serveur transpirant.

Miangaly paya avec sa petite monnaie.

— Merci. Bonne journée.

---

1. *Padam... Padam...* Interprète : Édith Piaf ; paroles : Henri Contet ; musique : Norbert Glanzberg.

— Pour ça, pas de problème ! C'est magique, cette ville ! s'enthousiasma Miangaly. J'viens de Madagascar et vous ?

— Turquie.

— C'est vraiment le paradis ici. Mon oncle He...

— Le paradis ! la coupa le serveur. C'est une blague ?

— Non, c'est...

— Le paradis ! répéta le Turc, estomaqué. J'crois que vous n'avez pas tout compris. Le « paradis », comme vous dites, c'est dix heures minuit, sept jours sur sept, avec une heure trente de trajet à l'aller et *idem* au retour. À pied, en bus et en métro. Plus de quatorze heures de boulot, un appart' minuscule pour le peu de temps qui reste, trois enfants à nourrir et qu'on ne voit jamais.

Miangaly l'écoutait, muette.

— Et en plus de ça, reprit le garçon qui avait besoin de vider son sac, quand je croise des fils à papa bien blancs et fainéants, ils me traitent de sale branleur de Turc et me disent de rentrer dans mon pays. Alors, si c'est ça, votre paradis, indiquez-moi votre enfer et je signe tout de suite.

Miangaly était partie sans un mot de plus. Dans la soucoupe près du ticket de caisse, sa paye du jour en pourboire.

14

Après s'être soûlée des dizaines de nuits, Eva décida finalement d'entamer un sevrage. Il lui fallait arrêter un grand nombre de drogues, certes, mais il lui fallait aussi faire le deuil d'Olenka et par la même occasion celui de sa propre famille qui était désormais irrécupérable. Tout était maintenant clair dans sa tête : les fuites nucléaires n'y étaient pour rien, ses parents étaient juste incapables d'aimer et d'être aimés. Eva devait se faire une raison. Le réchauffement climatique faisait disparaître l'Antarctique mais n'avait malheureusement aucun impact sur sa mère. Même la vodka ne parvenait plus à la faire fondre.

Eva demanda de l'aide à Latifa. Il lui fallait des épices qui piquent et des chorbas pharaoniques pour parer aux crises de manque. La grosse dame prit son rôle très au sérieux et réquisitionna tout son petit monde pour mener à bien sa mission.

— Rachid, ti dis à Youssef qui mi prépare ma cagette di ligumes.

— Yasmina, ti vas masser m'zelle Iva avec di l'huile d'argan.

— Boubacar ! Dis à ti femme di vinir m'aider. J'ai di patates à iplucher.

Eva se laissait porter par cette transe orientale. Petit à petit, l'Algérie envahissait la Pologne et pansait les plaies infectées avec des cataplasmes au henné. Le thé à la menthe remplaça la Zubrowka, la grosse brune prit la place de la poupée blonde, la cannelle s'accompagna de harissa et le ballet folklorique se transforma en danse du ventre. Portée par cette mélodie berbère, Eva parvenait doucement à sortir la tête de l'eau. Il y avait des hauts et des bas, des plongeons et des apnées, mais dans l'ensemble la thérapie « chorba-à-tous-les-repas » semblait fonctionner.

— J'ai mal au cœur. J'me sens pas…

— Allez mange un piti peu de chorba, ça ti fera di bien.

— J'ai trop chaud, il faut…

— Allez mange un piti peu de chorba, ça ti fera di bien.

— J'ai froid, je tremble et…

— Allez mange un piti peu de chorba, ça ti fera di bien.

Eva obéissait. Docile et résignée. Au bout de quinze jours, l'affaire fut réglée.

— Je vais sortir prendre l'air.

— Allez mange un piti peu de chorba, ça…

— Ras le bol de la chorba, Latifa ! Je vais me faire un steak frites avec de la mayo et du ketchup !

— D'accord, ma fille. D'accord.

Ma belle. Ma fille. Ses anges protecteurs avaient le don de lui donner des surnoms bouleversants. Au snack d'en face, en tête à tête avec ses patates pleines d'huile et son bout de viande calcinée, Eva souriait à nouveau, ressuscitée par le miel de ses deux abeilles.

Sobre et motivée, Eva continua de tracer la route qu'elle s'était fixée. Il lui fallait maintenant trouver un métier. Un vrai. Une vocation. Une passion. Mais l'affaire n'était pas si simple. Eva, figée devant sa page blanche, était incapable de lister une série de jobs susceptibles de lui plaire. Elle n'avait pas d'envie. Pas de préférence. Aucune tendance. Le flou le plus total.

C'est encore Latifa qui la sortit de ce mauvais pas.

— Y a Kader qui cherche une cuisinière. J'ai pensé à toi.

Kader, c'était le patron du kebab au coin de la rue. Il était grand, efflanqué, le visage fissuré, la barbe drue et le regard broussailleux. Eva ne l'aimait pas trop. Elle ne le connaissait pas, ne lui avait jamais adressé la parole mais elle ne le sentait pas, ce bonhomme. C'était comme ça. Le lendemain pourtant, elle se rendit jusqu'à son fast-food. Il cherchait en fait une femme de ménage. Affaire conclue.

Sur le chemin du retour, Eva ne comprenait toujours pas les raisons de son engagement. Elle était un peu paumée, certes, mais de là à accepter n'importe quoi…

— Ci pas n'importe quoi, ma fille ! Ci un travail !

Latifa resservit un thé à la menthe à Eva et continua d'empiler baklavas, makrouds et cornes de gazelle dans son assiette. Rachid arriva. Derrière lui, une femme voilée attendait.

— Zahra. Comment ti vas aujourd'hui ? Ti peux enlever ton voile, on est entre nous.

Eva n'écoutait pas, trop absorbée par la beauté de cette Maghrébine à la peau mate. Elle avait de grands yeux noirs et profonds maquillés de khôl. Ses lèvres charnues étaient couleur chocolat. Chocolat au lait. Ses pommettes rougissaient à chaque phrase prononcée et ses longues mains fines dessinées au henné s'entortillaient à sa longue jupe sombre. Elle ne portait aucun bijou. Seul un minuscule brillant ornait le creux de sa narine.

Eva connaissait les souffrances de cette fille immigrée. Rachid lui avait tout raconté. Mariage forcé, viols répétés, isolement, et pour finir, perte d'identité. Zahra n'existait pas. Elle ne figurait sur aucune liste d'aucune mairie, d'aucun hôpital, d'aucune entreprise. Zahra était une sans-papiers, comme Moussa et les naufragés de La Lune. Zahra vivait recluse dans sa chambre, survivant grâce à Latifa et les autres. Eva savait très bien pourquoi cette jeune femme était devant elle à déballer son sac. Mais Eva n'avait pas besoin de ça. Elle connaissait sa chance et n'avait pas l'intention de se plaindre. Elle était juste un peu perdue et se considérait elle aussi, à sa manière, comme une sans-papiers. Une SDF. Une vagabonde. Une orpheline sans pairs à la recherche d'une mer dans laquelle se laisser bercer. Elle souhaitait flotter enfin et scruter l'horizon à la recherche d'un navire insubmersible. Eva n'avait donc pas besoin d'entendre le supplice de cette femme pour comprendre et saisir les opportunités qui lui étaient données. Elle était bien décidée à retrouver son âme, fût-elle perchée au sommet d'un balai à chiottes. Cet emploi de ménagère dans ce snack berbère serait parfait pour cette vie nouvelle.

— C'est dur, termina Zahra.

Eva, sans un mot, se leva et s'avança vers celle qui cachait ses larmes derrière son tchador opaque. Elle la prit dans ses bras et pleura avec elle tandis que Latifa, la main sur le Coran, psalmodiait sa souffrance. Autour, un grand vide s'était emparé de la pièce et de ses bibelots. Les broderies se recroquevillaient sur leur fil ourlé, les tapis s'étiraient pour tendre vers l'invisible, la collection d'horloges avait suspendu son tic-tac et les pâtisseries trop sucrées s'étaient cachées sous les serviettes en papier. Rachid, dans la pièce d'à côté, n'osait plus bouger. Les femmes, possédées, criaient leur douleur ancestrale et la vie, silencieuse, les écoutait.

11 septembre 2001
DES ARMES

Des qu'il faut nettoyer souvent pour le plaisir
Et qu'il faut caresser comme pour le plaisir
L'autre, celui qui fait rêver les communiantes

Des armes bleues comme la terre,
Des qu'il faut se garder au chaud au fond de l'âme,
Dans les yeux, dans le cœur, dans les bras d'une femme,
Qu'on garde au fond de soi comme on garde un mystère

Des armes au secret des jours,
Sous l'herbe, dans le ciel, et puis dans l'écriture,
Des qui vous font rêver très tard dans les lectures,
Et qui mettent la poésie dans les discours.

Des armes, des armes, des armes,
Et des poètes de service à la gâchette
Pour mettre le feu aux dernières cigarettes
Au bout d'un vers français brillant comme une larme[1].

---

1. *Les choses de la vie…* Ce poème de Léo Ferré a été publié en 1969 dans le n° 6 de la revue *La Rue*. Il a été mis en musique par Bertrand Cantat du groupe Noir Désir dans l'album *Des visages, Des figures* sorti le 11 septembre 2001, jour des attentats meurtriers aux États-Unis.

15

Miangaly remplissait son chariot au compte-gouttes. Elle comparait les prix au kilo et cherchait toutes les offres promos. Au rayon chocolat, elle resta un long moment à observer les paquets colorés. Elle sentait Hanitra tout près qui la poussait à prendre le maximum de tablettes pour compenser les années de misère. Miangaly en piocha deux au hasard tant le choix était difficile. Elle les balança dans le caddie et se dépêcha de quitter l'univers des sucreries. La tentation était trop forte et sa grand-mère pas tout à fait morte.

Miangaly filait dans les allées. Miangaly salivait devant tout ce qu'elle voyait. Miangaly sentait un vertige l'emporter. Miangaly souriait. Miangaly s'arrêta. Plus de sourire. De la peur en pire. Devant elle, quinze postes de télévision renvoyant quinze fois l'apocalypse.

Un avion fracassant une tour. De la fumée noire. Des explosions. Des hurlements.
Un avion fracassant une tour. De la fumée noire. Des explosions. Des hurlements.

Un avion. Encore. Encore. En boucle. Et autour de Miangaly, une foule qui grossissait. Un silence de mort qui s'installait. Le supermarché n'était plus. Face au destin, les hommes ne grouillaient plus, les caissières ne bipaient plus, les haut-parleurs s'étaient tus. Les yeux de la Malgache, qui ne connaissaient pas la télévision, imprimaient pour l'éternité cette dizaine d'écrans ensanglantés. Ces images brûlées clignotaient inlassablement et propageaient leur haine démente. Miangaly sursauta. Elle abandonna son chariot au milieu des badauds décomposés et, asphyxiée par cette médiatisation de l'horreur, courut jusqu'à la sortie, à la recherche d'un peu d'air. Une fois dehors, elle chercha un arbre au pied duquel se réfugier. Elle trouva un platane, le serra dans ses bras et ferma les yeux intensément à la recherche de l'autre monde. Le monde sans voiture ni avion, sans tour ni maison, sans violence ni explosion. Elle le chercha longtemps mais ne le trouva pas. Il était trop loin. Il était inaccessible. Planté au milieu de sa jungle, le village de son enfance continuait son train-train quotidien sans se préoccuper de Manhattan et de l'Islam. Là-bas, il y avait des pilons, des zébus et des gargotes. Pas d'immeubles à faire sauter ni de Boeing à détourner. Bako devait être en train de pêcher avec Tahiry à ses côtés.

Miangaly tremblait de plus en plus. Les nerfs. La peur. Miangaly resta sur le parking encore une vingtaine de minutes. Puis elle grimpa dans un bus, direction Diego. Il lui fallait son odeur, ses bras, sa chaleur. Même si...

16

Dans le snack de Kader, la télévision débitait ses idioties quotidiennes sans s'essouffler. Il n'y avait pas de clients. Le boss faisait l'inventaire des stocks tandis qu'Eva briquait les grilles trop grasses. Son nouveau travail semblait lui convenir. Rien de transcendant mais Eva se sentait bien et cela suffisait. Et puis, elle aimait bien la musique de Kader, le raï qui couvrait le son des émissions et qui répandait sa bonne humeur jusque dans la sauce blanche du kebab royal.

En fait, le patron n'était pas un sale type, il était juste timide. Très timide. De sorte qu'il parlait peu, souriait peu et criait peu. Mais, parfois, quand il recouvrait un semblant de confiance et que sa joie était trop immense, il offrait à ceux qui le regardaient un visage moelleux. Eva l'avait aperçu une fois et, depuis, elle n'avait de cesse de l'épier afin de retrouver cette beauté volée. Elle en rêvait même la nuit. Il y avait surtout ce sourire. Ses dents opalescentes illuminant sa barbe sombre. Ses fossettes sublimes cachées à la commissure des lèvres. Et aussi son regard obscur qui se mettait à briller. Instant rare qui demandait la plus grande des patiences. Mais Eva n'était pas pressée.

Le nez dans ses cahiers, Kader semblait stressé. Son front suait et sa chemise s'auréolait. Les comptes du mois ne devaient pas être terribles. Il faut dire que le snack était souvent vide et les kebabs pas très comestibles. Les seuls qui consommaient ici, c'étaient les quelques amis du patron. Ils filaient souvent dans l'arrière-boutique et parlaient pendant des heures autour d'un thé à la menthe et d'une shisha. Eva s'accoudait alors au bar et savourait cette rumeur maghrébine.

Un chiffon à la main, Eva proposa à Kader un verre d'eau pour le rafraîchir. Ce dernier déclina l'offre, trop absorbé par ses chiffres et ses lettres mystérieuses. La jeune femme allait commencer la poussière quand la télévision l'arrêta. Face à l'écran muet, Eva ne bougeait plus. Ne respirait plus. Bercées par l'oud[1] et la darbouka[2], des images insensées tournaient en boucle sans s'arrêter. Des mots déroulaient leur venin au bas de l'écran. New York. World Trade Center. Attentat. Mais Eva ne lisait pas les sous-titres, trop absorbée par l'horreur diffusée. Puis la musique s'arrêta et les commentaires sonores de la catastrophe vinrent décrire cette folie humaine et ancrer dans la réalité ce cauchemar éveillé. Kader venait de troquer son stylo contre la télécommande. Eva ne se retourna pas. Elle resta immobile devant ces tours ensanglantées. Elle fixa la télévision une vingtaine de minutes et, lorsque le dégoût devint trop grand, elle baissa les paupières et fit demi-tour.

— Je rentre chez...

---

1. Ancêtre du luth européen.
2. Tambours en forme de vase.

Eva se figea. Face à elle, un inconnu. C'était la même barbe, la même tunique, la même chevelure mais ce n'était pas le même homme. Le regard de Kader brillait. Il ne s'agissait pas de larmes. Ses yeux étaient illuminés. Une joie immense les faisait pétiller. Sa bouche dessinait un léger sourire. Imperceptible. À ce moment-là, flatté par sa fossette timide, Kader aurait dû être beau. Mais il était hideux. D'une laideur effroyable. Un tremblement puissant doublé de sueurs froides s'empara d'Eva. Lui ne la voyait même pas. Il fixait la télévision tout en marmonnant un chant incompréhensible. Terrorisée, la jeune femme lâcha le verre qu'elle astiquait quelques minutes plus tôt et le regarda s'exploser sur le sol carrelé. Elle sursauta, se jeta sur la porte et sortit. Elle partit en courant, laissant Kader à sa plainte démente.

— *Allah akbar*[1] *!* chantait-il. *Allah akbar !*

---

1. « Dieu est plus grand », en arabe.

17

Diego n'avait pas aimé sa nouvelle coiffure.

Diego ne l'avait pas encouragée à chanter dans la rue.

Diego n'avait pas été là pour la prendre dans ses bras le 11 septembre.

Diego était mal dans sa peau, avait perdu sa fougue et sa beauté blanche. Il souhaitait que Miangaly reste la petite Malgache qu'il avait connue et ne supportait plus le moindre changement chez elle. Dès qu'elle faisait un effort pour s'intégrer, pour être plus branchée, il l'ignorait, ou pire, la réprimandait. Miangaly résista quelques mois, espérant que son bel amant retrouverait ce qui faisait de lui un prince charmant. Mais le conte de fées s'essouffla rapidement. Ils ne se marièrent pas et n'eurent aucun enfant. Un matin de janvier, la métisse au cœur brisé mit dans sa valise ce qui lui restait de gaieté et partit se réfugier chez une amie guitariste qui s'était spécialisée dans les naufragés. Chez elle, il y avait déjà un Libyen et deux Sénégalaises. Elle, c'était Madeleine. Madeleine de La Martinière. Elle se faisait appeler Mady et utilisait le « de

La Martinière » seulement pour signer les chèques lui permettant de subventionner ses multiples associations. Elle habitait une grande maison douillette où elle n'était jamais, trop occupée à sauver le monde et à chanter sa révolte.

Miangaly trouva vite sa place dans cette auberge espagnole où chacun allait et venait à sa guise. Elle avait une chambre à elle avec un lit moelleux et un petit miroir, et partageait la salle de bains avec les autres. Pour les repas, ça changeait tout le temps suivant les emplois de chacun, car ici tout le monde travaillait. C'était une des règles de la maison. Pas de squatteur sans emploi. Il fallait la mériter, sa suite. Miangaly n'avait pas dit à Mady qu'elle chantait. Elle n'osait pas se comparer à la musicienne et préférait lui raconter qu'elle faisait la plonge dans un restaurant italien. Un soir, pourtant, le secret fut levé.

La maison était vide et Miangaly l'avait pour elle toute seule. Un peu perdue, elle ne savait pas trop quoi faire. Elle prit une douche, grignota quelques chips, puis se mit à tourner dans la villa. Elle observa longtemps l'immense bibliothèque qui occupait le grand mur du salon. Il y avait là des centaines de livres, de toutes les tailles, de toutes les couleurs, de toutes les nations. Miangaly piochait, feuilletait, puis reposait. Elle n'avait jamais rien lu. Enfin si, des magazines, des petits textes, des paroles de chansons, mais elle n'avait jamais lu un livre. Un vrai. Ça lui paraissait tellement énorme. Elle caressa les ouvrages un moment ainsi, puis, au coin de l'étagère, un objet l'appela. C'était le petit ampli de Mady. Elle ne l'avait pas pris ce soir. Miangaly l'observa un instant. Un court instant. La tentation était trop forte. Le rêve trop grand. Chanter dans un micro. Amplifier sa voix et la projeter au reste du monde. Faire comme Blondie dans sa combinaison de panthère. Jouer avec cet instrument pour transformer le chant en show époustouflant. Miangaly, sans réfléchir, brancha le fil sur l'appareil et mit le système en route. Une fois l'équipement en place, elle s'arrêta quelques secondes. Elle était tellement impressionnée. Timide, elle approcha la mousse de ses lèvres et souffla doucement. Le souffle, plus fort et plus beau, sortit de l'enceinte. Miangaly sourit. Elle était prête. Elle allait faire comme les grandes chanteuses et transcender le silence de sa voix immense. La main tremblante, le corps crispé et le regard baissé, la diva malgache commença son concert solitaire.

Marcia, elle danse sur du satin, de la rayonne
Du polystyrène expansé à ses pieds
Marcia danse avec des jambes
Aiguisées comme des couperets
Deux flèches qui donnent des idées...

Moretto[1]*...*

Miangaly était maintenant possédée par les « Rita ». Les mots sortaient de sa bouche avec une intensité rare et ils lui revenaient à l'oreille dans un écho foudroyant. L'étrangère chantait pour elle mais aussi pour l'autre terre. La terre de ses ancêtres. Inconsciemment, elle espérait que ses vibrations transformées par cette

---

1. *Marcia Baila*. Paroles et musique : Catherine Ringer et Frédéric Chichin (autrement dit, les Rita Mitsouko).

machine moderne pourraient traverser les mers et caresser ainsi les tympans de Fitia et de son père. Et peut-être même ceux du vieux Tahiry. La Malgache laissa son corps s'échapper et rattraper ces notes qui l'entraînaient.

Seule au monde. Elle était seule au monde. Enfin… Presque. Derrière la porte entrouverte, une main. Au bout de cette main, une silhouette fine et immobile. Mady. Mady qui n'en revenait pas. Jamais, elle n'avait entendu pareille voix. Il y avait en elle la pureté du diamant mais aussi la puissance du volcan. Elle était claire et par moments ténébreuse. Sa tessiture, d'une étendue incroyable. Mady écoutait. Mady vibrait. Mady tremblait.

La chanson se termina. Silence. Trempée de sueur, Miangaly observait ce micro qu'elle désirait depuis si longtemps. Il lui était si familier, comme une partie d'elle-même qu'elle retrouvait enfin. Mady était toujours là. Immobile et silencieuse. Elle avait du mal à retrouver son souffle tant ce chant l'avait impressionnée. Elle cherchait l'air. L'air que Miangaly venait d'expulser et qui lui semblait si précieux. Elle aurait voulu que la chanteuse ne s'arrête pas, que ses cordes vocales continuent leur souffle majestueux, que le temps s'arrête pour laisser la place au tempo des mots jusqu'à ce que… son cœur s'arrête.

Miangaly sursauta. Mady venait de s'écrouler sur le tapis du salon. Elle balança le microphone, courut jusqu'à son amie et cria son nom pour la ramener à elle. Le visage de Mady s'effaçait peu à peu. Transparence. Lèvres violettes. Corps inerte. Miangaly mit son oreille contre sa poitrine immobile. Plus rien. Pas un battement. La Malgache oublia son show, la maison et Paris. En une seconde, elle retrouva l'île rouge et le monde des razanas. Mady n'était pas un bébé mort et la terre sacrée était loin, mais Miangaly voulut quand même essayer et croire au miracle.

— Balanola. Balanola.

Elle murmurait à son oreille ce chant qu'elle avait appris de son père. Doucement, elle se balançait, Mady contre elle souriait.

— Balanola.

Elle continua ainsi de longues minutes, frictionnant son torse, ses bras, ses jambes. Répétant inlassablement la même phrase et cherchant partout le moindre signe de vie. Miangaly faillit abandonner, se dire que tout était terminé, mais il y eut un frémissement. Imperceptible mais réel. Un frisson sur sa peau, suivi d'un léger souffle d'air frôlant sa bouche et chassant une goutte de salive au coin des lèvres. Et puis ce fut sa main qui bougea. Un doigt. Puis deux. Puis trois. Une paupière clignotante. Un spasme réconfortant. Mady revenait à elle et Miangaly, soulagée, relâcha son étreinte.

— Tinue, bredouilla Mady. Continue de chanter.

Miangaly s'exécuta et de longues heures fredonna. Le soleil se coucha. La nuit s'installa. Et les deux jeunes femmes sortirent enfin de leur coma. Un pacte fut scellé : Miangaly au chant et Mady à la guitare. Le show pouvait commencer.

18

Kader était parti sans bruit. De nuit. Laissant derrière lui son local et ses frites. Le lendemain, lorsque Rachid y était allé pour son kebab et sa leçon d'arabe, il était resté sur sa faim. La porte du restaurant était grande ouverte, la télévision continuait sa plainte lancinante à coups d'avions kamikazes, des gens du quartier allaient et venaient à la recherche du patron et la vitre de la boutique était maculée d'un graffiti indélébile :

Les jours qui suivirent, la rue, d'habitude si calme, s'agita de toutes parts. Il y avait ceux qui ressassaient le drame du World Trade Center, ceux qui cherchaient Kader inquiets et ceux qui commençaient à paniquer en raison des fortes sommes que le boss leur devait. Et il

---

1. Écriture arabe qui signifie : *Allah Akbar* (« Dieu est plus grand »).

y avait Eva, malade et fiévreuse, qui refusait de quitter sa couette, son lit, sa chambre, son étage, son immeuble. Sa rencontre avec le diable l'avait anéantie. Ces quelques minutes d'horreur avaient suffi à tout fracasser. Sa foi naissante avait été bombardée et s'était éteinte laissant au néant le soin de tout dévaster. Eva n'arrivait pas à se débarrasser de ce sourire pervers. En une seconde, l'homme fantasmé était devenu le monstre aux mains sanguinaires. Eva, effrayée, tentait désespérément de se cacher. Tapie derrière son ombre, elle respirait tout bas pour ne pas qu'on l'entende. Pour ne pas qu'on la sente. Pour qu'on l'oublie.

Après plusieurs jours de chaos, où les rumeurs les plus folles entretenaient les rancœurs et les sautes d'humeur, le calme sembla enfin trouver sa place. Le calme avant la tempête.

— Kader est un terroriste ! s'était mis à hurler Ben Saada.

— Il est d'Al Ada ! avait renchéri Mme Dumont, la boulangère.

— Al-Qaïda, l'avait corrigée maître Diop, avocat sénégalais à la retraite.

— Il a tout trafiqué dans son arrière-boutique ! avait expliqué Paulo, le facteur. Il recevait beaucoup de colis. J'pensais qu'c'était pour son snack. Mais si ça se trouve… Si ça se trouve…

Latifa, la tête collée contre la porte, ne put s'empêcher de questionner sa protégée :

— Iva, ti savais pour Kader ?

Eva ne répondit pas. Pour Mme Hachim, c'en était trop et elle appela sa tribu à la rescousse pour défoncer la porte.

Ils la trouvèrent allongée. Épuisée. À la limite du coma.

— Qu'est-ce qui s'est passé ? avait demandé le médecin.

— Ci Al Cada, avait répondu Latifa.

Rachid s'occupa de la traduction simultanée et la jeune femme malade fut transportée à l'hôpital.

Trois jours d'hospitalisation plus tard, Eva retourna chez elle et, chaperonnée par Latifa Hachim en personne, réussit à prendre quatre kilos en dix jours. Au menu de cette rééducation alimentaire : tajine aux pruneaux, badenjal mcharmel[1], couscous aux fèves, brick à l'œuf, lait fermenté, cornes de gazelle et croissants aux amandes.

Une fois sa protégée remplumée, Latifa passa aux choses sérieuses.

— Iva, maintinant qui Kader il est pli là, qui toi ti vas mieux, qui li choses sont rentrées dans l'ordre, il i temps de penser à l'avinir.

Eva sentait que les choses allaient se gâter. Quand la mère Hachim faisait des longues phrases et des manières, ce n'était pas bon signe. Latifa exposa son plan à Eva. Elle avait de l'argent sur un compte bancaire que lui avait laissé son défunt mari et souhaitait acheter le snack de Kader pour le confier à Eva et à Rachid.

— Moi ? Rachid ?

— T'inquiète pas. Rachid, il i trop piti pour l'instant. Ci sira pour plus tard.

Rachid, du haut de ses quinze ans, opina du chef, se leva et offrit sa main tendue à Eva.

---

1. Aubergines en sauce.

— Tope là, grande sœur !

Eva ne disait rien du tout. Elle n'avait pas tout compris d'ailleurs. Et puis, il y avait cette histoire de grande sœur. Rachid venait de l'appeler grande sœur. D'abord flattée, elle sentit ensuite un certain malaise l'envahir. Surgissant d'un passé qu'elle avait oublié, Sue Ellen lui souriait.

— Non.

— Non… Non quoi ? s'affola Latifa.

— Non, Rachid, je ne suis pas ta grande sœur. Je suis la grande sœur de Sue Ellen.

— Souèlem ? répéta Latifa.

— Grande sœur, j'ai dit ça comme ça. Parce que je t'aime bien.

Touchée par le trouble de Rachid et la confiance de Latifa, Eva finit par capituler devant cette famille qu'elle considérait malgré tout comme la sienne.

— Oui. Mais je suis pas sûre que je…

— Ti, ti, ti ! gronda Latifa. Moi, ji suis sûre !

Ta, ta, ta, chez Olga. Ti, ti, ti, chez Latifa. L'une qui torsadait les r, l'autre qui cultivait les i. Une blonde, une brune. Deux femmes de grande classe pour le prix d'une. Eva, qui avait grandi sur un glacier, attirait vers elle les dames du soleil. Boulottes, friandes et bienveillantes, elles comblaient les crevasses de l'iceberg et offraient à Eva les vagues joyeuses de la *mère*.

19
2002-2008
La vie va trop vite…

Miangaly était maintenant française. Mariage blanc pour la métisse avec un Black périgourdin, un ami de Mady. Carte vitale. Carte d'identité. Carte bleue.

Miangaly et Mady. Un duo. Les jeunes femmes commencèrent par jouer dans les bistrots du quartier. Des reprises. Guitare et voix. Une voix. Miangaly, au fil des soirées, prenait conscience du trésor que sa mère lui avait confié. Un don extraordinaire qui lui offrait des transes incroyables et décuplait la vie en milliers de souffles graves et aigus. Et puis il y avait ce retour. Cette chaleur électrique qui remontait jusqu'à la scène, ces regards fanatiques qui exorcisaient leurs peines, ces applaudissements symphoniques qui ponctuaient chaque chanson. Miangaly ne voulait plus s'arrêter de chanter. Elle pouvait enchaîner les concerts et n'était jamais fatiguée. Il lui fallait du son. Il lui fallait des vibrations. Madagascar était loin maintenant. Mais chaque fois que ses lèvres embrassaient le micro, c'était pour son île qu'elle chantait. Elle devinait les yeux brillants de Fitia, les mains tremblantes du vieux Tahiry, la bouche souriante de son père et le short de Bako.

Heureusement, la terre de ses ancêtres venait aux nouvelles de temps en temps par l'intermédiaire de Diego. Ce dernier était retourné à Madagascar, le pays qu'il avait choisi. Il passait régulièrement à Anandrivola pour les besoins de la ZOB et en profitait pour prendre des nouvelles de la famille. Il faisait quelques photos avec un appareil qu'il avait déniché aux puces de Saint-Ouen, prenait la dictée de chacun et envoyait le tout à Miangaly dans une enveloppe parfumée à la vanille. Chaque fois, il glissait dans un coin de la lettre deux ou trois mots d'amour pour celle qu'il voulait faire sienne pour toujours. De son côté, Miangaly renvoyait des pages par dizaines détaillant sa vie d'ici et répondant ainsi au souhait de Fitia qui voulait tout connaître de la vie là-bas. Elle joignait souvent à ses courriers des cassettes de ses dernières chansons, des échantillons de parfum, des pages découpées dans *La Redoute*, des fleurs séchées de Paris, celles du square près de son appartement.

Miangaly parlait chaque année de retourner sur l'île rouge. Mais jamais elle ne le faisait. Trop cher, trop loin, trop peur. La crainte de vouloir y rester et de mettre un terme au rêve qu'elle vivait. Elle rentrerait. Un jour. Mais pas tout de suite.

Sur des cahiers, elle grattait des nuits entières sa plume contre le papier. Des mots se dessinaient, désordonnés d'abord. Puis le brouillon perdait ses ratures et ses rayures. Le désordre prenait du sens. Les lettres brodées devenaient des phrases et les rimes trouvaient leur place pour faire de ses textes des chansons. Des chansons qui pour l'instant n'étaient que murmures et qui peut-être un jour deviendraient une hymne que l'on hurle. Ses écrits parlaient des razanas, des manguiers, de Tsiky, de l'échoppe de Tahiry mais aussi de la pluie sur le bitume, des supermarchés climatisés, des chiens en laisse, des maisons de retraite, du soleil sur la neige. Il y avait de la nostalgie, de la poésie et aussi de la révolte parce que Miangaly préférait les cris au silence.

Dans son appartement de Pigalle, la Malgache collectionnait les vaches. Cousines du zébu, les bovidés tricolores avaient quelque chose de familier qui la rassurait. Avec ou sans taches, céramiques ou plastiques, figurines, peluches, imprimées, photos, cartes postales, calendriers, tasses… tout était prétexte à sa boulimie bovine.

Les premières années, entre deux concerts, Miangaly travailla comme femme de ménage pour payer son studio, sa gamelle, ses douches et sa lumière. Mady avait souhaité l'aider prétextant un sponsoring de jeune talent mais Miangaly avait refusé. Trop fière. Trop indépendante. Une éponge dans une main, un micro dans l'autre, la Malgache avançait sur le fil de son rêve sans perdre l'équilibre. Funambule, elle valsait entre le jour et la nuit sans faillir. Elle avait dans le cœur des mangues mûres qui transformaient son rythme cardiaque en mélodie du bonheur. Juteuses et fruitées, elles parfumaient le quotidien de leur saveur exotique. Petit à petit, la musique prit le pas sur le Harpic. De plus en plus de dates, de spectateurs, de fans. Un premier enregistrement chez un copain. Un premier CD. Le petit duo commença à compter les cachets et Miangaly put abandonner ses détergents pour son micro d'argent.

Un soir d'hiver, alors que Miangaly réchauffait les âmes de Paris dans un cabaret délabré qui pleurait sa douleur le long de ses murs gris et ridés, elle appela le soleil et la salle obscure se transforma en puits de lumière. Les projecteurs poussiéreux se mirent à palpiter et les araignées à danser. Le bar, froid et nu, se retrouva assiégé par le cul de belles blondes. Les tables et les chaises furent empilées sur les côtés pour faire place à tant d'éclat. De la rue, le souffle magique se faisait caresse et les passants stoppaient leur course folle pour attraper un peu de cette mélodie. Tout d'un coup, on eut chaud et les zips commencèrent leur strip. Strip-tease. Les femmes ôtèrent leur collant et les hommes leur chemise. Les corps, habitués à la solitude de la danse contemporaine, se retrouvèrent enfin. Collés serrés. Les nuques se penchaient pour être plus près de celles d'à côté. On se cherchait. Les bustes entraînaient les bassins qui ne résistaient pas long-temps à l'appel. Une fièvre lascive se propageait dans les moindres recoins du cabaret. Même les plus rigides commençaient à sentir ses effets et ses fourmillements. De la sueur sur les tempes et jusque dans les cœurs. Des souffles courts. Des yeux acoquinés. Des langues gourmandes.

Miangaly, imperturbable, continuait son chant mystique. Un top de dentelle sur un jean serré. Les pieds nus. Sa peau chocolat brillant de reflets lactés. Ses cheveux courts et crêpés. Ses mains fines. Son regard noir sur cette nuit blanche. Sa bouche. Sa grande bouche. Ses lèvres charnues articulant ses mots et ceux des autres pour les teinter de notes et les mêler aux cordes des guitares. Le concert dura des heures. Des morceaux de sa composition succédant à de grands classiques. Des paroles françaises ponctuées de sentences anglaises.

Le barman, derrière son zinc, servait des cocktails de feu à la foule amoureuse. Des coupes bleues pour de l'eau rouge. Du vert dans le verre avec un zest. Des flûtes à bulles. Du delirium shooter poivré de menthe. Les bouteilles se noyaient dans l'ivresse.

Miangaly, sur sa scène bancale, se désaltérait au rhum. Rhum coco. Pour Mady, c'était vodka. Vodka carambar. Vodka tagada. Vodka pomme. Les cordes sur la gratte aimaient la douceur de ses doigts après un cul sec à la Zubrowka. Mady aimait sa guitare quand l'alcool faisait vibrer sa caisse et assouplissait son manche. Il y avait un frisson électrique qui parcourait l'acoustique, Mady adorait ça et, pour cette sensation enivrante, elle était prête à tous les excès. Et puis cette soirée avait un je-ne-sais-quoi d'étrange. Comme si un ange était descendu du ciel pour tout irradier. Une bombe. Mais pas une bombe nucléaire qui fait de toute vie un enfer. Non. Une bombe de coton. Qui emplit de son moelleux et de sa pureté l'espace qu'elle a percuté. Comme un nuage dans le ciel dans lequel on voudrait se lover. Comme une barbe à papa qu'on voudrait dévorer. Un peu de sucre et un peu de neige pour tout exploser.

Vers deux heures du matin, un mur s'effondra. La foule se recroquevilla. De la poussière. Un souffle d'air. La voix de la Malgache se fit murmure. L'auditoire s'immobilisa et, face à la chanteuse, se regroupa. Miangaly baissa ses paupières, appela sa terre et sa mère, et, les mains tendues vers le ciel, confia à la nuit les mots qu'elle avait écrits dans la langue de ses ancêtres. Des mots malgaches que les Français silencieux ne comprenaient pas. Des paroles noires que les Blancs ressentaient. Pas besoin de sens. Les sens suffirent. Miangaly leur racontait sa naissance. Des phrases cousues avec du fil de liane, mêlées pour la vie au sang de Tsiky :

Au-dessus d'elle, la lune.
Auprès d'elle, quelques lémuriens noctambules.
Au-dessus d'elle, les étoiles.
Auprès d'elle, une mygale insomniaque qui tissait sa toile.
Au-dessus d'elle, la nuit.
Auprès d'elle, un gecko se déplaçant sans bruit.
Au-dessus d'elle, un ibis mélomane.
Auprès d'elle, une tortue à la robe diaphane.
Au-dessus d'elle, la Voie lactée.
Auprès d'elle, une grenouille fluorescente et tachetée.
Au-dessus d'elle, un ange éblouissant.
Bientôt près d'elle, son enfant.

Dans sa voix, il y avait du Janis. De la terre que l'on crache parce que ça fait mal quand on respire. Parce qu'il faut que ça sorte. Parce qu'on suffoque et qu'on voudrait dormir. Un chant venu des entrailles pour rejoindre le fond des âmes. Pour se répandre là où le vide s'installe.

À la fin de sa transe, Miangaly ouvrit les yeux. Face à elle, un regard bleu. Et rien d'autre. Un homme planté au milieu du néant la regardait en face sans aucun détour. Miangaly salua le public sans un mot de plus et descendit de son piédestal pour aller à la rencontre de celui qui lui piquait le ventre. Il n'avait pas de chevelure blonde ni de short. Pourtant il lui mettait des coups de chaud dans le plexus et des papillons dans la tête. Miangaly, épuisée par son show, s'effondra sur ce large Blanc à l'air rassurant. Il la prit dans ses bras, la souleva et jusqu'à son carrosse l'amena. Il n'y eut ni chaussure ni citrouille. Juste un bal que l'on fuit pour retrouver l'amour au cœur de la nuit.

20
2002-2008
Trop vite…

La Table d'Olenka. Le nouveau repère du quartier. À l'annonce du nom qu'Eva souhaitait donner au restaurant, Latifa manqua faire une attaque.

— Olinka. Olinka. Mais qui ci cille-là ?

Exclusive et jalouse, Mme Hachim avait du mal à accepter celle qui, avant elle, avait fait d'Eva sa protégée.

— Pourquoi pas Latifa ? Ci bien Li Table di Latifa. Non ?

Eva et Latifa parvinrent à se mettre d'accord pour un couscous royal Latifa. Au début, Eva élabora sa carte timidement avec quelques recettes simples piochées çà et là et ne changea pas grand-chose au local. Il lui fallait trouver ses marques. Les premiers temps, elle n'acceptait pas plus de vingt couverts. Au-delà, elle perdait pied et était prête à tout lâcher. Rachid venait lui donner un coup de main après les cours et le week-end pour réparer la friteuse, revisser les boulons, monter des étagères, démonter les siphons. Après un an à ce rythme-là, Eva entama sa transformation. Celle qu'elle avait toujours attendue. Celle qui ferait d'elle une femme entière et épanouie. Pour la première fois de sa vie, Eva savait qui elle était et ce qu'elle voulait.

— Je vais faire quelques changements, annonça-t-elle à ses clients.

La Table d'Olenka ferma ses portes un mois. Soutenue par sa nouvelle tribu, Eva créa le lieu de ses rêves : un petit restaurant coquet à l'image d'Olenka avec mets polonais et assiettes orientales à la carte. Tout avait été repensé. Le mur entre la cuisine et la salle à manger avait été abattu à coups de masse – Eva s'était fait un plaisir d'en donner quelques-uns – et un bar tout en rondeur était venu le remplacer. Les fourneaux et la salle ne faisaient qu'un pour que la cuisinière puisse rester en contact avec ses hôtes. Il y avait du velours aux fenêtres, de l'ocre rouge sur les murs, des bougies parfumées, des napperons brodés, des fauteuils tapissés de coussins, des spirales lumineuses, des drapés au plafond. Le snack était devenu en quelques semaines un restaurant cocooning embaumé par les guirlandes de cannelle et les sachets de badiane. Au menu, bigos[1], barszcz czerwony[2], kotlet schabow[3] mais aussi tajine et bourek[4]. Une simple connexion à ses souvenirs permit à Eva de retrouver

---

1. Choucroute polonaise.
2. Soupe préparée à base de betteraves et d'autres légumes, servie avec de la crème fraîche.
3. Côtelette de porc panée.
4. Pâte feuilletée spéciale enveloppant une farce de viande mélangée d'oignons et d'œufs frits, et roulée en forme de cigare.

les secrets culinaires de ses deux nourrices et de prendre possession de la cuisine, du tablier brodé par Zahra, des marmites en fonte, des louches et des passoires. Il y avait là quelque chose de grisant. D'émouvant. Eva sentait ses yeux la piquer, ses lèvres s'étirer, ses tempes taper et sa peau se réchauffer. Elle souriait, entièrement satisfaite de tout ce qui l'entourait. Entièrement. Un vertige. Tout. Un soulagement. Tout était enfin à sa place.

La réouverture fut un succès. Les habitués troquèrent leur kebab frites pour des plats plus savoureux et de nouveaux clients affluèrent, guidés par la rumeur qui enchantait l'établissement.

En quelques années, La Table d'Olenka devint une des valeurs sûres de l'arrondissement et ne fonctionnait que sur réservation, bonne réputation oblige. Eva était heureuse, la cuisine qu'elle préparait la nourrissait et les femmes de sa vie étaient à ses côtés. Mais une manquait à l'appel. Une qui n'avait jamais été près d'elle.

— Maman.

Le soir même, Eva préparait son sac et sautait dans un train. Direction sa famille de sang. L'originale. La bancale. Dans le wagon qui la menait jusqu'à la banquise, Eva ne savait pas encore très bien ce qui l'avait poussée là. Cela faisait plus de six ans qu'elle ne les avait pas revus. Elle n'y était pas retournée et eux n'avaient jamais proposé de venir la retrouver. Ils se contentaient de cartes postales. Petit format, peu de place, juste de quoi écrire quelques généralités et se déculpabiliser. Terminus.

Eva s'avança dans la rue de son adolescence sans aucune appréhension. Pas de trac. Pas de nœud à l'estomac. Une aisance nouvelle. Une assurance même. À sa gauche, toujours la même maison avec le même sofa un peu plus miteux, avec le même bonhomme un peu plus gros, avec la même couverture un peu plus mitée. Sans faillir, Eva s'avança vers lui et le salua comme s'il s'agissait d'un vieil ami. L'homme toussa d'abord, puis se mit à sourire. Un ange venait de passer. Eva continua et, à sa grande surprise, constata que le reste du voisinage n'avait pas changé non plus. Le vieillard et ses matous. Les Unal et leur pelouse parfaitement taillée. La jeune femme s'était préparée à de grands changements, à une révolution même, sa vie à elle avait tellement été bousculée. Cette immobilité la bouleversa. Et la prépara à affronter le reste de la rue : Olenka ne serait pas dans sa maison de poupée et ses parents seraient les mêmes en plus ridés. Eva, délivrée de ses illusions, continua. Elle resta quelques minutes face au refuge de son adolescence tentant de retrouver un soupçon de bonheur polonais. Flashs. La porte d'entrée devant laquelle Eva savourait les promesses de cet asile croustillant. La fenêtre de la cuisine qui observait le chocolat se déshabiller. Les rideaux du salon qu'Olenka tirait pour allumer ses bougies parfumées. Les souvenirs se bousculaient et le cœur d'Eva s'emballait. Elle aurait tant voulu la remercier pour tout ce qu'elle lui avait donné, pour ce trésor inestimable qui avait fait d'elle une femme. Une femme cousue main par deux étrangères, de la broderie slave et de la tapisserie orientale. Eva se glaça soudain. Il lui fallait maintenant aller à la rencontre de sa mère. Sa génitrice. Celle qui l'avait portée puis s'était défilée. Instinctivement, Eva remonta le col de son pull, et, sans réfléchir, appuya sur la sonnette. Du bruit dans la cuisine, une chaise que l'on tire, des pas. La porte s'ouvrit. Face à elle, sa mère plus jeune que jamais. Non, Sue Ellen. Sue Ellen identique à Sylvie. Même taille, même coupe de cheveux, même cou enfoncé dans les épaules, bras longs et squelettiques, regard vide et sans pépite.

— Salut, se contenta de dire Eva qui ne savait plus où elle en était.

Sue Ellen l'avait dévisagée sans rien dire puis avait hoqueté :

— Papa, maman, y a Eva qui…

Papa. Maman. Ces deux mots sonnaient tellement faux. Il y avait comme un vice de forme. Un acte manqué qui les rendait vides de sens. Et pourtant. Lorsqu'elle les vit assis autour de cette table ronde, face à leur poisson pané et leur purée Mousseline, avec leur petite serviette bien repassée et leur dessous-de-plat en liège, Eva esquissa un sourire. Un frisson joyeux la parcourut comme si elle était heureuse de les revoir. Finalement. Malgré tout.

— Eva, bredouilla Jacques entre deux cuillères de bouillie lyophilisée.

Sylvie, imperturbable, ne disait rien et continuait de manger. Eva, légèrement désappointée, l'observait.

— Fais pas attention, Eva, prévint son père. Ta mère, elle… Elle a plus toute sa tête. On pensait que c'était la vodka. Puis on a été voir des médecins.

— Elle a Alzheimer, coupa Sue Ellen sans ménagement.

— Mais, c'est…

— Non, c'est pas que les vieux. Là, elle t'a pas captée mais p't-être que dans une heure elle sera normale.

Normale. Pas normale. De toute façon, sa mère n'avait jamais été normale. Alors, qu'espérait-elle en venant ici ? Une rémission. Une parenthèse enchantée. Eh bien non, c'était comme avant en pire. Quoique.

— Tu verras, rattrapa Jacques qui se voulait rassurant, lorsqu'elle est lucide, elle est comme tu l'as jamais vue.

Un peu déstabilisée par toutes ces révélations, Eva attrapa un tabouret, s'assit et se servit un verre de rouge. Dans ce silence rythmé de coups de fourchette, Eva observait cette famille qui était la sienne. Son père n'était plus le roi de la gonflette, sa sœur semblait toujours flirter avec son PC et sa mère était passée de la coupe glacée à la crème fouettée. Il y avait un je-ne-sais-quoi de rassurant de les retrouver tous ainsi, assis à la même place, mais c'était aussi terriblement angoissant.

— Alors quoi de neuf ? n'avait pu s'empêcher de demander Eva.

Heureusement, le vent tourna et Sylvie se réveilla.

— Eva. Eva ! Mais qu'est-ce que tu fais là ? Tu es ravissante ! Ça me fait tellement plaisir de te voir. Tu es venue en train. Tu aurais dû nous le dire, on serait venus te chercher.

Eva décrocha et se sentit faillir. Elle prit une grande goulée de vin espérant ainsi se noyer dans son rouge. Cette voix chaleureuse, ce sourire sympathique, ces yeux brillants, cette belle humeur. Eva contemplait tous ces détails inconnus tout en cherchant du coin de l'œil la caméra cachée. Sa mère était une autre, celle de ses rêves. Même son visage semblait transformé. Plus arrondi, plus lisse, moins creusé par la fatigue et la mélancolie.

— Eh bien alors, raconte ! Raconte-nous ta vie parisienne.

Eva ne s'était pas préparée à cela. Elle pensait juste leur faire un petit coucou, boire un verre avec eux et parler de la pluie et du beau temps en attendant que sa mère dérape et qu'elle foute le camp. Elle n'avait pas prévu de leur parler de sa nouvelle vie, de son quartier, de ses amis.

— Eh bien, ma chérie.

Ma chérie. Le monde avait décidément bien tourné ces dernières années. Eva laissa les milliers de paillettes qui flottaient autour se déposer sur sa peau et les observa illuminer cet instant rare. Des vagues de frissons firent vibrer cette poussière de diamant et la rendirent encore plus étincelante. Ma chérie. Eva épela ces deux mots irréels et embrassa chacune des voyelles. Puis elle les répéta savourant l'écho. Admirant leur tempo. Émue par ces paroles maternelles, Eva commença par bégayer puis finit par leur raconter. Latifa, Rachid, les petits boulots, la cuisine, le restaurant. Sue Ellen en resta bouche bée, Jacques se leva et la serra dans ses bras pour la féliciter tandis que Sylvie continuait ses belles phrases.

Eva reçut tout cet amour en bloc puis se releva d'un bond afin de sauver l'instant. Elle savait que si elle restait quelques minutes de plus, tout serait perdu. Sa mère aurait à nouveau un blanc et l'ignorerait comme avant, son père se dégonflerait un peu plus et repren-

drait ses plaintes ridicules tandis que sa sœur retour-
nerait devant son écran.

Plus Eva s'éloignait, plus elle sentait que c'était
peut-être la dernière fois qu'elle les voyait. C'était
cette image qu'elle voulait garder d'eux. C'était cette
douceur qu'elle voulait porter dans son cœur. Même
si tout cela n'était qu'un paradis artificiel, éphémère
et irréel, il lui convenait parfaitement. Des cartes postales de temps en temps et le souvenir de cet instant.
Dans l'allée, Eva ne se retourna pas. Elle sentait que
le regard de sa mère avait déjà changé. Elle avait froid
dans le dos et ne voulait pas affronter cet au revoir
glacé. Dans sa tête, résonnait encore la mélodie de sa
mère. La mélodie d'Alzheimer.

5 novembre 2008
Yes, we can
Par Barack Obama (quelques mois plus tôt)[1]

Lorsque nous avons surmonté des épreuves apparemment insurmontables ; lorsqu'on nous a dit que nous n'étions pas prêts, ou qu'il ne fallait pas essayer, ou que nous ne pouvions pas, des générations d'Américains ont répondu par un simple credo qui résume l'esprit d'un peuple.

Oui, nous pouvons.

Ce credo était inscrit dans les documents fondateurs qui déclaraient la destinée d'un pays.

Oui, nous pouvons.

Il a été murmuré par les esclaves et les abolitionnistes ouvrant une voie de lumière vers la liberté dans la plus ténébreuse des nuits.

Oui, nous pouvons.

Il a été chanté par les immigrants qui quittaient de lointains rivages et par les pionniers qui progressaient vers l'ouest en dépit d'une nature impitoyable.

Oui, nous pouvons.

---

1. Discours de campagne dans le New Hampshire, 10 janvier 2008.

Ce fut l'appel des ouvriers qui se syndiquaient ; des femmes qui luttaient pour le droit de vote ; d'un président qui fit de la Lune notre nouvelle frontière ; et d'un King qui nous a conduits au sommet de la montagne et nous a montré le chemin de la Terre promise.

Oui, nous pouvons la justice et l'égalité. Oui, nous pouvons les chances et la prospérité. Oui, nous pouvons guérir cette nation. Oui, nous pouvons réparer ce monde.

Oui, nous pouvons.

21

Miangaly était en retard. Le rythme européen, ce n'était pas son truc. Elle aimait prendre son temps et lorsqu'on la brusquait, elle répondait :

— *Mora, mora.*

Ce qui en malgache signifiait « tranquillement pas vite ». Son amoureux tenait le choc et s'accommodait plutôt bien du tempérament tropical de sa douce métisse. Il s'appelait Marco. Il était ingénieur du son. Bako, Diego, Marco. Miangaly avait sans nul doute l'art de la rime. Et ça, Marco l'avait bien senti. Trouvant ses textes bons, il lui proposa de les lui arranger. Miangaly n'avait pas tout de suite compris. Pourquoi les arranger, s'ils étaient bons ? Marco lui expliqua et elle valida.

Miangaly était donc en retard pour cette première séance d'enregistrement. Les studios Belleville n'étaient pourtant pas à l'autre bout de Paris mais la belle se faisait attendre. Son excuse : les infos avaient annoncé la victoire d'Obama et elle était restée scotchée.

Mady était déjà en place en train de répéter les morceaux sur sa guitare. Miangaly la rejoignit derrière la vitre et s'approcha du micro. Elle mit son casque et, encore émue par cette Amérique qui retrouvait enfin la raison, commença son tour de chant les mains tremblantes. Les chansons s'enchaînèrent sans fausse note. Tout roulait, les cordes étaient à l'unisson. Le blanc et le noir ne faisaient qu'un et, derrière leur console, les techniciens ne disaient plus rien. Ne faisaient plus rien. Il n'y avait rien à modifier, régler, répéter. Tout était parfait. Comme une évidence. Après le dernier morceau, il y eut un grand silence. Plus personne n'osait parler. Miangaly ne réalisait pas le tour de force qu'elle venait d'effectuer. Lorsqu'elle sortit de la pièce vitrée, elle sentit tous les regards fixés sur elle. Mady la suivit et posa sa main sur son épaule.

— Tu m'as encore bluffée.

Les quelques personnes présentes se mirent à applaudir. Et Miangaly à rougir.

— Je crois que cet enregistrement va vite faire le tour de Paris.

— Eh ! Salut Clarika, qu'est-ce que tu fais là ? demanda Mady.

Elle commençait l'enregistrement de son prochain album. Elle était là pour quelques réglages. Mady appela Miangaly et fit les présentations.

— Je... J'aime beaucoup ce que vous... bredouilla la Malgache admirative.

— Merci. Ce que tu viens de faire, c'est grandiose, j'ai encore des frissons partout. T'as encore quelques minutes ?

— Euh. Oui, oui. Bien sûr. J'peux t'aider ?

— Une de mes chansons. J'aimerais bien l'essayer avec toi, proposa Clarika.

Miangaly, muette, acquiesça d'un hochement de tête. Assises sur les poufs du studio, les filles s'installèrent pour ce bœuf improvisé. Clarika donna quelques accords à Mady et le texte à Miangaly. Une guitare. Deux voix. Ni micro, ni enregistrement pour cette rencontre éphémère. Pour ce texte pareil à une guerre. Des paroles vives et insolentes pour dénoncer la plus grande des injustices. Celle du sol où l'on naît, de la poussière que l'on foule, de l'air que l'on respire. Être né quelque part pour celui qui est né, c'est toujours un hasard…

La petite carte en plastique que l'État m'a donnée
Ah ouais je l'ai bien méritée
Naître en République dans une clinique chauffée
Ah ouais je l'ai bien mérité
Les bancs de mon école, le pouvoir d'étudier
Ah ouais je l'ai bien mérité
Aller voir mon docteur quand j'me sens fatiguée
Ah ouais je l'ai bien mérité
La douceur de l'enfance, l'amour qu'on m'a donné

Bah ouais, c'est vrai, j'y avais pas pensé
Bah oui, pardi, on me l'a toujours dit
Bon sang, c'est sûr, c'est la loi de la nature
C'est l'évidence, t'avais qu'à naître en France

Et tant pis pour ta gueule, si tu es né sous les bombes
Bah ouais tu l'as bien mérité
T'avais qu'à tomber du bon côté de la mappemonde
Bah ouais tu l'as bien mérité
Si la terre est aride, y a qu'à trouver de la flotte
Bah ouais
Un peu de nerf mon gars pour la remplir ta hotte
Bah ouais

On prend pas un bateau si on sait pas nager
Bah non
On a que ce qu'on mérite alors t'as mérité[1].

Miangaly termina la chanson en larmes.

— Merci pour les naufragés de l'autre côté de la mer. Avec toi et Obama, on va réussir.

— À quoi ?

— À changer le monde.

---

1. *Bien mérité*. Paroles, musique et interprète : Clarika.

22

— Tu fais quoi Eva ? Dépêche-toi !

— Deux secondes. Il faut que je ferme la caisse et que je vérifie la chambre froide. Tiens, baisse le store, ça m'avancera.

Aziz tira le rideau rapidement et continua ses trépignements.

— Bon, c'est pas parce que tu stresses que j'irai plus vite. Sors, vas te fumer une clope et oublie-moi.

Le bel amant ayant foutu le camp, Eva espionna à la fenêtre du restaurant pour s'assurer qu'il était bien dehors et se dépêcha de rejoindre l'arrière-boutique pour y chercher son magot. À toute vitesse, elle se déshabilla. Jean et tee-shirt à terre, elle sortit son trésor de l'emballage. Elle l'enfila, se colla au bout de miroir agrippé au mur, histoire d'ajuster le maquillage et, un coup de crayon plus tard, la belle sortit dans la rue, vêtue de sa robe de dentelle. Aziz lâcha sa cigarette, toussa et s'illumina.

— Tu croyais quand même pas que j'allais me pacser en sweat et baskets. Tiens, c'est pour toi, dit-elle en lui donnant une veste empruntée à Rachid.

Aziz. Ç'avait été une certitude. Un an plus tôt. Simple et efficace. Un regard. Un mot. Et tout s'était mis à rouler. Une évidence. Comme le coulis de chocolat sur la glace à la vanille. Comme la neige sur les sapins. Comme le sable en plein désert. Tout était parti d'un fou rire. Un qui arrive sans prévenir et qui s'accroche jusqu'aux larmes, jusqu'au mal de ventre. Un qu'on ne voudrait pas voir finir parce que, après, il y a la peur du vide. Mais lorsqu'il s'arrêta, ce fut un grand plein qui lui succéda. Un plein d'amour parsemé de cuillères de chantilly, de petits-déjeuners au lit, de siestes crapuleuses, de spaghettis au gingembre, de lundis sous la couette. Eva, après les coups du sort, avait enfin eu droit au coup de foudre. Pas celui du cinéma qui vous fige dans un mélange de guimauve et de barbe à papa, non, Eva avait eu droit au véritable, à celui qui transpire, s'auréole et respire.

— Je suis prête, cher amour, nous pouvons aller danser.
— Danser ?
— Je t'ai pas dit ? Après la mairie, grande fête chez Latifa. Elle a organisé ça dans la cour de l'immeuble.

Au cœur du bâtiment, Latifa avait transformé le carré bétonné en salon berbère. Des tapis étendus sur le sol, des lampions suspendus aux étendages, des coussins brillants sur les bancs gris et des bouquets d'encens piqués dans les cendriers. Quelques musiciens jouaient de leurs instruments et un méchoui trônait au milieu des convives. Eva planait, transportée par tant d'allégresse. Elle observait cette vie qui était maintenant la sienne et se disait que finalement

Jacques et Sylvie avaient bien fait de l'emmener de ce côté du monde.

— Tout va bien, ma belle ?

Ma belle, c'était elle. Elle n'avait plus besoin d'explications. Le gel, le THC, les initiales volées, le nucléaire, la mère de glace, l'homme invisible et toutes ses blessures n'étaient plus que des cicatrices qu'elle avait enfin domptées, apprivoisées, appris à aimer.

Autour d'elle les gamins criaient, les amis trinquaient et il y avait même sa sœur qui souriait.

— Les parents t'embrassent bien fort. Ils auraient aimé être là mais il y a le jardin à s'occuper.

C'était un nouveau code qui permettait aux filles d'entretenir le rêve. Lorsque Sylvie allait bien, elles profitaient de cette mère modèle et la savouraient avec tendresse. Lorsqu'elle plongeait dans le néant, elles préféraient l'imaginer en train de biner dans le jardin. Un soupçon d'illusion pour retarder la destruction.

— *Yes, we can.*

Tout le monde s'était mis à parler anglais. Les bouteilles se vidaient et les verres se remplissaient. On buvait à la santé d'une nouvelle terre multicolore, d'un président noir, de la revanche des esclaves. Bush était déjà mort et enterré et la planète bleue allait enfin se mettre à tourner du bon côté. Eva était maintenant soûle. Elle tanguait d'un bout à l'autre du banquet en piochant çà et là des petits fours salés. Une coupe dans une main, une cigarette dans l'autre, le friand coincé entre les dents, elle tentait de rejoindre Aziz lorsqu'une apparition la stoppa. Net. Le reste de la foule se figea également. Défiant le silence, le percussionniste commença à taper sur son djembé. La peau tendue se mit à vibrer et le spectacle commença. Le show de Latifa. Légèrement vêtue, la mama tout en rondeurs portait un bustier qui laissait déborder sa poitrine opulente, un pantalon noir transparent ceinturé d'un foulard brodé de petites pièces clinquantes sur les hanches et un voile doré glissant le long de ses épaules dodues. La darbouka et le tambourin rejoignirent le premier instrument et la danseuse improbable se mit à bouger. De petits coups, d'abord, précis et discrets, comme si de rien n'était. Puis un déhanchement plus appuyé pour cette chorégraphie vertigineuse. Son bassin tournoyait d'avant en arrière, de gauche à droite. Son fessier rebondi vibrait à une vitesse folle. Son ventre grassouillet ondulait comme une vague qui ne finissait jamais. Chaque bourrelet, chaque recoin potelé était sollicité pour cette transe. Latifa remuait, indifférente à la sueur qui l'inondait. Tout le monde la regardait bouche bée. Rachid avait la mâchoire tombante et les paupières rougissantes. Cette femme n'était pas sa mère. Eva la contemplait, fascinée. Décidément, les femmes de sa vie étaient pleines de ressources et ne cesseraient jamais de la surprendre. Latifa termina le show par une vibration cosmique époustouflante. Même le sol se mit à trembler, entraînant avec lui les convives qui commençaient à se déhancher. Au dernier coup de bassin, les instruments se turent et la foule retrouva son souffle. Il y eut quelques secondes de silence puis des applaudissements puissants. Les mains claquaient avec force. Les bouches criaient leur admiration. Les lèvres sifflaient leur joie. Latifa saluait encore et encore son public. Star d'une nuit à la lumière des bougies, la mama qui venait de troquer le tablier pour cette tenue déshabillée se sentait tellement épanouie qu'elle était bien décidée à recommencer. C'était sans compter sur Rachid qui l'attendait de pied ferme muni d'une grande couverture à carreaux.

— Elle était sublime, ta mère, s'enthousiasma Aziz.

— Elle est encore plus belle en burqa.

QUAND TOUT RECOMMENCE...

Être né quelque part
C'est partir quand on veut,
Revenir quand on part.

Maxime Le Forestier – *Né quelque part*

Dialogue

— Bonjour. Y a quelqu'un sur ce siège ?

— Non, il est libre.

— Merci.

— Attention, votre sac, il s'est pris dans le…

— Merci.

— Vous êtes du quartier ?

— Oui, j'habite à côté de l'école des Rosiers. Et vous ?

— J'ai un appartement juste en bas de la rue.

— Votre… Votre tee-shirt, *La Table d'Olenka*. C'est vous ?

— Oui, c'est mon restaurant.

— Depuis le temps qu'on m'en parle, il faut que je vienne goûter à vos merveilles. Mon père doit venir bientôt, ce sera l'occasion. Il paraît que c'est divin.

— Faut pas exagérer. On aime ce qu'on fait, c'est tout. Et vous ? Qu'est-ce que vous faites ?

— Je suis chanteuse.

— Quel beau métier… Vous vous produisez à Paris ? En province ?

— Essentiellement à Paris dans les cafés, les pubs, les cabarets.

— Et là, vous continuez de chanter ou vous vous êtes arrêtée ?

— Je continue, ça gêne pas. Je fais juste des morceaux plus tranquilles. J'ai mon tabouret sur scène quand je me sens fatiguée. Et vous ?

— J'ai une amie qui me remplace. En cuisine, debout, avec la chaleur et le stress, ça devenait compliqué.

— Vous en êtes à combien ?

— Six mois et vous ?

— Pareil.

— C'est prévu pour le 5 septembre.

— Le 5 pour moi aussi. Alors ça, c'est…

— Fille ou garçon ?

— Fille.

— *Idem*. Eh bien, c'est vraiment…

— C'est une belle rencontre.

Épilogue

Sur une terre à l'abri de l'univers,
Des terres et des mers, ponctuées de pères et de mères.
Des destins perdus, rêvés, désintégrés, enviés, volés,
brûlés.

Sur une terre à l'abri de l'univers,
Une folie douce règne,
L'horreur de la guerre caresse les bébés affolés,
expulsés trop vite de leur cocon maternel.

Sur une terre à l'abri de l'univers,
La balance de la vie s'emmêle. Le trop et le rien
choisissent deux chemins et se partagent le monde. Ce
sera 10 % de trop pour 90 % de rien. Il ne faut pas se
tromper de côté.

Sur une terre à l'abri de l'univers,
Miangaly et Eva sont nées sous le même soleil mais
pas avec le même coefficient de merveille. Et pourtant.

Sur une terre à l'abri de l'univers,
Tout n'est pas si simple. Les pauvres rient et les riches
s'ennuient. Le sol que l'on foule n'est pas toujours le bour-
reau qui nous détruit. Et si le responsable était ailleurs ?

Sur une terre à l'abri de l'univers,

Il faut être fort pour ne pas se perdre. Notre chemin n'est pas tracé même si l'on naît du bon côté. Pile ou face. Encore faut-il avoir une pièce dans sa besace.

Sur une terre à l'abri de l'univers,

Je rêve d'enfants aux sourires éternels, de zébus en chocolat, de catalogues sans frontière, de fabriques de nuages et d'icebergs à la grenadine.

Remerciements

À mon fiancé Nicolas, qui partage depuis douze ans les mots et les maux de ma vie.

À maison d'édition Les Nouveaux Auteurs, à ses travailleurs de l'ombre et à son comité de lecture pour ce Grand Prix.

À Paulo Coelho, qui grâce à son « Coup de cœur » contribue à la réalisation de ma Légende Personnelle.

À Maxime Le Forestier, pour m'avoir laissé un message de décembre qui disait : « Qu'il est beau votre livre… »

À Caroline Laurent, pour son aide précieuse.

À ma mère, ma première lectrice, correctrice et admiratrice.

À mon fils Diego, pour sa peau contre la mienne quand les phrases devenaient amères.

À tous ceux qui ont cru en moi…

LA MUSIQUE DES MOTS

Les mélodies ayant bercé l'écriture :

Craig Armstrong – Pink Floyd – Yann Tiersen
Maxime Le Forestier – Antony and the Johnsons
José González – Damien Rice
Mickael Nymann – Gustavo Santaolalla – Erik
Satie.

Blog

Retrouvez-moi sur mon blog à l'adresse ci-dessous :
http://l.encre.de.l.amer.over-blog.com/

06 89 15 08.60

Michel Busy! *Nyphéa noir*

Composé par Nord Compo
à Villeneuve-d'Ascq (Nord)

Sommi[= Alprazolam Mylan 1mg

Imprimé en France par

MAURY-IMPRIMEUR
à Malesherbes (Loiret)
en avril 2012

POCKET – 12, avenue d'Italie – 75627 Paris Cedex 13

N° d'impression : 172832
Dépôt légal : mai 2012
S22605/01